JAROS

Le brave soldat Chvéïk

TRADUIT DU TCHÈQUE PAR HENRY HOREJSI

PRÉFACE DE JEAN-RICHARD BLOCH

GALLIMARD

PRÉSENTATION

C'ÉTAIT en 1928. Je me trouvais à Berlin pour les répétitions d'une pièce qu'on m'y allait jouer. Erwin Piscator, le célèbre metteur en scène communiste, me conduisit à son Theater am Nollendorferplatz. Il y donnait une pièce qui faisait courir la capitale depuis des semaines. Le comédien Palenberg y triomphait.

Le rideau levé, on vit d'abord, tout à droite de la scène, un élément de décor formé bonnement par deux feuilles de paravent en équerre, sans aucun plafond, et qui parvenait fort bien à évoquer une petite salle à manger bourgeoise. Le héros, Mons Chvéïk, brave marchand de chiens à Prague, prenait son café au lait en se frictionnant les genoux et en bavardant avec sa vieille servante.

L'archiduc François-Ferdinand venait d'être assassiné à Seraïévo. Mons Chvéïk, bien que Tchèque, était plein de zèle patriotique autrichien, ou en faisait mine. Il se découvrait poliment chaque fois qu'il prononçait le nom de la Famille impériale et royale.

Puis Herr Chvéïk s'en allait prendre sa chope de bière dans le voisinage. A cet effet, le plancher de la scène se mettait en mouvement, de gauche à droite, entraînant vers les coulisses la femme de ménage et le décor rudimentaire. Un autre paravent synthétique faisait son entrée par la gauche. Il accompagnait un zinc de bistrot, le cabaretier lui-même derrière son comptoir, et un agent provocateur, mélancoliquement assis à une

table. Cependant Chvéïk avait fait le chemin sous les
yeux du public, avec l'air réjoui que donne une conscience satisfaite. Il pénétrait dans le petit débit, s'as-
seyait, et l'incorrigible bavard se mettait à disserter
sur la chose publique.

La pièce était tirée d'un roman tchèque qui faisait
fureur dans toute l'Europe centrale.

« *C'est notre Don Quichotte! Nous avons enfin notre
Don Quichotte!* »

Je retrouvais cette exclamation dans toutes les
bouches. « *Va pour don Quichotte* », me dis-je. « *Nous
verrons bien.* » Et je m'intéressai aux détails qu'on me
donnait sur l'auteur, Jaroslav Hasek.

*

Ce Hasek, mort jeune et dans la misère, avait été, de
son vivant, un parfait et sympathique dévoyé. Bien
qu'il fût né Bohémien, son goût pour la vie de Bohême
ne lui avait pas attiré la sympathie de ses compatriotes.
Jamais on n'avait recommandé ses ouvrages à ces ho-
norables étrangers qui parcourent l'Europe, friands de
folk-lore, de couleur locale et d'art régional.

Jusque dans l'après-guerre, l'incorrigible chemineau
faisait rougir les cercles intellectuels de la nouvelle république tchécoslovaque. Un jeune Etat, si démocrate
soit-il, est affamé de considération. Il veut être admis,
au plus vite, dans le club des nations sérieuses. Que
faire d'un ivrogne aux opinions suspectes, qui ne hante
que des vagabonds, des fripiers, des camelots, des tri-
mardeurs, qu'on ne rencontre pas dans les brasseries
littéraires mais dans les bistrots des faubourgs, qui
disparaît des mois entiers pour courir le pays dans les
compagnies les moins douteuses, et à qui l'obscur pa-
petier de Prague qui édite ses livres ne sait où envoyer ses maigres droits d'auteur ?

Car Hasek écrivait. On me dit que les productions
de l'étrange conteur paraissaient sous forme de brochures volantes et qu'on les vendait quelques sous dans
les rues, comme jadis les *Aventures de Monsieur Pickwick*, aux temps du jeune Dickens.

Hasek avait créé un personnage qui tenait précisément de M. Pickwick, de M. Prudhomme, du père Ubu,
de Panurge et de Sancho Pança, mais si parfaitement

représentatif du petit peuple tchèque, que ce fantoche, nommé par lui Chvéïk, et, de son métier, marchand de chiens plus ou moins volés et camouflés, était devenu rapidement populaire à Prague. Non pas, certes, dans les salons ou les cénacles, mais chez les bonnes gens qui lisent un livre sans regarder le nom de l'auteur.

Venue la guerre, Chvéïk n'avait pas disparu pour si peu. Poltron de naissance et raisonnablement prudent, d'ailleurs réformé jadis pour rhumatismes et idiotie, Chvéïk avait cru en être quitte à bon compte.

Malheureusement pour lui, l'Empire austro-hongrois, comme la République française, était à court d'hommes. On récupérait les inaptes à la hâte. Chvéïk avait été récupéré. *Les Aventures du brave soldat Chvéïk pendant la Grande Guerre* formaient un vaste roman héroï-comique, traduit dans toutes les langues de l'Europe centrale. Le succès en était prodigieux. Le pauvre Hasek n'avait pas vécu assez longtemps pour en jouir ou en rire. Il était mort au cours d'une de ses lamentables et merveilleuses balades sur les chemins du trimard. Un ami avait pieusement achevé le cinquième volume de l'épopée.

Tous les anciens mobilisés des Empires centraux s'étaient reconnus dans cette figure naïve et goguenarde. Le brave Chvéïk, je vous l'ai dit, n'était pas un héros. Mais il était habité par un génie malicieux qui jouait à mettre son hôte dans des situations impossibles. L'esprit de Quichotte dans la panse de Sancho.

*

Le second tableau de la pièce montrait précisément l'incorrigible bavard en train de discourir sous les yeux intéressés du policier. Celui-ci faisait coup double. Il arrêtait Chvéïk pour crime de haute trahison, et le cabaretier, pour avoir décroché de son mur un portrait de Sa Majesté sous prétexte que les mouches ne le respectaient point.

Chvéïk n'évitait la prison que pour le conseil de révision. Ici un artifice de mise en scène me charma. Le bon Chvéïk comparaissait devant un major. Ce major était figuré par un dessin animé du cruel caricaturiste George Grosz. Un écran occupait soudain tout le fond de l'énorme scène, et une figure synthétique, de dimensions formidables, se composait, trait par trait, devant le spectateur amusé. Au pied de cette image géante, Chvéïk bénévole, minuscule, se présentait au garde-à-vous, en chemise et en caleçon, et saluait militairement. La figure rugissait un interrogatoire auquel le marchand de toutous répondait de son mieux, sans se départir de son optimisme souriant. Copieusement injurié, puis déclaré apte au service, il trouvait encore le moyen de crier HEIL [1] en l'honneur de Sa Majesté et de toute la Famille impériale et royale.

L'acteur me plaisait. Il avait la rondeur, la malice profonde, l'œil futé, la voix naïve et claire de Polin, sa diction célèbre, et cette façon d'occuper la scène qui est la marque des grands comédiens.

Le reste de la distribution était d'une vie hallucinante.

Deux tapis roulants, parallèles à la rampe, indépendants l'un de l'autre, séparés l'un de l'autre par une petite bande fixe du plateau, amenaient, emmenaient décors et personnages, sans baisser du rideau, sans ralentissement de l'action. Les tableaux succédaient aux tableaux. Chvéïk, alerte, trottait de lieu en lieu, à la vue des spectateurs. Par moments les chemins mobiles contrariaient leurs mouvements, par moments ils se déplaçaient dans le même sens, mais à des vitesses différentes, et puis s'arrêtaient. A tout instant la toile de fond s'éclairait et le crayon de George Grosz la peuplait de visions sinistres ou humoristiques, trognes, casernes, prisons, chambrées, paysages. Le public les saluait avec transport.

Car le spectacle le plus étonnant n'était pas sur la scène. Je le trouvais dans la salle.

*

Cette salle était loin d'être composée de révolutionnaires. Pendant l'entracte, le camarade Piscator m'avait fait remarquer quantité de boutonnières ornées de la Croix gammée, la célèbre Swastika, signe de ralliement des nationalistes, antisémites et nazis. Le parti communiste disposait pour ses adhérents de quelques travées

1. Hourra!

du poulailler. Le prix des places réservait évidemment l'orchestre et les balcons à la clientèle riche. Or la salle écoutait la pièce avec attention. Des applaudissements furieux, des ouragans de rires, soulignaient les traits sanglants dont étaient criblés l'armée, l'état-major, la guerre, le gouvernement. Ils ne soulevaient aucune protestation. De l'avant-scène où je me trouvais, je considérais les rangées profondes de l'orchestre. Une fraction importante de ce public participait bruyamment à la joie des populaires. Les bourgeois juifs ne la composaient pas seuls, comme on aurait pu croire. Mais parmi ceux-là mêmes que ces plaisanteries mordaient cruellement et que leur silence trahissait, personne ne protestait.

J'attribuai d'abord cette patience surprenante à ceci, que l'uniforme fustigé était l'autrichien, l'empire bafoué la monarchie des Habsbourg, le clergé ridiculisé le clergé catholique. Mais la satire était beaucoup trop corrosive pour permettre la moindre illusion. D'ailleurs le public n'avait garde de s'y tromper. Il faisait un sort aux répliques d'une portée générale, qui n'épargnaient point l'Allemagne. Le crayon de George Grosz se chargeait également de dissiper les doutes. Aux plaisanteries autrichiennes, souvent inoffensives, il ajoutait un dur commentaire prussien. Il coiffait ses caricatures du casque à pointe. Même le désaccord que l'on pouvait remarquer entre la bonhomie du dialogue et l'âpreté des dessins rendait l'expérience plus concluante pour moi.

Je m'en ouvris au camarade Piscator. Celui-ci me répondit en ces termes :

« *D'abord vous ne devez pas perdre de vue que les gens qui sont ici savaient à quoi ils s'exposaient. Ils recherchent les émotions fortes. Ils sont prêts aux nasardes. Mais surtout n'oubliez pas que le public allemand n'a pas la même façon que vous de considérer les choses. Il ne vient pas au théâtre pour y faire de la politique. Il y vient pour s'amuser et pour se renseigner. Tous ces nationalistes que vous voyez si calmes écoutent ces paroles incendiaires avec le même sérieux, la même application, qu'ils liraient un bulletin de documentation. Ils ne se regardent pas, ici, comme engagés et offensés. En réunion publique, ces mêmes attaques*

*les porteraient à des violences terribles, comme en té-
moigne l'histoire de nos huit dernières années.*

« *Le cerveau allemand est protégé par des cloisons
étanches, comme un cuirassé. Il n'est pas facile à
atteindre, encore moins à couler bas. L'effet d'une tor-
pille se limite aux compartiments touchés. Un Latin se
déplace d'un tenant. Sa personne s'expose au complet.
On rencontre partout les œuvres vives d'un Français.
C'est pourquoi il résiste de toutes ses forces à la moindre
agression. Autrement dit, vous êtes des créatures politiques. L'Allemand n'oppose à une menace locale que
des résistances locales. Votre esprit est centralisé comme
votre pays. L'esprit d'un Allemand est fédératif, d'ailleurs moins prompt. Et cela entraîne une conséquence
imprévue : c'est que, plus brutal, souvent plus into-
lérant que vous, il supporte patiemment des coups qui
mettraient une salle parisienne en révolution.*

— *Je le veux bien*, répondais-je. *Je n'en attribue
pas moins mon étonnement de ce soir au fait que je
tombe au milieu de cette grande chose, — un peuple
qui vient de faire une révolution.*

— *Révolution larvée !* siffla le camarade Piscator avec
mépris.

— *Possible. Vous avez vos raisons pour la dédaigner.
J'ai les miennes pour ne pas prendre à la légère ce
passage d'une monarchie à une république, quelle qu'elle
soit.*

— *Une république asservie aux volontés de l'industrie
lourde et du centre catholique !*

— *En toute chose il faut considérer le point de
départ. La monarchie dont vous vous êtes délivrés était
celle des Hohenzollern. A elle seule la grave attention
apportée par ce public à une comédie qui aurait tant
de raisons de le scandaliser révèle plus d'une chose à
un étranger. Que vous puissiez impunément distribuer
de tels horions sur une grande scène berlinoise, devant
des salles bondées, cela est le signe d'un profond changement dans les esprits. Je ne peux m'empêcher d'en
ressentir de la surprise et de la joie.* »

Cependant les aventures du brave Chvéïk continuaient
à se dérouler. Je goûtais la nouveauté, la grâce et la
bonne humeur de la mise en scène. J'ajoutai :

« *Ce qu'il y a de poésie dans le spectacle suffirait*

d'ailleurs à charmer les cerveaux les plus féroces ».
Erwin Piscator eut un sourire mystérieux mais flatté.

*

Chvéïk était affecté comme ordonnance à un brave petit lieutenant embusqué à Prague et adonné au beau sexe. Les bourdes répétées du réserviste finissaient par entraîner l'envoi immédiat au front du freluquet et de son serviteur.

Alors commençait la partie épique du conte. Car Chvéïk se trouvait être, dès ce moment, le seul mobilisé, le seul militaire de la double monarchie qui témoignât l'intention de se sacrifier pour Sa Majesté l'empereur et la famille impériale, le seul qui parût croire à la guerre, à la patrie, à l'armée, au gouvernement et à tous les magnifiques bobards officiels.

Là était le trait de génie de Hasek.

Du haut en bas de la hiérarchie, depuis le maréchal jusqu'au caporal, l'auteur ne rencontrait que profiteurs, sceptiques, indifférents, blasés, gens convaincus de l'inévitable échec de la guerre, et de la parfaite inutilité de la machine sociale. Chvéïk y allait, comme on dit, de son voyage. Sa naïve sincérité le rendait invulnérable à la nonchalance proverbiale de l'administration autrichienne, mais elle ne le rendait pas moins redoutable aux gradés qu'il rencontrait. Que ce fût le gendarme qui l'apostrophait sur un quai de gare, ou le général-inspecteur en civil, avec lequel il essayait innocemment de lier conversation dans le train, tout ce monde avait vite fait de regarder ce petit homme rondelet comme un personnage dangereux, animé du plus mauvais esprit. Le démon sentencieux qui le poussait à philosopher mal à propos contribuait à rendre inextricables toutes les conjonctures où il avait le génie de se fourrer. De sorte qu'étant le seul homme de l'armée austro-hongroise qui manifestât le désir d'aller au front, il était le seul aussi qui ne pût jamais y arriver. Sans cesse l'en écartaient un incident fortuit, un train manqué, une punition récoltée en route.

Par contre, égaré dans la campagne, liait-il conversation avec les déserteurs qui le prenaient pour un des leurs, avec des tziganes lui offrant leur aide pour glisser entre les doigts de l'autorité ? Il échappait à ce

nouveau danger par un étalage emphatique de sentiments loyalistes, et s'en tirait au prix de quelques injures supplémentaires.

Si différent que Chvéïk fût de Charlot, ils avaient
en commun tous deux avec Don Quichotte le privilège
de recréer sans cesse leur solitude au milieu de l'im-
mense cohue des hommes, et de se retrouver en toute
occasion mal vus, incompris, également brimés par
ceux d'en haut et par ceux d'en bas. A la ressemblance
de Charlot, Chvéïk n'avait que deux sortes d'alliées,
mais elles étaient de choix : quelques braves femmes,
charitables à ce grand enfant, — et la nature.

Un des tableaux les plus heureux de la pièce montrait
Chvéïk descendu, lors d'un arrêt, du train de troupes
qui l'emmenait vers l'avant, et manquant le départ en
s'attardant à vider quelques chopes. Son wagon emportait sa capote, son livret militaire et son porte-
monnaie. Après une solide engueulade du commissaire
de gare, Chvéïk se voyait intimer l'ordre de gagner la
régulatrice à pied. Il se trompait naturellement de
chemin au premier carrefour, et prenait la direction
opposée aux lignes.

Le double trottoir roulant de Piscator donnait à cette
étape une grandeur d'épopée. Chvéïk « marchait la
route » devant nous, fumant sa pipe avec sérénité, mais
jetant des coups d'œil vaguement inquiets, vaguement
complices, sur les bornes kilométriques qui défilaient,
sur les poteaux indicateurs qu'il dépassait. Au fond,
sur l'écran, le paysage se déplaçait lentement. A mi-
distance, sur le second tapis, des accidents plus rapprochés — débits, granges, roulottes, — se présentaient
tour à tour, provoquant une série d'épisodes, souvent
magnifiques, de poésie, de comique et de majesté.

La nuit venait. La neige se mettait à tomber. (J'ad-
mirai l'appareil optique qui en donnait l'illusion parfaite et que Piscator avait emprunté à l'outillage du
music-hall.) La pipe de Chvéïk demeurait le seul point
lumineux de la scène. Le brave garçon se mettait à
chanter pour se donner du cœur. Et qu'allait-il chanter,
de sa voix merveilleusement cordiale et fausse ? Une
romance pleine d'oiseaux, de soleil et de printemps !

*

Un dernier tableau, joué à miracle par l'acteur Palenberg, terminait la pièce d'une manière triomphale. A
la suite d'un excès de zèle, Chvéïk était puni par son
colonel de deux heures de maniement d'armes et d'école
du soldat, en plein midi, un jour de canicule. Notre
homme supportait le châtiment avec l'allégresse im-
perturbable d'un guerrier qui offre ses tribulations à
la patrie. Mais le sous-officier autrichien chargé de la
sanction n'avait pas les mêmes raisons que lui pour
endurer, sans en souffrir, le soleil et la corvée. Il s'en
fatiguait le premier.

Pendant une pause de l'exercice, Chvéïk remarquait
que le numéro de son fusil était le même que celui
d'une locomotive naguère accidentée sur les faisceaux
de triage de la gare de Prague. Il entamait alors un récit
de l'événement à ce point long, confus, circonstancié,
il entreprenait avec un tel luxe de détails niais la relation des divers procédés mnémotechniques que le chef
de dépôt avait enseignés au machiniste de l'équipe de
secours afin de permettre à celui-ci de retrouver la
machine sans erreur, que le cerveau déjà faible du gradé
vacillait sous le papillotement des chiffres et sous le
fardeau de cette prolixité. Comme les brancardiers emmenaient l'infortuné adjudant, frappé sur place de
congestion cérébrale, Chvéïk trouvait le moyen de se
jeter encore une fois sur le corps et sur le brancard,
afin d'ajouter une dernière particularité à l'inépuisable
récit. Du coup, il achevait sa victime. La salle ne se
tenait plus de jubilation :

« *C'est cela!* entendait-on répéter dans les couloirs, pendant la sortie, *tels sont exactement le caractère tchèque
et son invraisemblable puissance de désagrégation! C'est
de cette façon qu'ils* ont eu *les Autrichiens, à force de
ténacité, goutte à goutte, jusqu'à l'épuisement final...* »

*

Non moins instructif pour moi fut le récit qu'on me
fit de la scène qui servait de dénouement à la pièce,
lors des premières représentations, et que Piscator s'était
vu obligé de supprimer, si intransigeant et courageux
qu'il fût.

Chvéïk, mort, arrivait au ciel. Il y arrivait avec sa bedaine, sa faconde et sa malicieuse stupidité. Au bout d'un quart d'heure, il s'était rendu aussi parfaitement indésirable là-haut qu'il l'avait été parmi les hommes. Car il se trouvait tout à coup la seule âme à prendre au sérieux les bourdes solennelles qu'on lui avait enseignées jadis. Pas plus que les feld-maréchaux n'avaient cru à l'Empereur, à l'Empire, à la guerre, à la victoire, non plus Dieu ni les saints ne croyaient à eux-mêmes, au ciel, au paradis, aux vertus, à la religion. La présence du rusé naïf renversait le système. Elle faisait éclater les connivences qui l'étayaient. Chvéïk se voyait honteusement expulsé de là-haut et renvoyé sur la terre, ce qui était peut-être, tout compte fait, le but auquel il tendait.

Or le camarade Piscator avait pu attaquer impunément le pouvoir et l'armée, poursuivre de ses sarcasmes la police, la médecine, les états-majors, les empires, les couronnes, personne ne s'y était opposé. A peine sa moquerie avait-elle effleuré Dieu et la religion, il avait dû battre en retraite.

Dix ans après la révolution, en plein cœur d'un Berlin irréligieux, frondeur et socialiste, nonobstant l'appui des masses ouvrières et d'une forte clientèle juive, malgré le succès éclatant de son théâtre et l'engouement qui va au succès (et, en Allemagne, plus qu'ailleurs), Piscator avait douté de la puissance communiste et de la tolérance républicaine. Il avait capitulé sous les foudres de l'Eglise.

*

Un autre fait me donna fort à penser, le même soir. A la librairie ouverte au foyer du théâtre, j'achetai un album de George Grosz, intitulé *Hintergrund — Arrière-Plan.* Je connaissais l'œuvre du fameux dessinateur par l'ouvrage que Léon Bazalgette lui a consacré en France, et par diverses reproductions parues en des revues d'avant-garde. Je n'en fus pas moins saisi de l'audace montrée par l'artiste. La haine du conformisme hypocrite incendiait ces gravures. Depuis Callot et Daumier, on n'avait rien produit de si corrosif en Europe. Une des planches entre autres attira mon attention. On y voyait le pauvre Christ en croix, la figure couverte d'un masque à gaz du type « en groin de cochon », ses maigres jambes perdues dans les demi-bottes réglementaires de l'infanterie allemande. Comme légende :

« *Taire sa gueule, et obéir sans rouspéter.* »

La légende était empruntée au texte de Jaroslav Hasek.

Nous aimons le courage et je me rappelais l'influence prodigieuse que la guérilla des caricaturistes a exercée sur les esprits, en France, au milieu du xixᵉ siècle :

« *Les voilà donc déchaînés ici à leur tour. Tout ce que j'ai entrevu ce soir ouvre une grande espérance. Quelle vitalité! Quel frémissement!* »

A ce moment, le camarade Piscator remarquant le dessin que je contemplais me dit :

« *Savez-vous que George Grosz est l'objet de pour-suites judiciaires à cause de cette gravure?*

— *Quel danger court-il? Il sera acquitté* », répondis-je légèrement. Je raisonnais comme un Français.

« *Grosz sera condamné*, dit Piscator qui ne riait pas. *Ignorez-vous que le blasphème constitue encore un crime, à Berlin, en 1928?* »

Quelques semaines plus tard, George Grosz était condamné, pour ce dessin, à deux mois de prison, et son éditeur, Malik, à deux mille marks d'amende.

Jean-Richard Bloch.

AVANT-PROPOS

UNE grande époque exige de grands hommes. Il y a
des héros inconnus, obscurs, qui n'ont pas conquis
la gloire de Napoléon et ne sont point comme lui entrés
dans l'histoire. Et, cependant, leur caractère est si
riche et si compliqué qu'il mettrait à l'ombre Alexandre
le Grand lui-même. Dans les rues de Prague vous pouvez rencontrer aujourd'hui un homme en débraillé, qui
ignore quel rôle important il a joué dans l'histoire
de cette grande époque nouvelle. Il suit paisiblement
son chemin, sans déranger personne ni être dérangé
par les journalistes, qui ne lui demandent aucune in-
terview. Si vous l'interrogiez sur son nom, il vous
répondrait de l'air le plus tranquille et le plus naturel
du monde : « Je suis Chvéïk... »

Et cet homme, taciturne et mal vêtu, n'est autre que
l'ancien « brave soldat Chvéïk », guerrier héroïque et
vaillant, dont, sous l'Autriche, tous les citoyens du
royaume de Bohême avaient sans cesse le nom à la
bouche et dont la gloire, n'en doutons pas, ne pâlira
point non plus dans la nouvelle République tchécoslovaque.

J'aime beaucoup ce brave soldat Chvéïk et, en vous
contant ses aventures pendant la Grande Guerre, je suis
persuadé que toutes vos sympathies iront à ce héros
inconnu et modeste. Il n'a pas, à l'instar de ce sot
d'Erostrate, mis le feu au temple de Diane pour avoir
son nom dans les journaux et dans les livres de lecture du premier âge.

Et c'est déjà bien beau, je crois !

L'AUTEUR.

COMMENT LE BRAVE SOLDAT CHVÉÏK
INTERVINT DANS LA GRANDE GUERRE

« C'est du propre! m'sieur le patron », prononça la logeuse de M. Chvéïk qui, après avoir été déclaré « complètement idiot » par la commission médicale, avait renoncé au service militaire et vivait maintenant en vendant des chiens bâtards, monstres immondes, pour lesquels il fabriquait des *pedigrees* de circonstance.

Dans ses loisirs, il soignait aussi ses rhumatismes, et, au moment où la logeuse l'interpella, il était justement en train de se frictionner les genoux au baume d'opodeldoch.

« Quoi donc? fit-il.

— Eh bien, notre Ferdinand... il n'y en a plus!

— De quel Ferdinand parlez-vous. m'ame Muller? questionna Chvéïk tout en continuant sa friction. J'en connais deux, moi. Il y a d'abord Ferdinand qui est garçon chez le droguiste Proucha et qui lui a bu une fois, par erreur. une bouteille de lotion pour les cheveux. Après il y a Ferdinand Kokochka, celui qui ramasse les crottes de chiens. Si c'est l'un de ces deux-là, ce n'est pas grand dommage ni pour l'un ni pour l'autre.

— Mais, m'sieur le patron, c'est l'archiduc Ferdinand, celui de Konopiste, le gros calotin, vous savez bien?

— Jésus-Marie, n'en v'là d'une nouvelle! s'écria Chvéïk. Et où est-ce que ça lui est arrivé, à l'archiduc, voyons?

— A Saraïévo. Des coups de revolver. Il y était
allé avec son archiduchesse en auto.

— Ça, par exemple! Ben oui, en auto... Vous
voyez ce qu'c'est, m'ame Muller, on s'achète une
auto et on ne pense pas à la fin... Un déplacement,
ça peut toujours mal finir, même pour un seigneur
comme l'archiduc... Et surtout à Saraïévo! C'est en
Bosnie, vous savez, m'ame Muller, et il n'y a que
les Turcs qui sont capables de faire un sale coup
pareil. On n'aurait pas dû leur prendre la Bosnie et
l'Herzégovine, voilà tout. Ils se vengent à présent.
Alors notre bon archiduc est monté au ciel,
m'ame Muller? Ça n'a pas traîné, vrai! Et a-t-il
rendu son âme en tout repos, ou bien a-t-il beaucoup
souffert à sa dernière heure?

— Il a été fait en cinq sec, m'sieur le patron.
Pensez donc, un revolver, ce n'est pas un jouet
d'enfant. Il y a pas longtemps, chez nous, à Nusle,
un monsieur a joué avec un revolver et il a tué toute sa
famille, y compris le concierge qui est monté au
troisième pour voir ce qui se passait.

— Il y a des revolvers, m'ame Muller, qui ne
partent pas, même si vous poussez dessus à devenir
fou. Et il y en a beaucoup, de ces systèmes-là. Seulement, vous comprenez, pour servir un archiduc
on ne choisit pas de la camelote, et je parie aussi
que l'homme qui a fait le coup s'est habillé plutôt
chiquement. Un attentat comme ça, c'est pas un
boulot ordinaire, c'est pas comme quand un braco
tire sur un garde. Et puis, des archiducs, c'est des
types difficiles, n'entre pas chez eux qui veut,
n'est-ce pas? On ne peut pas se présenter mal ficelé
devant un grand seigneur comme ça, y a pas à
tortiller. Il faut mettre un tuyau de poêle, sans ça
vous êtes coffré, et, ma foi, allez donc apprendre les
belles manières au poste!

— Il paraît qu'ils étaient plusieurs.

— Bien sûr, m'ame Muller, répondit Chvéïk en
terminant le massage de ses genoux. Une supposition : vous voulez tuer l'archiduc ou l'empereur, eh
bien, la première chose à faire, c'est d'aller demander conseil à quelqu'un. Autant de têtes, autant
d'avis. Celui-ci conseille ci, l'autre ça, et alors
« l'œuvre réussit », comme on chante dans notre

hymne national. L'essentiel, c'est de choisir le bon
moment lorsqu'un tel personnage passe devant vous.
Tenez, vous devez vous rappeler encore ce M. Luc-
cheni qui a percé à coups de tiers-point feu notre
impératrice Elisabeth. Celui-là a fait encore mieux;
il se promenait tranquillement à côté d'elle et, tout
d'un coup, ça y était. C'est qu'il ne faut pas trop se
fier aux gens, m'ame Muller. Depuis ce temps-là les
impératrices ne peuvent plus se promener. Et c'est
pas fini, il y a encore bien d'autres personnages qui
attendent leur tour. Vous verrez, m'ame Muller,
qu'on aura même le tsar et la tsarine, et il se peut
aussi, puisque la série est commencée par son oncle,
que notre empereur y passe bientôt... Il a beaucoup
d'ennemis, vous savez, notre vieux père, beaucoup
plus encore que ce Ferdinand. C'est comme disait
l'autre jour un monsieur au restaurant : le temps
viendra où tous ces monarques claqueront l'un après
l'autre, et même le procureur général n'y pourra
rien. La douloureuse venue, ce monsieur dont je
vous parle n'avait pas de quoi régler, et le propriétaire a dû appeler un agent. Le monsieur a accueilli
cette décision en allongeant une gifle au patron et
deux à l'agent et on l'a amené en panier à salade
où vous savez. Vrai, m'ame Muller, il s'en passe des
choses à c'te heure! Et l'Autriche ne fait qu'y perdre.
Quand je faisais mon temps, un fantassin a tué un
capitaine. N'est-ce pas, le pauvre bougre charge son
fusil et s'en va au bureau. Là, on l'envoie promener,
mais il insiste qu'il veut parler au capitaine. Finalement, le capitaine sort du bureau et colle au
copain quatre jours de consigne. A partir de ce moment, ça allait tout seul : le copain va chercher son
fusil et envoie une balle directement dans le cœur
du capitaine. Elle lui sort par le dos et fait encore
des dégâts au bureau. Elle casse une bouteille d'encre
et tache les paperasses.

— Et ce soldat, qu'est-ce qu'il est devenu? questionna Mme Muller pendant que Chvéïk s'habillait.

— Il s'est pendu avec une paire de bretelles,
répondit Chvéïk en époussetant son chapeau melon.
Avec des bretelles qui n'étaient pas à lui, s'il vous
plaît! Il avait dû les emprunter au gardien-chef,
sous prétexte que ses pantalons tombaient. Et dame!

pourquoi attendre que le conseil de guerre vous
condamne à mort, n'est-ce pas! Vous comprenez,
m'ame Muller, que, dans des circonstances pareilles,
on perd la tête. Le gardien-chef a été dégradé et il
a attrapé six mois de prison. Mais il n'a pas pourri
au violon. Il a foutu le camp en Suisse où il a trouvé
un poste de prédicant de je ne sais plus quelle
Eglise. Les gens honnêtes sont rares aujourd'hui,
vous savez, m'ame Muller. On se trompe facilement.
C'était certainement le cas de l'archiduc Ferdinand.
Il voit un monsieur qui lui crie « Gloire! » et il se
dit que ça doit être un type comme il faut. Mais
voilà, les apparences sont trompeuses... Est-ce qu'il
a reçu un seul coup ou plusieurs?

— Il est écrit sur les journaux, m'sieur le patron,
que l'archiduc a été criblé de balles comme une
écumoire. L'assassin a tiré toutes ses balles.

— Parbleu! On va vite dans ces affaires-là, m'ame
Muller. La vitesse, c'est tout. Moi, en pareil cas, je
m'achèterais un browning. Ça n'a l'air de rien, c'est
petit comme un bibelot, mais avec ça vous pouvez
tuer en deux minutes une vingtaine d'archiducs,
qu'ils soient gros ou maigres. Entre nous, m'ame
Muller, vous avez toujours plus de chance de ne pas
rater un archiduc gras qu'un archiduc maigre. On
l'a bien vu au Portugal. Vous vous rappelez cette
histoire du roi troué de balles? Celui-là était aussi
dans le genre de l'archiduc, gros comme tout. Dites
donc, m'ame Muller, je m'en vais maintenant à mon
restaurant *Au Calice*. Si on vient pour le ratier —
j'ai déjà touché un petit acompte sur le prix —,
vous direz, s'il vous plaît, qu'il se trouve dans mon
chenil à la campagne, que je viens de lui couper les
oreilles et qu'il n'est pas en état de voyager tant
que ses oreilles ne sont pas cicatrisées, il pourrait
prendre froid. La clef, vous la remettrez à la
concierge. »

Au Calice il n'y avait qu'un seul client. C'était
Bretschneider, un agent en bourgeois. Le propriétaire, M. Palivec, rinçait les soucoupes, et Bretschneider essayait en vain d'entamer la conversation.

Palivec était célèbre par la verdeur de son langage, et il ne pouvait pas ouvrir la bouche sans dire « cul » ou « merde ». Mais il avait des lettres et conseillait à qui voulait l'entendre de relire ce qu'a écrit à ce sujet Victor Hugo dans le passage où il a cité la réponse de la vieille garde de Napoléon aux Anglais, à la bataille de Waterloo.

« Nous avons un été superbe, commença Bretschneider désireux de faire parler le patron.

— Autant vaut la merde, répondit Palivec en rangeant les soucoupes sur le buffet.

— Ils en ont fait de belles dans ce sacré Saraïévo! hasarda Bretschneider avec un faible espoir.

— Dans quel « Saraïévo »? questionna Palivec. Le bistrot de Nusle? Ça ne m'étonnerait pas du tout, là on se bat quotidiennement tous les jours. Tout le monde sait ce que c'est que Nusle...

— Mais je vous parle de Saraïévo en Bosnie, patron. On vient d'y assassiner l'archiduc Ferdinand. Qu'est-ce que vous en dites?

— Des choses comme ça, je ne m'en mêle pas. Celui qui vient m'emmerder avec des conneries pareilles, je l'envoie chier, répondit poliment Palivec en allumant sa pipe. S'occuper des affaires de ce genre-là aujourd'hui, ça pourrait vous casser les reins. Je suis commerçant, n'est-ce pas? et, quand quelqu'un vient pour me demander de la bière, je suis à son service. Mais n'importe quel Saraïévo, la politique ou feu notre archiduc, tout ça ne fait pas notre affaire. Ça ne peut rapporter qu'un séjour à Pankrac. »

Déçu dans son attente, Bretschneider se tut et regarda autour de la salle vide.

« Dans le temps, vous aviez ici un tableau représentant notre Empereur, reprit-il après un moment de silence; il était accroché juste là, où il y a maintenant la glace.

— Ça, vous avez raison, riposta le patron. Mais, comme les mouches chiaient dessus, je l'ai fait enlever et mettre au grenier. Vous comprenez il vient du monde ici, et il pourrait arriver facilement qu'on fasse une réflexion désobligeante, et ça me vaudrait des emmerdements. Est-ce que j'en ai besoin, moi?

— Il n'y a pas à dire, ça n'a pas dû être drôle, ce Saraïévo de malheur, patron? »

A cette question qu'il sentit brûlante, Palivec répondit évasivement :

« A c'te époque-là, fit-il, il fait en Bosnie et en Herzégovine des chaleurs formidables. Quand j'y faisais mon service militaire, on mettait tous les jours de la glace sur la tête de notre colonel.

— Dans quel régiment avez-vous servi, patron?

— Je ne me charge pas la mémoire avec des bêtises pareilles. Je ne me suis jamais occupé d'une telle foutaise et, du reste, je ne suis pas curieux à ce point-là, répondit Palivec. Trop chercher nuit. »

L'agent garda définitivement le silence. Son regard s'assombrit et ne s'illumina qu'à l'arrivée de M. Chvéïk qui en ouvrant la porte commanda tout de suite « une noire ».

« A Vienne aussi, on est au noir aujourd'hui », ajouta-t-il.

Les yeux de Bretschneider s'allumèrent d'espoir.

« A Konopiste, il y a une dizaine de drapeaux noirs, fit-il sèchement.

— Il devrait y en avoir douze, dit Chvéïk après avoir bu de sa bière.

— Pourquoi justement douze? interrogea Bretschneider.

— Pour que ça fasse un chiffre rond : une douzaine, ça se compte mieux comme ça. Et puis, c'est toujours à meilleur marché quand on achète par douzaine », répliqua Chvéïk.

Il se fit un long silence que Chvéïk interrompit en soupirant :

« Le voilà devant la justice de Dieu : que Dieu l'accueille dans sa gloire. Il n'aura pas vécu assez pour être empereur. Quand j'étais au régiment, un général aussi est tombé de son cheval et s'est tué tout doucement. On voulait le pousser pour l'aider à remonter à cheval, et on a vu qu'il était déjà tout ce qu'il y a de plus mort. Lui aussi aurait été bientôt feld-maréchal. Cela s'est passé à une revue. Ces revues militaires ne produisent jamais rien de bon, y a pas d'erreur. Je vous le dis, moi, à Saraïévo, c'est encore une revue qui a été la cause de tout. Je

me rappelle qu'à une revue comme ça il me manquait, par hasard, à peu près une vingtaine de sales
boutons à mon uniforme. Ah! bien, on m'a foutu
pour quinze jours en cellule, et pendant deux jours
je me suis tortillé comme un Lazare, ficelé comme
un saucisson. Mais, la discipline à la caserne, je ne
connais que ça, il en faut, voyez-vous. Notre colonel
Makovec nous disait toujours : « La discipline, tas
« d'abrutis, il la faut, parce que sans elle, vous
« grimperiez aux arbres comme des singes, mais
« le service militaire fait de vous, espèces d'an-
« douilles, des membres de la société humaine! »
Et c'est vrai! Imaginez-vous un parc, mettons celui
de la place Charles, et sur chaque arbre un soldat
sans discipline. C'est toujours ça qui m'a fait le
plus peur.

— A Saraïévo, insinua Bretschneider, c'est les
Serbes qui ont tout fait.

— Pas du tout, répondit Chvéïk, c'est les Turcs,
rapport à la Bosnie et à l'Herzégovine. »

Et Chvéïk exposa ses vues sur la politique exté-
rieure de l'Autriche dans les Balkans. En 1912, les
Turcs ont été battus par la Serbie, la Bulgarie et la
Grèce. Ils avaient demandé à l'Autriche de les aider,
et, comme l'Autriche ne marchait pas, ils viennent
de tuer Ferdinand. Voilà.

« Est-ce que tu aimes les Turcs, toi? ajouta
Chvéïk en s'adressant au patron; est-ce que tu
les aimes, ces chiens de païens? N'est-ce pas que
non?

— Un client en vaut un autre, dit Palivec, même
si c'est un Turc. Pour nous autres commerçants,
il n'y a pas de politique. Tu paies ton litre, tu as ta
place chez moi, tu as le droit de gueuler autant que
tu veux, jusqu'à la Saint-Trou-du-cul. Voilà mon
principe. Que le type qui a fait le coup à Saraïévo
soit un Serbe ou un Turc, un catholique ou un
musulman, un anarchiste ou un Jeune-Tchèque, je
m'en bats l'œil.

— Votre raisonnement est très juste, patron, fit
Bretschneider sentant renaître son espoir de
prendre en flagrant délit au moins un des deux
hommes. Mais vous admettrez que c'est une grande
perte pour la monarchie? »

Chvéïk se chargea de répondre à la place du patron :

« C'en est une, personne ne le nie. Même une perte énorme. C'est que Ferdinand ne peut pas se faire remplacer par le dernier imbécile venu. Il ne lui manquait que d'être encore plus gros.

— Qu'est-ce que vous entendez par là? demanda vivement Bretschneider.

— Qu'est-ce que j'entends par là? répéta Chvéïk d'un air content, mais tout simplement ceci : S'il avait été plus gros, il aurait déjà depuis longtemps attrapé une attaque en courant après les vieilles femmes là-bas, à Konopiste, quand elles ramassaient des champignons et du bois mort dans sa chasse, et il n'aurait pas été forcé de mourir d'une mort si honteuse que ça. Quand j'y pense! un oncle de l'Empereur, et on le tue comme un lapin! Mais c'est un scandale, tous les journaux en sont pleins. Chez nous, à Budejovice, il y a quelques années, on a bouzillé au marché, dans une petite dispute, un marchand de cochons, un certain Bretislav Ludovic. Il avait un fils qui s'appelait Geoffroy et, chaque fois qu'il s'amenait avec ses cochons à vendre, personne n'en voulait et tout le monde disait : « C'est « le fils du bouzillé de Budejovice, ça doit être une « fine canaille. » Il a fini par se jeter dans la Vltava à Kroumlov, on a été obligé de l'en tirer, ils ont dû le faire revenir à lui, il a fallu lui pomper de l'eau qu'il avait dans le corps et cet animal-là a claqué dans les mains du médecin pendant que celui-ci lui donnait une injection.

— Vous en faites, des comparaisons! dit sentencieusement Bretschneider; vous parlez d'abord de l'archiduc et ensuite d'un marchand de cochons.

— Mais je ne compare rien du tout, dit Chvéïk pour se défendre; Dieu m'en garde. Le patron me connaît bien. Je n'ai jamais comparé personne à personne, il peut le dire. Seulement, je ne voudrais pas me trouver dans la peau de la veuve de l'archiduc. Je vous demande un peu ce qu'elle va faire à présent. Les enfants sont orphelins et le domaine de Konopiste sans maître. Et se remarier avec un nouvel archiduc, c'est à voir. Qui est-ce qui lui garantit qu'elle ne retournera plus à Saraïévo et

qu'elle ne deviendra pas veuve un second coup? Il
y a quelques années vivait à Zliva, pas loin de
Hluboka, un garde qui avait un drôle de nom. Il
s'appelait Petit-Frère. Eh bien, les braconniers l'ont
tué, et sa veuve, un an après, s'est remariée encore
avec un autre garde, avec Pepik Sevla de Mydlovary.
Celui-là a été tué la même chose. En troisièmes noces,
elle a voulu encore un garde en se disant : « Toutes
« les bonnes choses sont au nombre de trois. Si, à
« ce coup-là, ça ne réussit pas, je ne sais plus ce
« que je ferai. » Bien entendu ils l'ont encore tué, et
elle avait déjà en tout six enfants avec ses trois
gardes. Elle était allée se présenter au bureau de
monseigneur le prince à Hluboka et y avait raconté
tous les malheurs qu'elle avait eus avec les gardes.
On lui a conseillé, pour varier son ordinaire,
d'épouser Yarèche, un garde-pêche. Il avait eu juste
le temps de lui faire deux gosses qu'il a péri en se
noyant à la pêche annuelle d'un étang. Avec ses
huit gosses elle a trouvé encore un châtreur de
Vodnany, avec lequel elle a convolé en justes noces.
Une nuit, son cinquième lui a ouvert le crâne avec
une hache et est allé se dénoncer tout seul aux
autorités. Et, le jour où on l'a pendu, il a arraché,
en le mordant avec une force extraordinaire, le nez
du prêtre qui l'accompagnait à l'échafaud, et il a
déclaré qu'il ne regrettait rien de rien, et il a dit
encore une chose bien vilaine sur le compte de
notre Empereur.

— Et cette chose-là, vous ne savez pas ce que
c'était? interrogea Bretschneider d'une voix tremblante d'espoir.

— Ça, je ne peux pas vous le dire, parce que
personne n'a jamais osé le répéter. Mais il faut
croire que c'était quelque chose d'épouvantable et
d'effroyable, parce qu'un conseiller de la cour, qui
l'a entendu, est devenu fou, et on le tient encore
aujourd'hui au secret, pour étouffer l'affaire. Ce
n'était pas seulement un outrage de lèse-majesté ordinaire comme on en lâche quand on est soûl.

— Et quels sont les outrages de lèse-majesté
qu'on fait quand on a bu? questionna Bretschneider.

— Je vous en prie, messieurs, changeons de
conversation, s'il vous plaît, intervint Palivec; je

n'aime pas ça, vous savez. Les boniments, on les regrette quand il est trop tard.

— Quels sont les outrages de lèse-majesté qu'on lâche quand on est soûl? répéta Chvéïk. Soûlez-vous, faites-vous jouer l'hymne autrichien et vous verrez comme vous vous y mettrez. Si dans tout ce qui vous passe alors par la tête il n'y a que la moitié de vrai, il y en aura toujours assez pour qu'on vous traîne dans la boue pendant le reste de vos jours. Mais le vieux monsieur ne le mérite pas. Voyez. En pleine force, il a perdu son fils Rodolphe, un garçon qui promettait. Elisabeth, son épouse, on la lui perce avec un tiers-point. Puis, c'est le tour à Jean Orth de disparaître on ne sait pas où. N'oubliez pas non plus Maximilien, le frère à l'Empereur, qui a fini derrière un mur au Mexique. Et, maintenant qu'il n'en a plus pour longtemps, voilà encore son oncle qu'on lui troue de balles. Mais il faudrait qu'il ait des nerfs d'acier, le pauvre homme! Et il y a encore des gens qui n'ont pas honte de l'engueuler quand ils sont soûls. C'est moi qui vous le dis : si jamais il y a quelque chose, je m'engage comme volontaire et je ferai mon devoir quand je devrais y laisser ma peau. »

Chvéïk vida consciencieusement son verre et continua :

« Vous vous imaginez que l'Empereur se fiche de tout ça comme de sa première chemise? C'est que vous ne le connaissez pas! C'est moi qui vous le dis : il y aura une guerre avec les Turcs. Vous avez assassiné mon oncle? Bien, je vais vous casser la gueule. La guerre est certaine. Et dans c'te guerre, la Serbie et la Russie vont nous aider. Ça va barder. »

Au moment où il proférait ses prophéties, Chvéïk était réellement beau. Sa face naïve, souriante comme la lune en son plein, brillait d'enthousiasme. Tout lui paraissait lumineux.

« Il se peut, évidemment, dit-il en continant à prévoir l'avenir de l'Autriche, qu'en cas de guerre avec la Turquie les Allemands nous attaquent, parce que, les Allemands et les Turcs, c'est des alliés. Des salauds comme ça, on en trouverait peu dans le monde entier. Mais alors nous pourrons nous unir à la France qui, depuis 1870, en a soupé, des Allemands. Dans tous les cas, la guerre est sûre et certaine. Je ne vous dis que ça! »

Bretschneider se leva et dit d'un ton solennel :

« Vous avez assez parlé, venez un peu avec moi dans le corridor, j'ai quelque chose à vous dire. »

Chvéïk suivit docilement le détective dans le couloir où l'attendait une petite surprise. Son compagnon de chope lui montra un aiglon au revers de sa veste, en lui annonçant qu'il l'arrêtait et qu'il allait l'emmener à la Direction de la Police. Chvéïk tenta d'expliquer qu'il y avait certainement erreur de la part de monsieur, qu'il était innocent, qu'il n'avait pas articulé une seule injure envers qui que ce soit.

Mais Bretschneider lui expliqua que son affaire était claire, qu'il avait commis plusieurs délits qualifiés, dont celui de haute trahison.

Ils rentrèrent dans la salle et Chvéïk déclara à M. Palivec :

« J'ai cinq demis et une saucisse avec du pain. Donne-moi encore un *schnaps,* que je te foute le camp. Je suis arrêté. »

Bretschneider montra de nouveau son aiglon à M. Palivec et l'interrogea à son tour :

« Vous êtes marié?

— Voui.

— Et votre épouse serait-elle en état de diriger votre commerce pendant votre absence?

— Voui.

— Alors tout va bien, patron, fit joyeusement Bretschneider; appelez-la et prenez vos mesures. On viendra vous chercher dans la soirée.

— T'en fais pas, dit Chvéïk à Palivec pour le consoler; moi, j'y vais rien que pour haute trahison.

— Mais moi, bon Dieu! se lamenta Palivec; j'ai toujours été si prudent! »

Bretschneider sourit et dit triomphalement :

« Et vous avez dit que les mouches chiaient sur l'Empereur. On vous apprendra à laisser l'Empereur en paix. »

En sortant de la brasserie *Au Calice* en compagnie du détective, Chvéïk, dont le visage ne cessait de rayonner de bonté souriante, questionna :

« Est-ce que je dois descendre du trottoir?

— Pour quoi faire?

— Je me demande, comme je suis arrêté, si j'ai encore le droit de marcher sur le trottoir... »

En passant ensemble le seuil du Commissariat central, Chvéïk ne put s'empêcher de dire :

« Gentille petite promenade, hein? Est-ce que vous venez souvent *Au Calice?* »

Et, tandis qu'on introduisait Chvéïk dans le bureau, M. Palivec transmettait à sa femme le gouvernement du *Calice* et la consolait à sa façon :

« Crie pas, pleure pas; qu'est-ce qu'ils peuvent bien me faire pour un merdeux portrait de l'Empereur? »

Et c'est ainsi que le brave soldat Chvéïk entra dans la grande guerre, selon ses habitudes douces et traitables. Les historiens s'émerveilleront de sa clairvoyance. Sans doute, si la situation a évolué un peu autrement qu'il ne l'avait annoncé devant le comptoir du *Calice,* souvenons-nous que notre ami Chvéïk n'avait pas de formation diplomatique.

II

A LA DIRECTION DE LA POLICE

Après l'attentat de Saraïévo, de nombreuses victimes du régime policier autrichien remplissaient le Commissariat central. C'était un va-et-vient d'individus arrêtés, et le vieil inspecteur qui recueillait leurs noms disait de sa voix aimable :

« Il vous coûtera cher, votre Ferdinand, allez! »

Lorsqu'on eut enfermé Chvéïk dans une des nombreuses pièces du premier étage du bâtiment, il s'y trouva en société de six hommes. Cinq étaient assis à la table et, dans un coin, sur un lit, comme s'il voulait rester à l'écart, se tenait le sixième, un homme entre deux âges.

Chvéïk se mit immédiatement à les questionner, l'un près l'autre, sur le motif de leur arrestation.

Les cinq premières réponses furent presque identiques :

« A cause de Saraïévo!

— A cause de Ferdinand!

— A cause de l'assassinat de monseigneur l'archiduc!

— Pour Ferdinand!

— Parce qu'on a dégringolé l'archiduc à Saraïévo! »

L'homme qui se tenait à l'écart répondit qu'il n'avait rien de commun avec les autres inculpés, qu'il était au-dessus de tout soupçon, parce que lui ne se trouvait là que pour une tentative d'assassinat sur un vieux paysan de Holice.

Chvéïk prit le parti de se mettre à la table des « conspirateurs » qui, pour la dixième fois, se racontaient comment « ils s'étaient fait faire ».

Tous, à l'exception d'un seul, avaient connu cette mésaventure à la taverne, au restaurant de vins ou au café. Le « conspirateur » qui formait l'exception, un gros monsieur avec des lunettes sous lesquelles coulaient des larmes, avait été arrêté chez lui parce que, deux jours avant l'attentat, il avait régalé, à la taverne de M. Brejska, deux étudiants serbes, élèves de l'Ecole polytechnique, et que le détective Brixi l'avait vu ivre en leur compagnie dans la *Taverne de Montmartre,* rue Retezova, où il avait payé toutes les consommations, comme il résultait du procès-verbal, signé par le malheureux.

En réponse à toutes les questions qu'on lui posait au commissariat, il hurlait :

« Je suis commerçant en papiers. »

A quoi on lui répondait avec la même régularité :

« Ce n'est pas une excuse. »

Un autre monsieur, petit professeur d'histoire, arrêté chez le bistrot, était, le jour fatal, en train d'y faire, à l'usage exclusif du patron, une conférence sur l'attentat à travers les âges. On le troubla au moment où il achevait l'analyse psychologique de l'attentat par cette phrase :

« L'idée de l'attentat est aussi simple que l'œuf de Christophe Colomb.

— Et aussi simple que Pankrac qui vous attend »,

lui dit à l'interrogatoire le commissaire de police pour compléter cette conclusion.

Le troisième « conspirateur » était président d'une société de bienfaisance, qui s'intitulait *L'Ami du Bien* et qui avait son siège à Hodkovicky. Le jour où la nouvelle de l'attentat y fut connue, une foule se pressait à une fête champêtre, rehaussée de concert, qu'avait organisée *L'Ami du Bien*. Un brigadier de gendarmerie était venu prier les assistants de se disperser, à cause du deuil qui venait de frapper la monarchie autrichienne. Et le président, bon garçon, avait tout simplement dit au gendarme, en faisant signe à l'orchestre : « Attends une minute, vieux, qu'on ait fini *Debout les Slaves!* »

Et maintenant, il baissait la tête et se lamentait :

« Au mois d'août ma société aura de nouvelles élections et si, d'ici là, je ne suis pas rentré à la maison, il est possible que je ne sois plus réélu président. Je l'ai été dix fois de suite et, si, cette fois-ci, je rate le coup, je ne survivrai pas à ma honte. »

Quant au quatrième individu, type loyal, de moralité parfaite, feu l'archiduc lui avait vraiment joué un mauvais tour. Pendant deux jours le « conspirateur » s'était scrupuleusement gardé de parler de Ferdinand, mais, le soir du troisième jour, au café, en jouant aux cartes, il n'avait pas pu s'empêcher de dire au moment où il coupait le roi de pique par un sept d'atout :

« Le roi abattu comme à Saraïévo! »

Le cinquième, celui qui avait déclaré être là « à cause de l'assassinat de monseigneur l'archiduc », avait les cheveux et la barbe encore hirsutes d'épouvante, ce qui le faisait ressembler à un griffon d'écurie.

Au restaurant où il avait été appréhendé, il n'avait pas soufflé un seul mot, évitant même de lire ce que les journaux rapportaient sur la mort de l'héritier du trône. Il se tenait tout seul à sa table lorsqu'un monsieur, qui était venu s'asseoir en face de lui, lui avait demandé à brûle-pourpoint :

« Vous l'avez lu?

— Non, je n'ai rien lu?

— Mais vous savez la nouvelle?

— Non.

— Enfin, vous savez bien ce que je veux dire?

— Non. Je ne m'occupe de rien du tout.

— Mais ça devrait vous intéresser tout de même, voyons?

— Je ne m'intéresse à rien de rien. Le soir je fume tranquillement mon cigare, je bois mes demis de bière, je dîne, mais je ne lis pas. Les journaux mentent. À quoi bon me fatiguer la tête?

— Alors, vous ne vous intéressez même pas à cet assassinat de Saraïévo?

— Aucun assassinat ne m'intéresse, qu'il ait lieu à Prague, à Vienne, à Saraïévo ou à Londres. Pour ça, il y a des autorités! Les tribunaux et la police. Moi, ça ne me regarde pas. S'il se trouve des types assez imbéciles pour aller se faire tuer n'importe où, c'est bien fait pour eux. Il n'est pas permis d'être crétin à ce point-là. »

Ce furent les dernières paroles par lesquelles il se mêla à la conversation. Depuis lors, il ne faisait que répéter toutes les cinq minutes :

« Je suis innocent, je suis innocent! »

Ces paroles, la porte de la Direction de la Police les a entendues, le panier à salade qui transportera le pauvre bougre au tribunal en retentira aussi, et c'est elles sur les lèvres qu'il franchira le seuil de son cachot.

Chvéïk, après avoir recueilli ces aveux, crut bon d'éclairer ses complices sur leur situation désespérée :

« Ce qui nous arrive à nous tous est évidemment plutôt grave, ainsi entreprit-il de les consoler. Vous vous trompez tous si vous croyez en sortir. La police veille, elle est là, justement, pour nous punir à cause de ce qui sort de nos gueules. Si les temps sont tellement graves qu'on est obligé de tuer les archiducs, personne ne peut s'étonner d'être conduit au poste. Tout ça est nécessaire, il faut du chambard, et il en faut pour faire de la réclame à l'archiduc avant son enterrement. Et tant mieux, si on est en nombre. Plus on sera nombreux, plus on rigolera, c'est moi qui vous le dis. Quand je faisais

mon service militaire, il arrivait souvent que la
moitié de ma compagnie passait son temps à la
boîte. Et combien d'innocents payaient pour les
autres! Je ne vous parle pas seulement du militaire,
je vous parle aussi du civil. Je me rappelle qu'une
fois une bonne femme a été condamnée parce qu'on
lui reprochait d'avoir étranglé ses nouveaux-nés,
deux jumeaux. Elle jurait qu'elle n'avait pas pu
étrangler des jumeaux, puisqu'elle avait seulement
accouché d'une petite fille qu'elle avait réussi, du
reste, à étrangler sans douleur. Serments perdus :
elle a été condamnée quand même pour double
assassinat. Ou bien, prenez ce tzigane, tout à fait
innocent, qui voulait cambrioler, le jour de Noël,
la boutique d'une épicière à Zabehlice. Celui-là a
juré aussi qu'il y était rentré pour se chauffer un
peu parce qu'il faisait un froid de chien. Pas la
peine, condamné aussi. Quand un procureur impérial s'occupe d'une chose, il y a toujours du mauvais. Et il faut qu'il y en ait, quoique tous les gens
ne soient pas des fripouilles comme on pourrait le
supposer. Ce qui est embêtant, c'est qu'aujourd'hui
il n'y a pas moyen de distinguer un homme honnête d'une crapule. Surtout à cette heure, les temps
sont si durs que les archiducs mêmes y passent.
Quand j'étais au régiment à Budejovice, on a tué
une fois, dans le bois derrière le champ de manœuvres, le chien de notre capitaine. Quand il a
appris la nouvelle, il nous a fait aligner et a fait
sortir du rang tous les numéros dix. J'en étais, moi
aussi, bien entendu, et nous restions là au garde-à-
vous sans sourciller. Le capitaine se promène autour de nous, et tout d'un coup il dit : « Chenapans,
« fripons, assassins, hyènes rayées, à cause de ce
« chien, j'ai envie de vous foutre tous au bloc, de
« vous hacher en pâte pour faire du macaroni, de
« vous fusiller et de fabriquer avec vous des por-
« tions de carpes marinées. Mais, pour vous mon-
« trer que je ne vous ménagerai pas, vous aurez
« chacun quinze jours de tôle. » Et, n'est-ce pas,
il s'agissait alors d'un malheureux cabot, tandis
qu'aujourd'hui c'est l'archiduc qui est descendu.
C'est pour ça qu'il faut terroriser, pour que le deuil
soit à la hauteur de la peine.

— Je suis innocent, je suis innocent! répéta
l'homme aux poils hérissés.

— Jésus-Christ aussi était innocent, répondit
Chvéïk, et on l'a crucifié quand même. Depuis que
le monde existe, c'est toujours et partout des innocents qu'on s'est le plus foutu. *Maul halten und
weiter dienen* [1]*!* comme on disait au régiment. C'est
encore ce qu'il y a de mieux et de plus chic. »

Chvéïk s'allongea sur le lit et s'assoupit avec satisfaction.

Entre-temps, on introduisit encore deux « nouveaux ». L'un d'eux était marchand ambulant de
Bosnie. Il marchait de long en large dans la cellule
et il n'ouvrait la bouche que pour proférer « *Ybenti
douchou!* » Il s'affligeait à l'idée que son panier de
gottscheeber allait se perdre au commissariat.

Le second arrivé fut M. Palivec. Dès qu'il aperçut son ami Chvéïk, il le réveilla et lui annonça
d'une voix tragique :

« Me voilà! Je viens te rejoindre! »

Chvéïk lui serra cordialement la main et dit :

« Ça me fait vraiment plaisir. Je me doutais bien
que M. le détective tiendrait sa parole quand il a
dit qu'il irait te chercher sans faute, toi aussi. Une
exactitude pareille, j'aime ça! »

Mais M. Palivec observa qu'il se fichait parfaitement de cette exactitude, qu'autant valait la merde,
et il demanda à voix basse si les autres inculpés
n'étaient pas par hasard des voleurs, ce qui pourrait
lui faire du tort, vu sa qualité d'honnête commerçant.

Son ami lui expliqua que tous, à part un seul,
avaient été arrêtés par suite de l'assassinat de l'archiduc.

M. Palivec se fâcha et déclara que lui était mis
« au chose » non pas à cause d'un idiot d'archiduc,
mais bien à cause de Sa Majesté l'Empereur. Et,
comme les « conspirateurs » s'intéressèrent à son
cas, il leur raconta comment les mouches avaient
sali son tableau de François-Joseph Ier.

« Elles me l'ont bien arrangé, les garces, ainsi
achevait-il son histoire du tableau, et à cause d'elles

1. « Taire sa gueule et continuer à servir. »

me voilà en taule par-dessus le marché. Quelle
chierie! Je ne leur pardonnerai jamais ça, à ces
saletés de mouches! »

Chéïk s'était recouché, mais il ne dormit pas
longtemps. On vint le chercher pour le conduire à
l'interrogatoire.

Et c'est ainsi qu'en montant l'escalier conduisant
à la IIIᵉ Section Chvéïk gravissait son Calvaire
sans s'apercevoir lui-même qu'il était un martyr
désigné.

Ayant remarqué un écriteau : « Défense de cracher par terre dans les couloirs », il pria le gardien
qui le conduisait de lui permettre de cracher dans
un crachoir, et, rayonnant de candeur, il entra dans
le bureau.

« Je vous souhaite bonsoir à tous, messieurs! »
dit-il.

En réponse à sa politesse, quelqu'un lui donna
un coup entre les côtes et le mit devant une table
derrière laquelle était assis un monsieur à face
glaciale de bureaucratie et aux traits empreints de
cruauté bestiale, comme s'il venait d'échapper du
livre de Lombroso *L'Homme criminel*.

Il fixa son regard sanguinaire sur Chvéïk et
dit :

« Dites donc, ne faites pas l'idiot, hein!

— Ce n'est pas faute, répondit gravement
Chvéïk : j'ai été réformé pour idiotie et reconnu
par une commission spéciale comme étant idiot.
Je suis un crétin d'office. »

Le monsieur à la physionomie patibulaire grinça
des dents :

« Ce dont vous êtes accusé prouve assez que
vous jouissez de la plénitude de vos facultés intellectuelles. »

Et il cita à Chvéïk toute une série de crimes,
commençant par la haute trahison et finissant par
la lèse-majesté et les outrages envers les membres
de la maison impériale. Au milieu de la série brillait
l'apologie de l'assassinat de l'archiduc Ferdinand,
accompagnée d'autres crimes de même catégorie,
tel le trouble apporté à la paix publique, Chvéïk
ayant parlé en lieu public.

« Qu'est-ce que vous en dites? questionna triomphalement le monsieur aux traits de cruauté bestiale.

— Ce que j'en dis? Qu'y en a trop, répondit Chvéïk d'un air innocent, et, comme on dit, trop est trop.

— Au moins vous le reconnaissez?

— Je reconnais tout, moi. Il faut de la sévérité. Sans elle on n'irait pas loin. C'est comme quand je faisais mon service militaire...

— Votre gueule! s'écria le conseiller de police; vous parlerez quand on vous dira de parler. Compris?

— Bien sûr que je comprends, dit Chvéïk, je « vous déclare avec obéissance » que je vous comprends parfaitement et que, dans toutes les questions qu'il vous plaira de me poser, je saurai parfaitement où j'en suis.

— Quels sont les gens que vous fréquentez habituellement?

— Ma logeuse.

— Et dans les milieux politiques vous ne connaissez personne?

— Si : j'achète tous les jours l'édition du soir de *La Politique nationale* qu'on appelle *La Petite Chienne,* et elle me met au courant de tous les événements politiques.

— Foutez-moi le camp », lui cria l'homme aux yeux de bête cruelle.

Tandis qu'on l'entraînait, Chvéïk émit encore, en formule de politesse :

« Bonne nuit, dormez bien, honoré m'sieur. »

Rentré dans sa cellule, Chvéïk annonça à ses coïnculpés qu'un interrogatoire comme il venait d'en subir un n'était que de la rigolade. On vous engueule un peu et, à la fin, on vous fout à la porte.

« Autrefois, continua Chvéïk, c'était bien pire. J'ai lu une fois un livre sur la question qu'administrait aux torturés le tortionnaire ou bourreau. Pour prouver leur innocence les accusés devaient marcher sur du fer rougi au feu, et on leur coulait du plomb fondu dans la bouche. Ou bien on les chaussait de brodequins d'Espagne et on leur appliquait le supplice de la roue, ou encore on leur

chauffait et brûlait les flancs avec des torches de
pompiers, comme on a fait à Jean Népomucène. J'ai
lu qu'il criait comme si on l'écorchait et qu'il n'a
cessé que quand on l'a jeté, dans un sac imper-
méable, du haut du pont Élisabeth, dans la Vltava.
Et ce ne sont pas les accusés qui manquaient. Il
y avait aussi l'écartèlement et le supplice du pal,
c'est-à-dire qu'on vous enfonçait un pieu dans le
corps, ce qui se faisait d'habitude aux environs du
Musée national. Ça fait que celui qu'on foutait seulement dans une oubliette où on le laissait mourir de
faim, se sentait renaître.

« Aujourd'hui, reprit Chvéïk, aller en prison
n'est qu'une blague, de la petit bière. Pas d'écartèlement, pas de brodequins d'Espagne. Bien au
contraire, nous avons nos lits, notre table, nous
sommes bien au large, on nous sert de la soupe, du
pain, nous avons notre pot à l'eau et, pour les lieux
d'aisance, nous sommes tout arrivés. En tout on
voit le progrès. Il n'y a que le bureau du commissaire d'instruction, qui est un peu loin, c'est vrai;
il faut traverser trois corridors et monter un étage,
mais, par contre, les couloirs sont propres et pleins
de monde. Ici on amène quelqu'un d'un côté, un
autre de l'autre, et on en voit de toutes les couleurs :
jeunes, vieux et de tous les sexes. A voir ça, on a
du plaisir, on ne se sent pas tout seul. Et tout ça
va sans se faire de bile, sans avoir peur qu'on ne
leur dise au bureau : « Nous avons décidé que
« demain vous serez écartelé ou brûlé, à votre
« choix ». J'estime qu'en un moment pareil le
choix serait, pour beaucoup d'entre nous, plutôt
embarrassant et qu'on en resterait baba. Il faut
le dire, notre situation à nous autres prisonniers
d'aujourd'hui n'est pas la même du tout. On ne
veut que notre bien. »

Chvéïk venait d'achever cet éloge du système
pénitentiaire moderne lorsque le gardien ouvrit la
porte et appela :

« Chvéïk, habillez-vous; vous allez à l'interrogatoire!

— Je veux bien, répondit Chvéïk, ça sera de bon
cœur, mais j'ai peur qu'ça ne soit par une erreur,
parce que, moi, j'y suis déjà allé, à l'interrogatoire,

et on m'a foutu à la porte. Et j'ai peur aussi que ces messieurs ici ne soient jaloux de m'y voir passer deux fois de suite, tandis qu'on les néglige et qu'on ne les appelle pas du tout.

— Assez causé, hein? et dépêchons-nous! » répliqua le gardien à cette manifestation bien digne du *gentleman* Chvéïk.

Chvéïk se retrouva devant le monsieur de tout à l'heure, au type de galérien. Celui-ci sans nul préambule l'interpella d'une voix rauque et implacable :

« Vous avouez tout? »

L'interrogé leva ses yeux bleus vers l'homme inflexible et dit de sa voix douce :

« Si vous le désirez, honoré m'sieur, j'avouerai tout, parce que, moi, ça ne peut pas me faire du tort. Mais si vous dites : « Chvéïk, n'avouez rien! » je ferai tout pour pour me tirer d'affaire, quand je devrais y laisser ma peau. »

Le monsieur plein de rigueur prépara une feuille de papier, y écrivit quelques mots et la tendit à Chvéïk pour la lui faire signer.

Et Chvéïk apposa sa signature sur le rapport de Bretschneider avec son supplément, de sorte qu'il se terminait ainsi :

Je reconnais toutes les accusations portées contre moi comme fondées.

                                        Joseph Chvéïk.

Il se tourna vers le monsieur sévère :

« Dois-je signer encore quelque chose? dit-il, ou bien faut-il que je repasse demain matin?

— Demain matin, répliqua le conseiller, vous serez transporté au tribunal criminel.

— A quelle heure, s'il vous plaît, honoré m'sieur? J'ai peur de trop dormir. Il est possible que je me réveille en retard.

— Foutez-moi le camp!

— Ça marche comme sur des roulettes! » déclara Chvéïk, tout satisfait, au gardien qui le reconduisait vers son nouveau domicile à grilles.

La porte refermée sur lui, il fut pressé de questions, auxquelles il répondit sans barguigner :

« Je viens de reconnaître qu'il se peut que j'aie assassiné l'archiduc Ferdinand. »

Effarés, les six hommes se blottirent sous leurs couvertures pouilleuses. Seul, le Bosniaque déclara : « *Dobro docheli!* »

En se mettant au lit, Chvéïk déclara encore :

« C'est bête qu'on n'ait pas de réveille-matin ici! »

Mais le lendemain on le réveilla sans réveille-matin et, à six heures précises, le panier à salade le transportait au tribunal criminel.

« Heure du matin, heure du gain! » fit Chvéïk à ses covoyageurs, pendant que le panier à salade passait le seuil de la Direction de la Police.

III

CHVÉÏK DEVANT LES MÉDECINS LÉGISTES

La *Cour territoriale du Royaume de Bohême, faisant office de tribunal criminel,* comporte aujourd'hui comme du temps de Chvéïk une série de petites chambres proprettes où l'on se sent comme chez soi. Aussi firent-elles sur Chvéïk une impression des plus favorables. Il contemplait avec plaisir les murs fraîchement blanchis à la chaux, les grilles peintes en noir et le gros gardien en chef attaché à la détention préventive, M. Demartini, paré de revers et de galons violets. La couleur violette qui était de rigueur dans ces lieux est la même que l'Eglise prescrit pour les rites du Mercredi des Cendres et du Vendredi saint.

On eût cru au retour des temps glorieux de la domination romaine à Jérusalem. Les prisonniers étaient tirés de leurs cellules et conduits au rez-de-chaussée pour être présentés aux Ponce Pilates de l'an 1914. Et les juges instructeurs, ces Pilates de la nouvelle époque, au lieu de se laver les mains pour se disculper, se faisaient apporter du *paprika*

et de la bière de Pilsen et remettaient continuelle-
ment au procureur impérial les actes d'instruction
préalable, rédigés par eux.

C'est là que disparaissait la logique et que l'on
voyait le § triompher, le § vous étrangler, le § faire
une tête idiote, le § cracher, le § se tordre de tout,
le § se faire menaçant et le § impitoyable. Ces
magistrats n'étaient que des jongleurs de la loi;
des sacrificateurs aux lettres mortes des Codes; des
mangeurs d'inculpés; des tigres de la jungle autrichienne, qui d'après les numéros du paragraphe
mesuraient le bond à faire pour s'emparer de leur
victime.

Il y avait cependant une exception à la règle.
Quelques messieurs (ils étaient, du reste, quelques-
uns à la Direction de la Police) ne prenaient pas
la loi trop au sérieux, mais on trouve partout du bon
grain parmi l'ivraie.

C'est devant une exception de ce genre que l'on
conduisit Chvéïk pour lui faire subir son interrogatoire. C'était un homme excellent, de mine débonnaire, ayant eu son heure de célébrité au moment
où il avait été chargé d'instruire l'affaire de l'assassin Vales. Il ne manquait jamais de dire chaque fois
à ce dernier : « Veuillez vous asseoir, monsieur Vales, il y a justement une chaise de libre. »

Tandis qu'on lui amenait Chvéïk, il l'invita avec
sa bonhomie coutumière à prendre place, lui aussi,
et dit :

« Alors, c'est vous monsieur Chvéïk?

— Je le crois bien, répondit Chvéïk, et il n'doit
pas y avoir erreur, parce que mon père était bien
M. Chvéïk et ma mère, Mme Chvéïk. Je ne peux
pourtant pas leur faire l'affront de renier mon
nom. »

Un doux sourire effleura le visage du conseiller
à la Cour, chargé de l'instruction.

« Mais vous en avez fait de belles, vous! Vous
devez avoir la conscience bien chargée?

— En effet, honoré m'sieur, elle est bien chargée,
ma conscience », dit Chvéïk en souriant encore plus
aimablement que le juge; sans offense, il est bien
possible qu'elle pèse encore plus lourd que la vôtre.

— Je m'en aperçois rien qu'à jeter un coup d'œil

sur le rapport que vous avez signé, répliqua le
juge d'un ton non moins aimable; voyons, n'y a-t-il
eu aucune pression de la part de ces messieurs de
la police?

— Mais non honoré m'sieur. Moi-même, je leur
ai demandé si je devais signer le rapport et, quand
ils m'ont dit oui, j'ai obéi à leur conseil. Vous ne
voudriez pas que je me dispute avec eux à cause
de ma malheureuse signature, n'est-ce pas? Ça ne
m'avancerait à rien du tout. Il faut de l'ordre en
tout.

— Vous sentez-vous tout à fait bien portant, monsieur Chvéïk?

— Pas tout à fait, ça, non, honoré m'sieur le
conseiller. Pour le moment, j'ai des rhumatismes
et je me frictionne avec du baume d'opodeldoch. »

Le vieux monsieur eut de nouveau un sourire
aimable :

« Si on vous faisait examiner par les médecins
légistes? dit-il. Qu'est-ce que vous en penseriez?

— Je ne crois pas que mon état soit si grave
que ça. Dans tous les cas, je ne voudrais pas faire
perdre à ces messieurs leur temps si précieux. Et,
du reste, j'ai déjà passé par un examen médical
au Commissariat central, ils ont voulu savoir si je
n'avais pas la chaude-pisse.

— Je vais vous dire, monsieur Chvéïk, nous
allons tout de même faire appel aux médecins légistes. Nous allons réunir une bonne petite commission et, en attendant, vous vous reposerez à la
détention préventive. Maintenant, encore une question : il résulte du rapport de la police que vous
avez affirmé que la guerre était imminente?

— Elle se fera pas attendre, monsieur le conseiller, c'est moi qui vous le répète!

— N'avez-vous pas de temps en temps des crises
de nerfs? Je veux dire, n'y a-t-il pas des moments
où vous sentez quelque chose comme si on en voulait à votre vie...

— Une seule fois j'ai eu un sentiment comme
ça, interrompit Chvéïk; c'est quand j'ai failli être
écrasé par une auto sur la place Charles. Mais il
y a pas mal d'années de ça. »

L'interrogatoire prit fin. Chvéïk tendit la main

au juge et retourna dans sa petite chambre paisible,
où il annonça à ses camarades de cellule :

« Il paraît qu'on va me faire examiner par les
médecins légistes, à cause de cet assassinat de
monseigneur l'archiduc Ferdinand.

— Moi, ils m'ont déjà examiné, les médecins
légistes, dit un jeune homme, et c'est quand je
suis passé aux assises pour les tapis. Ils m'ont
reconnu comme « faible d'esprit ». Maintenant,
j'ai un abus de confiance sur le dos, et ils ne
peuvent rien me faire. Mon avocat m'a dit justement hier que je pouvais être tranquille et qu'une
fois déclaré faible d'esprit j'en avais pour toute
ma vie.

— Oh! là, là! je n'y crois rien du tout, à vos
médecins légistes, remarqua un autre homme qui
avait l'air intelligent. Une fois j'ai essayé de faire
un petit faux, une traite de rien du tout, et, pour
parer à toute éventualité d'arrestation, j'ai suivi
le cours du professeur Heveroch sur les maladies
mentales. Eh bien, quand on m'a arrêté, je n'ai
pas manqué de profiter des leçons de M. Heveroch
et j'ai simulé la paralysie avec tous les symptômes
qu'il prévoyait. Devant la commission, j'ai mordu
un médecin légiste à la jambe, j'ai bu tout le contenu
de l'encrier et, sauf votre respect, messieurs, j'ai
ôté ma culotte et j'ai chié dans un coin. Tout allait
bien, mais, parce que j'avais amoché le mollet de
ce type-là, ils ont reconnu que je jouissais de toutes
mes facultés, et j'ai été perdu.

— A moi, ils ne me font pas peur, ces messieurs,
déclara Chvéïk. Quand je faisais mon service militaire, il a fallu que je me présente devant le vétérinaire, et tout a bien marché.

— Les médecins légistes, proclama un petit bout
d'homme, c'est des charognes. Il y a quelque temps,
on a trouvé, en creusant la prairie qui est ma propriété, un squelette, et les médecins légistes ont
déclaré que l'individu à qui ce squelette appartenait
a été tué, il y a quarante ans, à l'aide d'un objet
contondant. Moi, messieurs, j'ai trente-huit ans, et
je suis accusé d'assassinat de ce fichu squelette,
quoique j'aie mon extrait de naissance et mon certificat d'origine en ordre.

— Je crois, reprit Chvéïk, que dans tout ça il faut être juste. Tout le monde peut se tromper, et, plus on réfléchit aux choses, plus on se trompe. Les médecins légistes, c'est des gens comme nous autres, et ils sont fautifs tout comme nous autres. Une fois, il était minuit, je rentrais chez moi — j'avais poussé ma promenade jusque chez le bistrot Banzet —, quand tout d'un coup, à la hauteur du pont qui traverse le Botic à Nusle, arrive un monsieur qui d'un coup de matraque m'envoie rouler par terre. Il tire ensuite sa lampe de poche, éclaire mon visage et dit : « Je me suis encore trompé, « c'est pas lui! » Et il était tellement en rogne de son erreur qu'il m'a fichu encore un autre coup dans le dos. Mais c'est le naturel des hommes : tant qu'on vit on se trompe! Il y avait une fois un monsieur qui avait trouvé, la nuit, un chien enragé crevant de froid. Il l'a pris dans ses bras et, arrivé chez lui, il l'a mis dans le lit où dormait sa femme, pour réchauffer un peu la pauvre bête. Oui, mais dès que le chien a été réchauffé et remis sur ses pattes, il a commencé à mordre jusqu'à plus soif dans tout ce qu'il a trouvé. Toute la famille du monsieur y a passé jusqu'au petit qui dormait dans son berceau, et dont cette sale bête enragée n'a rien laissé. Je peux encore vous raconter une histoire qui est arrivée à un tourneur en bronze. Ce type-là, croyant se trouver devant la porte de la maison qu'il habitait, a ouvert avec sa clef la porte de la chapelle de Podol. Il a ôté ses chaussures et, prenant l'autel pour son lit, il s'est couché dessus. Il s'est couvert avec un gonfalon et des nappes d'autel et, comme oreiller, il s'est servi de l'Évangile et encore d'autres livres saints, parce qu'il voulait avoir la tête haute. Le matin, le sacristain l'a trouvé et l'a réveillé. Le tourneur n'y comprenait rien, et, quand il s'est reconnu, il a dit au sacristain qu'il avait dû se tromper, que c'était certainement une erreur. Vous entendez la réponse, hein? « Une erreur! » que le sacristain lui a dit. « Et nous autres, il va falloir qu'on consacre la « chapelle une nouvelle fois! Ben, mon cochon! » Bien sûr qu'avec les médecins légistes ce tourneur-là n'y a pas coupé. Ils lui auront prouvé qu'il « avait

« agi avec discernement » et qu'il « n'était pas
« en état d'ivresse complète » comme il le prétendait, à preuve qu'il avait facilement trouvé la
serrure. Ce pauvre diable de tourneur est mort dans
son cachot à Pankrac. Prenons, si vous voulez,
encore un autre exemple. A Kladno, il y avait dans
le temps un brigadier de gendarmerie qui élevait
des chiens policiers et les exerçait en poursuivant
de pauvres chemineaux, de sorte qu'à la fin des
fins il n'y en avait plus un seul dans le pays.
Mais, comme le brigadier en avait besoin pour ses
expériences. il a ordonné une fois de lui amener
à tout prix un individu aux allures louches. Là-
dessus, on lui amène un homme assez bien vêtu
qu'on avait trouvé se reposant sur un tronc d'arbre
dans le bois de Lany. Le brigadier lui a fait couper
un morceau de son paletot, l'a fait flairer par ses
chiens policiers de gendarmerie, et, enfin, on l'a
conduit dans une tuilerie où on a lâché les chiens
à ses trousses. Comme de juste, l'homme a été
rattrapé, et on l'a forcé à monter sur une échelle,
à sauter un mur, à se jeter dans un étang, avec
les chiens toujours sur ses talons. Finalement, on
a découvert que c'était un député radical tchèque
qui était allé se mettre au vert dans le bois de
Lany, parce qu'il s'embêtait trop au Parlement.
Et voilà! c'est pourquoi je dis toujours que les
hommes sont tous fautifs. que tout le monde peut
se tromper, qu'on soit savant ou ignare. un as
ou une andouille. Les ministres eux-mêmes se
trompent. »

*

La commission de médecins légistes qui devait
statuer sur la capacité mentale de Chvéïk et constater s'il était oui ou non responsable des crimes
qui faisaient l'objet de l'accusation, comprenait
trois messieurs très sérieux qui professaient en
toute chose des opinions diamétralement opposées.
   A eux trois, ils représentaient trois écoles scien-
tifiques et trois courants de la science psychiatrique.
   Si, pour le cas Chvéïk, ils purent tomber complètement d'accord, ce fut grâce à l'impression

renversante que Chvéïk avait produite sur eux trois
à son entrée dans la salle. Apercevant un portrait
de S. M. autrichienne, qui ornait le mur, Chvéïk
n'hésita pas à crier de toutes ses forces : « Messieurs, vive l'empereur François-Joseph Ier! »

Pour eux, la phrase en disait long. Cette manifestation spontanée leur épargnait toute une série
de questions. Il n'en restait plus que quelques-unes,
indispensables celles-là, que recommandaient les
systèmes du docteur Kallerson, du docteur Heveroch et de l'Anglais Weiking.

« Le radium est-il plus lourd que le plomb? »

A cette première question Chvéïk répondit avec
son sourire habituel :

« Je ne sais pas, je ne l'ai jamais pesé, fit-il.

— Croyez-vous à la fin du monde?

— Il faudrait d'abord que je la voie, cette fin
du monde, répondit Chvéïk négligemment, mais
ça ne sera pas encore pour demain, et il est probable que je ne vivrai pas jusque-là.

— Pourriez-vous calculer le diamètre de notre
terre?

— J'en doute, dit Chvéïk, mais permettez-moi
de vous poser une question, s'il vous plaît. Voici :
il y a une maison à trois étages et, à chaque étage
de cette maison, il y a environ huit fenêtres.
Au toit, il y a aussi deux lucarnes et deux che-
minées. En plus, à chaque étage, il y a deux locataires. Dites-moi maintenant, s'il vous plaît, à quel
âge est morte la grand-mère du concierge de cette
maison? »

Les médecins légistes se regardèrent en se faisant
des signes d'intelligence. Cependant, l'un d'eux
posa encore une dernière question à Chvéïk :

« Connaissez-vous la profondeur maximum de
l'océan Pacifique?

— Malheureusement non, répondit Chvéïk, mais
elle doit être certainement bien supérieure à celle
de la Vltava près de la colline de Vysehrad. »

Le président de la commission fit un « cela
suffit » mais l'un de ses membres demanda encore
à Chvéïk :

« Combien font 12,897 × 13,863?

— 729, répondit Chvéïk sans sourciller.

— Je crois que cette fois-ci cela nous suffit, déclara le président de la commission. Ramenez-moi cet accusé d'où il est venu.

— Je vous remercie, messieurs, dit Chvéïk avec déférence; moi aussi, cela me suffit tout à fait. »

Chvéïk sorti, cette trinité d'Esculapes décida que Chvéïk était un idiot notoire, un idiot à qui on pouvait appliquer toutes les lois naturelles, inventées par les maîtres de la psychiatrie.

Dans le rapport remis au juge d'instruction l'on pouvait lire notamment : « Les soussignés, médecins-légistes, considérant l'abrutissement général et le crétinisme congénital du sieur Joseph Chvéïk qui s'est présenté ce jourd'hui devant eux aux fins d'un examen mental, attendu qu'il a proféré des cris comme « Vive l'empereur François-Joseph Ier! » ce qui suffit complètement à établir que ledit individu est un idiot incontestable, déclarent qu'il faut de toute urgence : 1° abandonner l'instruction préalable et 2° renvoyer Joseph Chvéïk devant une commission d'aliénistes en vue de constater si oui ou non sa folie est de nature à porter atteinte à la sûreté et à l'ordre public ».

Tandis qu'on rédigeait ce rapport, Chvéïk déclara à ses coprisonniers :

« Ils se foutent pas mal de Ferdinand, par exemple! Ils n'en ont pas soufflé mot! Mais ils ont bavardé avec moi d'un tas de choses encore plus idiotes. A la fin, on s'est dit que ça suffisait et on s'est quitté content de ce qu'on s'était raconté nous quatre.

— Je ne crois rien ni personne », proféra le petit bout d'homme accusé « de l'assassinat du squelette trouvé dans sa prairie ». « Tout ça, c'est de la fripouillerie!

— Et même cette fripouillerie, il faut qu'elle existe, dit Chvéïk en se mettant au lit. Si tous les gens se voulaient du bien les uns aux autres, le monde ne ferait que se manger le nez! »

IV

COMMENT CHVÉÏK FUT MIS A LA PORTE
DE L'ASILE D'ALIÉNÉS

Plus tard, lorsque Chvéïk racontait la vie que
l'on mène à l'asile d'aliénés, il le faisait en termes
très élogieux.

« Sérieusement, je ne comprendrai jamais pourquoi les fous se fâchent d'être si bien placés. C'est
une maison où on peut se promener tout nu, hurler
comme un chacal, être furieux à discrétion et
mordre autant qu'on veut et tout ce qu'on veut. Si
on osait se conduire comme ça dans la rue, tout
le monde serait affolé, mais, là-bas, rien de plus
naturel. Il y a là-dedans une telle liberté que les
socialistes n'ont jamais osé rêver rien d'aussi beau.
On peut s'y faire passer pour le Bon Dieu, pour
la Sainte Vierge, pour le pape ou pour le roi d'Angleterre, ou bien pour un empereur quelconque,
ou encore pour saint Venceslas. Tout de même, le
type qui la faisait à la saint Venceslas traînait tout
le temps, nu et gigotant, au cabanon. Il y avait là
aussi un type qui criait tout le temps qu'il était
archevêque, mais celui-là ne faisait que bouffer et,
sauf votre respect, encore quelque chose, vous savez
bien à quoi ça peut rimer, et tout ça sans se gêner.
Il y en avait un autre qui se faisait passer pour
saint Cyrille et saint Méthode à la fois, pour avoir
droit à deux portions à chaque repas. Un autre
monsieur prétendait être enceint, et il invitait tout
le monde à venir au baptême. Parmi les gens enfermés il y avait beaucoup de joueurs d'échecs,
des politiciens, des pêcheurs à la ligne et des scouts,
des philatélistes, des photographes et des peintres.
Un autre client s'y est fait mettre à cause de vieux
pots qu'il voulait appeler urnes funéraires. Il y
avait aussi un type qui ne quittait pas la camisole

de force qu'on lui passait pour l'empêcher de calculer la fin du monde. J'y ai rencontré d'autre part
plusieurs professeurs. L'un qui me suivait partout
et m'expliquait que le berceau des tziganes se trouve
dans les monts des Géants, et un autre qui faisait
tous ses efforts pour me persuader qu'à l'intérieur
du globe terrestre il y en avait encore un autre,
un peu plus petit que celui qui lui servait d'enveloppe. Tout le monde était libre de dire ce qu'il
avait envie de dire, tout ce qui lui passait par la
tête. On se serait cru au Parlement. Très souvent,
on s'y racontait des contes de fées et on finissait par
se battre quand une princesse avait tourné mal. Le
fou le plus dangereux qui j'y aie connu, c'était un
type qui se faisait passer pour le volume XVI du
Dictionnaire Otto. Celui-là priait ses copains
de l'ouvrir et de chercher ce que le dictionnaire
disait au mot « Ouvrière en cartonnage », sans quoi
il serait perdu. Et il n'y avait que la camisole de
force qui le mettait à l'aise. Alors, il était content
et disait que ce n'était pas trop tôt pour être mis
enfin sous presse, et il exigeait une reliure moderne.
Pour tout dire, on vivait là-bas comme au paradis.
Vous pouvez faire du chahut, hurler, chanter, pleurer, bêler, mugir, sauter, prier le bon Dieu, cabrio-
ler, marcher à quatre pattes, marcher à cloche-pied,
tourner comme la toupie, danser, galoper, rester
accroupi toute la journée ou grimper aux murs.
Personne ne vient vous déranger ou vous dire :
« Ne faites pas ça, ce n'est pas convenable; n'avez-
« vous pas honte, et vous vous prétendez un homme
« instruit? » Il est vrai qu'il y a aussi là-dedans
des fous silencieux. C'était le cas d'un inventeur
très savant qui se fourrait tout le temps le doigt
dans le nez et criait une fois par jour : « Je viens
« d'inventer l'électricité! » Comme je vous le dis,
on y est très bien, et les quelques jours que j'ai
passés dans l'asile de fous sont les plus beaux de
ma vie. »

En effet, l'accueil qu'on avait fait à Chvéïk à
l'asile de fous, où on l'avait transporté avant de
le faire passer devant une commission spéciale,
avait déjà dépassé toute son attente. Tout d'abord
on l'avait mis à nu et, après l'avoir enveloppé dans

une espèce de peignoir de bain, on l'avait conduit, en le soutenant familièrement sous les bras, à la salle de bain, tandis qu'un des infirmiers lui racontait des histoires juives. Là, on l'avait plongé dans une baignoire d'eau chaude, et, après l'en avoir retiré, on l'avait placé sous la douche. Ce procédé de lavage avait été appliqué à Chvéïk trois fois de suite et, là-dessus, les infirmiers lui avaient demandé, si cela lui plaisait. Chvéïk répondit qu'on était beaucoup mieux ici qu'aux bains publics près du pont Charles, et que, du reste il aimait l'eau.

« Si vous me faisiez encore la manucure et les cors aux pieds, et si vous vouliez bien me couper les cheveux, rien ne manquerait plus à mon bonheur », ajouta-t-il en souriant comme un bienheureux.

On acquiesça volontiers à son désir, puis, bien frotté au gant de crin, on l'enveloppa dans des draps de lit et on le porta au premier étage pour le coucher. On le couvrit soigneusement en le priant de s'endormir.

Chvéïk s'en souvient encore aujourd'hui avec attendrissement :

« Figurez-vous qu'ils m'ont porté, ce qu'on appelle porté, et moi, à ce moment-là, vous pensez si j'étais aux anges! »

Il s'assoupit avec béatitude. A son réveil on lui servit une tasse de lait avec un petit pain. Le petit pain était coupé en toutes petites tranches et, tandis qu'un des infirmiers tenait Chvéïk par les mains, l'autre lui trempait son pain dans le lait et lui en introduisait les morceaux dans la bouche, exactement comme à une oie qu'on gave. Ceci fait, les infirmiers le prirent dans leurs bras et le portèrent aux cabinets, en le priant de faire ses petits et ses gros besoins.

Cela aussi fut pour Chvéïk un moment historique, et il en parlait avec attendrissement. Je crois qu'il est inutile de reproduire textuellement les paroles par lesquelles il appréciait ce qu'on lui avait fait encore quand il eut fini « ses petits et ses gros besoins ». Je ne citerai que la phrase dont Chvéïk accompagne toujours le souvenir de cette scène, désormais inoubliable pour lui :

« Et pendant ce temps-là, l'un des infirmiers me tenait dans ses bras! »

Cette petite excursion finie, on le recoucha et on le pria de nouveau de se rendormir. Chvéïk obéit et, quand il fut endormi, on le réveilla pour le conduire dans la chambre voisine où siégeait la commission. Tout nu devant les médecins, Chvéïk se rappela l'heure mémorable dans sa vie où il avait comparu pour la première fois devant la commission de recrutement; ses lèvres prononcèrent d'une voix presque imperceptible :

« *Tauglich* [1]!

— Qu'est-ce que vous dites? questionna l'un des médecins. Faites cinq pas en avant et cinq pas en arrière! »

Chvéïk en fit le double.

« Je vous ai pourtant dit d'en faire cinq seulement!

— Je n'en suis pas à quelques pas près, répondit Chvéïk. Pour moi ça n'a aucune importance. »

Les médecins l'invitèrent à prendre un siège, et l'un d'eux se mit à lui frapper sur un genou. Ensuite, il dit à son collègue que l'action réflexe ne laissait rien à désirer. L'autre hocha la tête et percuta à son tour le genou de Chvéïk, tandis que son collègue lui soulevait les paupières et examinait la pupille. Tous deux retournèrent ensuite à leur table et conférèrent en latin.

« Ecoutez, est-ce que vous savez chanter? demanda l'un d'eux. Et pourriez-vous nous chanter une chanson quelconque?

— Bien sûr, messieurs, répondit Chvéïk. Mais ce sera bien pour vous faire plaisir, vous savez, parce que moi, autrement, je ne suis ni chanteur ni musicien. »

Et Chvéïk entonna :

A quoi rêve ce moine dans sa chaise,
pourquoi n'est-il pas tout à fait à son aise?
Que signifient les larmes qui coulent de sa face
et, brûlantes, y laissent d'ineffaçables traces?

1. « Bon pour le service. »

« Il y en a plusieurs couplets, mais je ne connais que celui-là, déclara Chvéïk, ayant fini de chanter. Mais si vous voulez, je vais vous chanter autre chose. »

Et il commença :

Ah! qu'il est triste mon cœur,
tandis que ma poitrine se soulève de douleur
et tandis que je regarde, silencieux, l'horizon
là-bas, là-bas, où tous mes désirs s'en vont...

« La chanson continue, mais c'est tout ce que j'en sais, soupira Chvéïk. Maintenant, je connais encore le premier couplet de *Où est ma Patrie?* puis *Le Général Windischgraetz et les autres commandants ont commencé la bataille au soleil levant,* et encore quelques chansons du même genre, comme *Dieu garde notre empereur et notre patrie, Lorsqu'on allait à Jaromer* et *Salut, ô Sainte Vierge, mille saluts!...* »

Les médecins se regardèrent un moment, puis l'un d'eux demanda à Chvéïk :

« Votre état mental a-t-il déjà été examiné?

— Au régiment, dit Chvéïk d'un ton solennel et fier, j'ai été reconnu par les médecins militaires comme étant un crétin notoire.

— Je crois que vous êtes plutôt un simulateur, cria l'autre médecin.

— Moi, messieurs, déclara Chvéïk en guise de défense, je ne simule rien du tout, je suis véritablement idiot et, si vous ne voulez pas me croire, informez-vous à Budejovice, chez mes chefs du régiment ou bien au bureau militaire de Karlin. »

Le plus vieux des médecins fit un geste vague, puis montrant du doigt Chvéïk aux infirmiers, ordonna :

« Vous rendrez à cet homme ses vêtements et vous le conduirez à la troisième section, dans le corridor, puis l'un de vous reviendra ici et prendra les documents pour les remettre au bureau. »

Une fois de plus les médecins foudroyèrent du regard Chvéïk qui se retirait à reculons, ne cessant de s'incliner avec la plus grande déférence. A l'un

des infirmiers, qui lui demandait pourquoi il se retirait de la sorte, Chvéïk répliqua :

« Parce que, n'est-ce pas, dit-il, je ne suis pas
habillé; vous me voyez donc tout nu, et je ne voudrais montrer à ces messieurs rien qui pourrait les
choquer et leur faire croire que je suis un impoli ou
un dégoûtant. »

A partir du moment où les infirmiers reçurent
l'ordre de rendre à Chvéïk ses vêtements, ils ne
s'occupèrent plus de lui. Ils lui ordonnèrent de
s'habiller et l'un d'eux le conduisit à la troisième
section où il dut attendre l'ordre écrit de sa mise
à la porte et eut largement le temps d'observer la
vie des fous. Désappointés, les médecins lui déli-
vrèrent un certificat qui le déclarait « simulateur
faible d'esprit ».

Mais avant d'être relâché, Chvéïk provoqua encore un incident.

Voyant qu'on lui faisait quitter la maison dans
la matinée, il protesta :

« Quand on met quelqu'un à la porte d'une maison de fous, on ne lui refuse pas pour ça le repas
de midi! »

Un agent mit fin à la scène bruyante qui mena-
çait de dégénérer en un scandale. Chvéïk fut alors
dirigé sur le commissariat de la rue Salmova.

V

CHVÉÏK AU COMMISSARIAT DE POLICE
DE LA RUE SALMOVA

Les beaux jours ensoleillés que Chvéïk avait passés
à l'asile d'aliénés devaient être suivis d'heures de
martyre et de persécution. L'inspecteur de police
Braun organisa pour la réception de Chvéïk une
mise en scène soignée et laissa paraître une férocité
digne des sbires de Néron, le plus doux des empereurs romains. Comme les créatures de Néron di-

saient en ce temps-là : « Jetez-moi ce gredin de chrétien aux lions », ainsi Braun ordonna en apercevant Chvéïk : « Foutez-moi ça au violon! »

L'inspecteur ne prononça pas un seul mot de plus ni de moins. Seuls, ses yeux étincelèrent d'une volupté perverse.

Chvéïk s'inclina profondément et dit avec fierté : « Je suis prêt, messieurs. Si je ne me trompe pas, « violon » veut dire « cellule », et c'est pas si terrible que ça.

— Faudra pas être trop encombrant ici, toi, hein? dit l'agent qui l'avait accompagné au poste.

— Ah! je suis très modeste, moi, répliqua Chvéïk. Je vous serai très reconnaissant de tout ce que vous voudrez bien faire pour moi. »

Dans la cellule il y avait un homme assis sur le lit. A son air apathique on voyait bien qu'il n'avait pas cru, quand la serrure grinça, qu'on venait le chercher.

« Mes compliments, honoré m'sieur, dit Chvéïk en s'asseyant à côté de lui sur le lit; vous ne pourriez pas me dire l'heure qu'il est?

— Il n'y a plus d'heure qui sonne pour moi, répondit le prisonnier à l'allure mélancolique.

— On n'est pas si mal que ça ici, reprit Chvéïk; le ressort du lit m'a l'air en excellent bois. »

Le personnage triste ne répondit pas. Il se leva et se mit à arpenter à pas rapides l'espace du lit à la porte, se hâtant comme s'il s'agissait de sauver quelqu'un.

Entre-temps, Chvéïk examinait avec intérêt diverses inscriptions charbonnées sur les murs. Il y en avait une par laquelle un prisonnier inconnu annonçait aux policiers une lutte à mort. Elle disait dans un style lapidaire : « Vous trinquerez! » Un autre prisonnier proclamait : « Des vaches comme vous, je les envoie paître! » Un autre se bornait à constater : « J'ai passé ici le 5 juin 1913 et tout le monde s'est conduit convenablement envers moi. Joseph Maretchek, négociant à Verchovice ». Un peu plus haut, on lisait une inscription émouvante : « Dieu de miséricorde, ayez pitié de moi... ». Audessous, quelqu'un avait écrit : « Je vous em... », mais il s'était ravisé en remplaçant le dernier mot par : « ... envoie au diable ». Une âme poétique s'exprimait ainsi :

Assis sur le bord d'un petit ruisseau,
Je regarde tristement le coucher du soleil,
En pensant à l'amour qui passe comme cette eau,
A l'amour de ma mie qui maintenant s'en bat l'œil.

L'homme qui n'avait pas cessé d'aller de la porte au lit comme s'il s'entraînait en vue du marathon, s'arrêta essoufflé et reprit sa place sur le lit. Plongeant sa tête dans ses mains, il hurla tout à coup :
« Lâchez-moi! »
Et il continua à monologuer :
« Mais non, ils ne me lâcheront pas, bien sûr. Et pourtant je suis ici depuis six heures du matin. »
En veine de confidences, il se dressa et demanda à Chvéïk :
« Vous n'auriez pas, par hasard, une ceinture sur vous pour que j'en finisse? »
— Si, et je vous la prêterai volontiers, répondit Chvéïk en quittant sa ceinture, d'autant plus que je n'ai encore jamais vu comment on fait pour se pendre dans une cellule. Ce qui est embêtant, continua-t-il en regardant autour de lui, c'est qu'il n'y a pas un seul piton ici. La poignée de la fenêtre ne suffira pas, à moins de vous pendre à genoux comme ce moine du couvent d'Emmaüs à Prague, qui s'est accroché à un crucifix, à cause d'une petite juive. Les suicidés, ça me plaît. Allez-y! »
L'individu maussade à qui Chvéïk tendit aimablement sa ceinture de cuir la considéra quelques minutes, la jeta dans un coin et éclata en pleurs qu'il s'essuyait de ses mains sales en gémissant :
« Je suis père de famille et on m'a arrêté pour ivrognerie et débauche. Jesus Maria, qu'est-ce qu'elle va dire, ma pauvre femme, et qu'est-ce qu'on va penser à mon bureau! »
Et il répétait tout le temps la même phrase sans y rien changer. Enfin, il se tranquillisa un peu, marcha vers la porte, contre laquelle il frappa des pieds et des poings.
On entendit des pas, puis une voix :
« Qu'est-ce que vous voulez?

— Je veux sortir! dit le malheureux noceur d'une voix blanche comme s'il ne lui restait plus que très peu de jours à vivre.

— Pour aller où? questionna la voix derrière la porte.

— A mon bureau », répondit le malheureux père, rond-de-cuir. ivrogne et débauché.

Un rire déchaîné, un rire atroce retentit dans le couloir et les pas s'éloignèrent rapidement.

« On dirait que ce monsieur ne doit pas vous aimer beaucoup pour rire tant que ça, dit Chvéïk, tandis que le désespéré se rasseyait à côté de lui. Quand un homme de la police en veut à quelqu'un, il est capable de tout, vous savez. Maintenant, si vous n'avez pas l'intention de vous pendre, restez tranquillement assis et attendez comment les choses vont tourner. Si vous êtes employé dans un bureau, marié et père de famille, votre situation est plutôt triste, je le reconnais. Vous êtes sans doute convaincu que vous allez perdre votre place, si je comprends?

— Comment voulez-vous que je vous le dise, soupira l'homme, puisque je ne sais même pas ce qui s'est passé cette nuit? Je me rappelle seulement qu'à la fin nous sommes allés dans une boîte d'où on m'a mis à la porte et où j'ai voulu à toutes forces entrer pour allumer mon cigare. Et pourtant la soirée avait si bien commencé! C'était la fête de notre chef de bureau et il nous avait donné rendez-vous chez un marchand de vin. De là, on est allé chez un autre bistrot, puis chez un troisième, un quatrième, un cinquième, un sixième, un septième, un huitième, un neuvième...

— Désirez-vous que je vous aide à compter? demanda Chvéïk; je m'y connais, vous savez! Une fois, j'ai fait vingt-huit boîtes dans une seule nuit. Mais, faut que je le dise, dans chacune, je n'ai pas pris plus de trois demis de bière.

— En somme, reprit le petit employé dont le chef avait eu l'idée de fêter son saint en faisant la noce, après avoir fait une douzaine de ces bistrots de malheur, nous nous sommes aperçus que le chef avait disparu, quoique, pour ne pas le perdre, nous l'ayons attaché à une corde, de sorte qu'il nous suivait

comme un petit chien. Nous sommes retournés chez
tous les bistrots où on avait été avec lui, mais à
force de chercher nous nous sommes encore perdus
les uns les autres. A la fin, je me suis trouvé dans
un bar de nuit à Vinohrady, un local très convenable, où j'ai bu je ne sais plus quelle liqueur à
même la bouteille. Ce qui est arrivé après, je n'en
sais rien non plus. Je sais seulement, d'après le
procès-verbal des deux agents qui m'ont amené ici,
que je me suis soûlé, conduit comme une brute, que
j'ai battu une dame, coupé, avec mon canif, un chapeau qui n'était pas à moi et que j'avais pris au
vestiaire, que j'ai mis en fuite un orchestre de
dames, que j'ai accusé le garçon de m'avoir volé
vingt couronnes, que j'ai cassé le marbre de la table
à laquelle j'étais assis, et que j'ai craché d'abord
dans la figure d'un monsieur de la table voisine, et
puis dans sa tasse de café. C'est tout, au moins je
ne me rappelle pas qu'on m'accuse encore d'autre
chose. Et, croyez-moi, je suis un homme d'ordre, un
homme comme il faut et qui ne pense qu'à sa famille. Qu'est-ce que vous dites de cela? Je ne vous
fais pourtant pas l'impression d'être quelqu'un de
dangereux pour la paix publique?

— Est-ce qu'il vous a fallu beaucoup de temps
pour casser le marbre, ou bien l'avez-vous cassé
d'un seul coup? demanda Chvéïk au lieu de
répondre à la question de l'homme comme il
faut.

— D'un seul coup, avoua celui-ci.

— Alors, vous êtes perdu, dit Chvéïk, pensif. On
vous prouvera que vous avez préparé le coup en
vous entraînant tous les jours. Et le café à ce monsieur, est-ce que c'était un café nature ou bien un
café rhum? »

Et sans attendre la réponse Chvéïk continua :

« Si c'était un café au rhum, votre affaire est plus
mauvaise, parce que les dommages-intérêts augmen-
teront alors. Au tribunal, on tient compte de la
moindre chose, on additionne tout, parce qu'on
cherche toujours à vous mettre au moins un crime
sur le dos.

— Au tribunal... », murmura, découragé, le parfait père de famille. La tête basse, il tomba aussitôt

dans cet état d'hébétude où le remords nous tenaille avec férocité.

« Et chez vous, questionna Chvéïk, est-ce qu'on sait que vous êtes bouclé, ou bien est-ce qu'on va l'apprendre dans les journaux?

— Croyez-vous qu'on va mettre mon arrestation dans les journaux? demanda avec naïveté l'employé victime d'un chef dissolu.

— Vous pouvez en être sûr, répondit Chvéïk qui ne savait cacher ses impressions. Et ça fera la joie des lecteurs, votre affaire. Moi-même, j'aime beaucoup les faits divers où on parle d'ivrognes et de scandale sur la voie publique. *Au Calice,* il n'y a pas longtemps, un client a réussi à se casser la tête rien qu'avec sa chope de bière. Il l'avait jetée contre le plafond pour qu'elle lui retombe dessus. Il a été bien arrangé, comme vous pensez! la chope ne pèse pas rien. Eh bien, on l'a emmené à l'hôpital et, le lendemain, c'était dans le journal. Et encore une autre fois, c'était à *Bendlovka,* j'ai giflé un croquemort et il m'a rendu mes gifles. Pour nous réconcilier, on nous a conduits tous les deux au poste et le jour suivant on pouvait lire la chose dans les journaux du soir. Ils ne respectent même pas les hauts fonctionnaires. Une fois, un conseiller de je ne sais quoi avait cassé dans le café *Au Cadavre* deux malheureuses soucoupes. Eh bien, le lendemain, il avait le plaisir de voir son nom et son adresse dans tous les journaux. Vous n'avez qu'une chose à faire, c'est d'envoyer déjà d'ici une protestation aux journaux, en disant que la nouvelle publiée sur votre compte n'a aucun rapport avec vous, qu'on a confondu les noms et que vous n'êtes même pas parent de l'individu arrêté. Là-dessus, vous écrirez à madame votre épouse de découper avec soin cette protestation et de vous garder les découpures pour les lire à votre retour, quand vous aurez purgé votre peine. »

Voyant que le monsieur comme il faut ne répondait pas et était secoué de frissons, Chvéïk ajouta :

« N'avez-vous pas froid? Cette année-ci, la fin de l'été est plutôt froide.

— C'est à devenir fou! se lamenta le compagnon de Chvéïk, et mon avancement qui est raté!

— N'en doutez pas! renchérit Chvéïk. Si, quand

vous serez sorti de prison, on refuse de vous reprendre à votre bureau, vous ne trouverez pas facilement une autre place, c'est couru! Le tueur de
chiens de la fourrière ne voudra même pas de vous
à cause du casier judiciaire, vous savez! Voilà ce
que ça rapporte, des moments de folie comme vous
vous en êtes payé un. Sans êt re indiscret, est-ce que
madame votre épouse et vos enfants ont de quoi
vivre en vous attendant, ou bien est-ce qu'elle devra
se livrer à la mendicité et vos enfants à la prostitution et au vol?

— Ma pauvre femme, mes pauvres enfants! »
sanglota le pénitent.

Il se leva et se mit à parler de ses enfants : il en
avait cinq, l'aîné était âgé de douze ans et boyscout.
« Il ne boit que de l'eau et pourrait servir d'exemple
à son cochon de père, à qui une chose pareille arrive pour la première fois dans sa vie, gémit-il.

— Il est scout, votre gosse? s'exclama Chvéïk,
j'aime beaucoup d'entendre parler des scouts, moi.
Une fois à Mydlovary près de Zliva, chef-lieu Hluboka, département Ceské Boudeïovice — nous
autres, les 91e de ligne, on y avait justement été en
manœuvres, — les paysans de la région ont organisé
une chasse aux scouts qui étaient alors en foule
dans le bois communal. Ils en ont attrapé trois. Le
plus petit, pendant qu'on lui liait les mains, faisait
un raffût à vous fendre le cœur : il criait, il se
débattait et pleurait que nous autres, soldats et
durs-à-cuire, fallait nous en aller pour ne pas voir
ça. Dans cette affaire-là, trois scouts ont mordu
huit paysans. A la mairie, où on les a conduits
après, ils ont avoué à force de coups de bâton qu'il
n'y avait pas une seule prairie dans le pays qu'ils
n'avaient pas écrasée en se chauffant au soleil, et
puis que le champ de seigle près de Ragice avait été
dévoré par le feu tout à fait par hasard quand ils y
faisaient rôtir à la scout un chevreau qu'ils avaient
tué à coups de couteau dans le bois communal. Dans
leur repaire au milieu des bois on a trouvé un
demi-quintal d'os de volaille et de gibier de toutes
sortes, des tas énormes de noyaux de cerises, des
masses de trognons, des pommes vertes, et bien
d'autres dégâts. »

Mais le père du scout ne se laissait pas distraire.

« Je suis un criminel, pleurnichait-il, ma réputation est détruite.

— Bien sûr, dit Chvéïk avec sa franchise coutumière, après ce qui s'est passé, elle est évidemment foutue et pour la vie, parce qu'une fois traîné dans les journaux vous verrez que vos amis déballeront tout ce qu'ils savent sur votre compte. C'est toujours comme ça, mais ne vous faites pas trop de bile. On voit se promener dans le monde pas mal de gens qui ont leur réputation foutue, il y en a même dix fois autant que de ceux qui sont blancs comme neige. Tout ça, ce n'est que peu de chose. »

Des pas retentirent dans le corridor, la serrure grinça, la porte de la sellule s'ouvrit, et un agent appela Chvéïk.

« Excusez, dit Chvéïk en grand seigneur, je suis ici depuis midi seulement, tandis que ce monsieur attend depuis six heures du matin. Je ne suis pas pressé, moi. »

Une forte poigne tira Chvéïk dans le couloir et le poussa sans un mot au premier étage du bâtiment.

Au milieu d'une pièce se tenait assis derrière son bureau le commissaire de police, un monsieur corpulent, à l'apparence débonnaire, qui dit à Chvéïk :

« Alors, c'est vous, Chvéïk? Et qu'est-ce qui vous amène ici?

— J'ai été amené ici par monsieur l'agent parce que je me suis plaint d'être mis à la porte de la maison de fous sans manger. J'ai pris ça comme une injure, parce que, moi, je ne suis pas une fille des rues, une traînée quelconque.

— Ecoutez, monsieur Chvéïk, dit le commissaire d'un ton complaisant, nous n'avons aucune raison de nous faire du mauvais sang avec vous, n'est-ce pas? Je vais vous passer à la Direction de la Police, ça vaudra mieux. N'est-ce pas votre avis?

— Vous êtes, répondit Chvéïk d'un air content, « maître de la situation », comme on dit. Ce soir il fait très doux, et une petite promenade jusqu'à la Direction ne peut pas faire de mal. Allons-y.

— Je suis content qu'on se soit mis d'accord, dit gaiement le commissaire. Vaut toujours mieux se mettre d'accord, n'est-ce pas votre avis, monsieur Chvéïk?

— Comment donc! monsieur le commissaire, repartit Chvéïk; moi aussi, j'aime bien m'entendre avec les gens! Croyez-moi, je n'oublierai jamais votre bonté. »

Chvéïk s'inclina profondément et descendit avec l'agent au bureau. Un quart d'heure après, on pouvait voir, au coin de la rue Jecna et de la place Charles, Chvéïk passer sous l'égide d'un agent de police, qui tenait sous le bras un gros livre avec le titre en allemand : *Arrestatenbuch.*

Au coin de la rue Spalena, une foule de passants se pressait devant une affiche.

« C'est la proclamation de Sa Majesté sur la déclaration de guerre, dit l'agent à Chvéïk.

— La guerre, je l'ai prévue, répondit Chvéïk, mais à la maison de fous ils ne savent rien, et cependant ils devraient être au courant les premiers.

— Qu'est-ce que vous voulez dire par là? questionna l'agent.

— Qu'il y a beaucoup de ces messieurs les officiers enfermés là-dedans », expliqua Chvéïk. Et, arrivé à une autre groupe de passants qui se pressaient également devant une proclamation, Chvéïk s'écria :

« Gloire à l'empereur François-Joseph! Cette guerre, faut la gagner et nous la gagnerons! »

Quelqu'un de la foule tapa si bien sur le melon de Chvéïk que ses oreilles y disparurent. Mais déjà le brave soldat se retrouvait devant la porte de la Direction de la Police.

« C'te guerre-là, nous la gagnerons, c'est sûr et certain, messieurs, je vous le répète! » cria encore Chvéïk avant de franchir le seuil.

Et pendant ce temps, une lumière encore imperceptible se faisait dans l'Europe, une lumière montrant que le lendemain allait anéantir les plus audacieuses certitudes.

VI

CHVÉÏK RENDU A SES FOYERS

Sur la Direction de la Police à Prague passait le
souffle d'un esprit étranger, d'une autorité hostile
à tout ce qui était tchèque. La Direction cherchait à
déterminer dans quelle mesure la population tchèque
était enthousiaste de la guerre. A part quelques individus qui ne niaient pas être les fils d'une nation
obligée par le gouvernement de Vienne de verser
son sang pour des intérêts qui ne la touchaient en
rien, la Direction de la Police consistait en un
groupe de fauves bureaucratiques dont toutes les
pensées tournaient autour du cachot et de la potence, car ils se préoccupaient uniquement de sauvegarder la raison d'être des paragraphes biscor-
nus.

Pour mieux arranger leurs victimes, ces magistrats professaient une indulgence sournoise, mais
dont chaque mot était pesé d'avance.

« Je regrette beaucoup, dit un de ces fauves rayés
jaune et noir, lorsqu'on lui amena Chvéïk, que vous
soyez revenu entre nos mains. Nous étions convaincus que vous alliez profiter de la leçon, mais je
m'aperçois que c'était une erreur. »

Chvéïk fit « oui » de sa tête, et son visage reflétait une telle innocence que le fauve jaune et noir
le considéra d'un air interrogateur et dit :

« Ne faites pas l'imbécile, voulez-vous? »

Et, sans aucune transition, il continua de son
ton aimable :

« Il nous est très désagréable de vous garder en
détention et je puis vous assurer que, selon moi,
votre affaire n'est pas si grave, car, étant donné le
peu d'intelligence que vous avez manifesté, il n'est
pas douteux que vous agissez sous une mauvaise
influence. Dites-moi, monsieur Chvéïk, qui vous a
conseillé de faire des bêtises pareilles? »

Chvéïk toussa et répondit :

« Veuillez me croire, s'il vous plaît; je ne me rends compte d'aucune bêtise que j'aurais faite.

— Comment! ce n'est pas une bêtise, monsieur Chvéïk, reprit le policier de son ton faussement paternel, de provoquer des rassemblements — comme il résulte du procès-verbal de l'agent qui vous a conduit ici, — devant l'affiche de la proclamation de Sa Majesté aux citoyens et d'exciter les passants par des cris comme : « Gloire à l'empereur « François-Joseph! C'te guerre, nous la gagnerons! »

— Ce n'est pas ma faute, riposta Chvéïk en levant ses yeux candides sur le questionneur : ç'a été plus fort que moi quand j'ai vu que tant de gens lisaient l'affiche et que personne ne manifestait aucune joie. Pas de cris « Gloire à l'empereur! » pas un « hourra! », monsieur le conseiller; ils lisaient l'affiche comme si tout cela ne les regardait pas. Alors, n'est-ce pas, moi, ancien soldat du 91ᵉ de ligne, je ne pouvais pas laisser aller la chose comme ça. Et, alors, n'en pouvant plus, j'ai crié ce qu'on me reproche. Je crois qu'à ma place vous en auriez fait autant, monsieur le conseiller. C'est la guerre et, nous autres, c'est notre devoir de la gagner et de crier « gloire à l'empereur »; personne au monde ne me fera croire le contraire. »

Vaincu et dompté, le fauve jaune et noir ne put supporter le regard d'agneau innocent de Chvéïk et, détournant le sien, le fixa sur le dossier en disant :

« J'admets pleinement votre enthousiasme, mais il faudrait le manifester autrement. Vous étiez sous l'escorte d'un agent de police, et vous comprendrez que, dans ces conditions, votre manifestation patriotique pouvait et devait même produire un effet tout opposé, plutôt parodique qu'émouvant.

— Quand un citoyen est escorté par un agent de police, riposta Chvéïk, c'est un moment très grave pour lui. Mais quand cet homme, même en une occasion pareille, se rend compte de ce qu'il doit faire lorsqu'il y a la guerre, je crois que cet homme-là n'est pas un méchant. »

Le fauve grommela et regarda encore une fois Chvéïk dans les yeux.

Chvéïk le considéra de son regard innocent, humble, doux et plein d'une fervente tendresse. Les deux hommes se regardèrent ainsi pendant un bon moment.

« Que le diable vous emporte! Chvéïk, dit à la fin le bureaucrate; mais, si je vous revois encore une fois ici, je ne vous interrogerai même plus et je vous renverrai devant le tribunal militaire à Hradcany. »

Avant qu'il eût fini de parler, Chvéïk s'approcha, lui baisa la main et dit :

« Que Dieu vous le rende! Si, des fois, vous avez besoin d'un petit chien de race, adressez-vous à moi, monsieur le conseiller; je suis marchand de chiens de mon état. »

Et c'est ainsi que Chvéïk put retrouver sa liberté et reprendre le chemin de son foyer paisible.

Il hésita longtemps s'il s'arrêterait *Au Calice,* et, tout en y réfléchissant, il poussa la porte de la taverne qu'il avait quittée, peu de jours auparavant, en compagnie du détective Bretschneider.

Dans la taverne régnait un silence sépulcral. Il n'y avait que deux ou trois clients, dont le sacristain de Saint-Apollinaire. Mme Palivec se tenait derrière le comptoir, fixant sur le zinc un regard morne.

« Me voilà de retour, dit Chvéïk avec gaieté. Un demi, s'il vous plaît. Et comment va M. Palivec? est-ce qu'il est revenu, lui aussi? »

Pour toute réponse, Mme Palivec éclata en sanglots et, appuyant sur chaque mot comme pour exprimer tout son malheur, elle gémit :

« Ils... lui... ont... donné... dix ans... de prison, articula-t-elle : il y a... une semaine...

— Tiens, dit Chvéïk, il a donc déjà huit jours de faits, autant de pris sur l'ennemi.

— Lui, qui était prudent! sanglota Mme Palivec; au moins, il disait toujours qu'il l'était. »

Les autres clients se taisaient obstinément, comme si le spectre de Palivec eût été présent parmi eux, les invitant à la prudence.

« Prudence est mère de sûreté, dit Chvéïk en

prenant sa place devant une chope de bière dont
la mousse était trouée en plusieurs endroits, trace
des larmes de Mme Palivec. A c'te heure, c'est le
moment d'être prudent ou jamais.

— Hier, il y a eu deux enterrements chez nous,
dit le sacristain de Saint-Apollinaire pour changer
de conversation.

— Probable que quelqu'un sera mort », observa
judicieusement le deuxième buveur; et le troisième
demanda :

« Est-ce que c'étaient des enterrements avec cata-
falque?

— Je suis curieux de savoir, dit Chvéïk, comment
seront maintenant, à la guerre, les enterrements militaires? »

A ces mots, les autres clients se levèrent, payèrent
et partirent. Chvéïk demeura seul avec Mme Palivec.

« C'est la première fois, dit-il, que je vois
condamner un homme innocent à dix ans de prison.
Cinq ans, passe encore, mais dix, c'est un peu fort
de café.

— Mais il a tout avoué, raconta Mme Palivec
toujours en larmes; cette sacrée histoire de mouches
et de portrait, il l'a répétée à la police et au tribunal.
J'ai assisté aux débats comme témoin, mais que
voulez-vous! j'ai pas pu témoigner. Ils m'ont dit que,
vu mes « rapports de parenté » avec mon mari, je
pouvais renoncer à témoigner. Ces « rapports de
parenté » m'ont donné une telle frousse que j'ai
pensé qu'il y avait Dieu sait quoi là-dessous, et
alors, j'ai mieux aimé renoncer. Lui, le pauvre
vieux, m'a regardée avec des yeux que je verrai
encore à ma dernière heure. Et puis, après le verdict, quand on l'a emmené, il a encore crié dans le
corridor, tellement ils l'avaient abruti : « Vive la
« Libre Pensée! »

— Et M. Bretschneider ne vient plus ici? demanda Chvéïk.

— Si, il est déjà venu plusieurs fois depuis. Il m'a
demandé chaque fois si je connaissais bien les gens
qui venaient à la taverne, et il a écouté ce que les
clients disaient. Bien sûr, ils n'ont jamais parlé que
de football. Ils parlent toujours de ça chaque fois

qu'ils le voient arriver. Vous devriez le voir, il ne peut pas tenir en place, il se tortille comme un ver, et on voit bien qu'il voudrait faire du potin, tellement il est en rogne. Depuis le malheur de mon mari, il a pincé en tout et pour tout un ouvrier tapissier de la rue Pricna.

— Question d'entraînement que tout ça, observa Chvéïk; est-ce que ce tapissier était un type à la noix?

— A peu près comme mon mari, répondit Mme Palivec qui n'arrêtait pas de pleurer. Bretschneider lui avait demandé s'il se sentait disposé à tirer sur les Serbes. Le tapissier a répondu qu'il n'était pas un fameux tireur, qu'il n'avait jamais mis les pieds au tir qu'une seule fois et que le coup était cher, qu'une couronne y était vite perdue, il en savait quelque chose. Alors, tout de suite, Bretschneider a pris son carnet et a dit : « Tiens, tiens, « encore une nouvelle forme de haute trahison » et il est parti avec le tapissier qu'on n'a plus jamais revu.

— Il y en aura des tas, qu'on ne reverra plus, dit Chvéïk; donnez-moi un rhum, s'il vous plaît. »

Au moment où Chvéïk finissait son second rhum, le détective Bretschneider entra. Ayant lancé un regard circulaire dans la salle vide, il prit place à côté de Chvéïk et demanda une bière. Et il attendit, croyant que Chvéïk allait parler le premier.

Mais Chvéïk se leva et alla décrocher un journal derrière le comptoir. Il fixa son regard sur la page des « Petites Annonces » et dit à haute voix :

« Tiens, M. Tchimpera à Straskow, nº 5, poste Racineves, vend sa ferme avec treize hectares; école et gare à proximité. »

Bretschneider pianotait nerveusement des doigts sur la table. Puis, s'adressant à Chvéïk, il dit :

« C'est étonnant, ce que vous vous intéressez maintenant à l'agriculture, monsieur Chvéïk.

— Tiens, tiens, c'est vous, répondit Chvéïk en lui serrant la main; je ne vous avais pas reconnu au premier moment, j'ai peu de mémoire, vous savez. La dernière fois qu'on s'est vu, c'est au bureau de la Direction de la Police, si je ne me trompe. Ça fait

du temps. Comment que ça va, depuis? Est-ce que
vous venez souvent ici?

— Je viens aujourd'hui exprès pour vous, dit
Bretschneider, on m'a dit à la Direction que vous
vendiez des chiens. J'aurais besoin d'un ratier ou
d'un griffon, enfin, quelque chose dans ce goût-là.

— Je vous fournirai tout ce que vous voudrez,
promit Chvéïk; est-ce un chien de race que vous
voulez ou un simple cabot de rue?

— Je crois, fit Bretschneider, que je me déciderai
pour une bête de race?

— Et un chien policier, ça ne ferait pas votre
affaire? demanda Chvéïk; je veux dire un chien qui
déniche tout et qui vous trouve votre malfaiteur en
cinq minutes au plus tard? J'en connais un qui est
épatant, il appartient à un boucher de Verchovice.
Voilà encore un chien qui, comme on dit, a manqué
sa vocation.

— Je voudrais plutôt un griffon, répondit Bretschneider avec une calme obstination, un griffon
qui ne morde pas.

— C'est-il un griffon édenté que vous désirez?
demanda Chvéïk, j'en connais un. Il appartient à
un bistrot de Dejvice.

— Dans ce cas, j'aime mieux un ratier, alors »,
riposta Bretschneider dont les connaissances cynologiques étaient plutôt vagues, car il ne s'intéressait
tant aux chiens que par ordre de ses supérieurs.

Mais cet ordre était net, précis et vigoureux :
sous prétexte d'acheter des chiens, on lui avait prescrit de se lier intimement avec Chvéïk pour arriver
à « l'avoir ». Dans ce dessein, il avait le droit de
chercher librement des acolytes, et il pouvait
disposer de certaines sommes pour l'achat de
chiens.

« Il y a de gros ratiers et il y en a de petits,
dit Chvéïk, je sais où en trouver deux petits et trois
gros. Tous les cinq sont bien sages et ils se laissent
tranquillement prendre sur les genoux. Je peux
vous les recommander chaleureusement.

— Ça me conviendrait, déclara Bretschneider; et
combien coûte un ratier comme ça?

— Ça dépend, répondit Chvéïk. En général, les
prix des chiens dépendent de leur taille. Mais, pour

le ratier, comme c'est pas un veau, c'est tout le
contraire, plus il est petit, plus il coûte cher.

— J'en voudrais plutôt un grand comme chien
de garde, répondit Bretschneider craignant de trop
entamer les fonds secrets de la police.

— Je vois ce qu'il vous faut, dit Chvéïk; j'en ai
comme ça dans les cinquante couronnes et, de plus
grands encore, dans les quarante-cinq. Mais nous
oublions une chose : est-ce que ça doit être un
chiot ou un chien âgé, un mâle ou une femelle?

— Ça m'est égal, répondit Bretschneider, face à
face avec des problèmes qu'il ignorait totalement :
trouvez-m'en un qui vous plaira et je viendrai le
chercher chez vous demain soir vers sept heures.
Sans faute, hein?

— Vous pouvez y compter, dit sèchement Chvéïk,
mais dans ce cas, je suis obligé de vous demander
une avance de trente couronnes sur le prix.

— Bien entendu, dit Bretschneider en lui versant
la somme demandée, et maintenant, on va prendre
chacun un demi-setier de vin; c'est moi qui paie. »

A la cinquième tournée Bretschneider déclara
que ce jour-là il n'était pas de service, que par
conséquent Chvéïk n'avait rien à craindre de sa
part et qu'il pouvait parler politique si le cœur lui
en disait.

Chvéïk répliqua qu'il ne faisait jamais de politique à la taverne et que, du reste, la politique,
était bonne pour les enfants.

Bretschneider fit montre d'opinions plus révolutionnaires et dit que les Etats faibles étaient destinés
à disparaître. Il demanda à Chvéïk ce qu'il en pensait.

Chvéïk déclara qu'il n'avait été, jusqu'à présent,
en aucune relation directe avec l'Etat, mais qu'il
avait soigné dans le temps un Saint-Bernard qu'il
avait nourri avec des biscuits de soldats et que le
chiot en avait crevé.

A la sixième tournée Bretschneider se déclara
anarchiste et demanda à Chvéïk s'il pouvait lui
recommander une organisation anarchiste pour s'y
faire inscrire dès le lendemain.

Chvéïk répondit qu'en fait d'anarchistes il en
connaissait un seul qui lui avait acheté une fois un

« léonberg » pour cent couronnes, en oubliant de faire le dernier paiement.

A la septième tournée, Bretschneider prononça tout un discours sur la révolution et contre la mobilisation. Chvéïk se pencha vers lui et dit :

« Voici un client qui entre; faites attention qu'il ne vous entende pas, vous pourriez avoir des embêtements. Vous voyez bien que la patronne pleure. »

En effet, Mme Palivec, assise derrière son comptoir, pleurait sans cesse.

« Pourquoi pleurez-vous, m'ame la patronne? fit Bretschneider; dans trois mois, la guerre sera gagnée, le patron reviendra à la maison et vous pensez quelles tournées on prendra à sa santé. Ou bien croyez-vous, ajouta-t-il en se tournant vers Chvéïk, que nous allons la perdre, cette guerre?

— C'est pas la peine d'en parler tout le temps, répondit Chvéïk; la victoire est à nous, c'est certain, mais maintenant il faut que je rentre. Il est temps. »

Chvéïk paya ses consommations et se dirigea vers le logis que gouvernait Mme Muller. Celle-ci le reconnut avec beaucoup d'étonnement.

« Je croyais que vous ne reviendriez pas avant quelques années, m'sieur le patron, dit-elle avec sa franchise habituelle; et, pour sortir un peu de mes idées noires, j'ai pris comme sous-locataire un portier d'un bar de nuit. On est venu trois fois au nom de la police pour fouiller votre chambre et, comme ces messieurs n'ont rien pu trouver, ils m'ont dit que vous vous étiez mis dedans parce que vous étiez trop malin. »

Chvéïk put constater que l'inconnu était déjà installé tout à fait comme chez lui. Il reposait dans le lit de Chvéïk et devait avoir bon cœur, car il s'était privé d'une moitié du lit au bénéfice d'une personne à longs cheveux, qui, sans doute, par reconnaissance, enlaçait de ses bras nus le cou du portier, tandis que sur le plancher traînaient pêle-mêle, divers vêtements et sous-vêtements masculins et féminins. Ce désordre disait assez clairement que le couple était rentré de bonne humeur.

« Hé! monsieur, s'écria Chvéïk en secouant le portier endormi, levez-vous; vous allez être en retard pour votre déjeuner. Je ne voudrais pas que vous alliez dire partout que je vous ai foutu à la porte à l'heure où vous ne trouviez plus rien à manger. »

L'homme ouvrit les yeux et mit du temps à comprendre qu'il avait affaire au propriétaire du lit, qui réclamait son bien.

Tout d'abord, se conformant aux usages de tous les portiers d'établissements de nuit, il menaça de casser la gueule à tout le monde et, ensuite, il essaya de se rendormir.

Chvéïk ramassa les effets du portier, le réveilla de nouveau en le secouant avec énergie, et le pria de s'habiller.

« Tâchez de vous dépêcher, dit-il, ou vous allez me forcer à vous jeter dehors tout nu comme vous êtes. Tout de même, je crois qu'il vaudrait beaucoup mieux pour vous de déguerpir tout habillé.

— Je voulais dormir jusqu'à huit heures du soir, dit le portier ahuri, enfilant son pantalon; j'ai payé mes deux couronnes pour le lit et j'ai le droit d'emmener coucher qui je veux. Eh! la Marie, lève-toi! »

En mettant son col et sa cravate le portier était déjà résigné à son sort, et il expliquait à Chvéïk que le café *Mimosa* était tout ce qu'il y avait de plus chic comme établissement de nuit à Prague, que les dames qui y venaient étaient toutes dûment inscrites au registre de la police et qu'il serait très heureux d'y recevoir Chvéïk le plus tôt possible.

Seule, la compagne du portier n'était pas contente. Elle crut de son devoir de proférer à l'adresse de Chvéïk plusieurs expressions choisies, dont la moins pittoresque était celle-ci :

« Espèce de pontife de curé, va! »

Après le départ des intrus, Chvéïk voulait remettre tout en ordre avec l'aide de Mme Muller, et il alla à la cuisine pour l'appeler. Mais il n'y trouva qu'un bout de papier où la main tremblante de Mme Muller avait tracé :

Mille pardons, m'sieur le patron, vous ne me verrez plus, je vais me jeter par la fenêtre.

C'est ainsi qu'elle essaya de traduire son humiliation de logeuse repentante, après la regrettable histoire du lit loué au portier.

« Quelle blague! » dit simplement Chvéïk, et il attendit.

Une demi-heure après, Mme Muller entra à pas de loup dans la cuisine, et, à son visage désolé, Chvéïk put bien voir qu'elle attendait ses consolations.

« Si vous voulez vous jeter par la fenêtre, dit Chvéïk, allez plutôt dans ma chambre, j'ai ouvert la mienne. Vous jeter par la fenêtre de la cuisine, ça n'a aucun sens et je ne vous le conseille pas. Dans le jardin où vous tomberiez, il y a des roses, vous pourriez les abîmer et il faudrait les payer. A quoi bon, alors, n'est-ce pas? Au contraire, de la fenêtre de ma chambre, vous serez tout à fait à votre aise : vous tomberez sans faute sur le trottoir, et, si vous avez de la chance, vous vous casserez le cou. Si vous n'avez pas de veine, vous risquez seulement de vous casser les côtes, les bras et les jambes, et vous aurez des frais d'hôpital. »

Mme Muller fondit en larmes, alla fermer, sans un mot, la fenêtre de la chambre, et revenue à la cuisine, elle dit :

« Cette fenêtre-là faisait un courant d'air, et ça ne vaut rien pour les rhumatismes de m'sieur le patron. »

Puis, elle retourna dans la chambre pour faire le lit et pour remettre tout en ordre. Quand elle eut fini, elle alla retrouver Chvéïk à la cuisine et dit les larmes aux yeux :

« Faut que j'vous dise, m'sieur le patron, que les deux chiots que vous aviez dans la cour y ont crevé. Et le Saint-Bernard s'est sauvé quand la perquisition a eu lieu ici.

— Jésus-Marie, s'écria Chvéïk, ça va mal finir avec c'te pauvre bête-là! La police va le chercher partout!

— Il a mordu m'sieur le commissaire qui, pendant la perquisition, l'a tiré de dessous le lit, reprit Mme Muller. D'abord, un de ces messieurs avait dit qu'il y avait quelqu'un sous le lit et avait crié : « Au nom de la loi, sortez! » Comme personne ne répondait et que rien ne bougeait, le commissaire s'est penché et a sorti le pauvre chien. Vous ne pouvez pas vous figurer quelle vie il a faite alors. J'ai cru qu'il allait avaler tout le monde! Puis, il s'est sauvé et n'est plus revenu à la maison. Vous savez que, moi, ils m'ont fait passer aussi à une « interrogation ». Ils m'ont demandé qui venait chez nous, si nous recevions souvent de l'argent de l'étranger; puis ils ont eu l'air de dire que j'étais bête parce que j'avais dit que vous ne receviez pas souvent de l'argent de l'étranger, que vous aviez seulement reçu de Brno, il y a quelques jours, une avance de soixante couronnes de la part de cet instituteur, vous savez bien, qui avait demandé un chat angora et que vous lui avez envoyé un chiot de fox-terrier aveugle, dans une boîte à dattes. Après, ils ont été gentils avec moi, et ils m'ont conseillé de prendre comme sous-locataire, histoire de ne pas être seule dans la maison, l'individu que vous venez de mettre à la porte...

— J'ai toujours eu la guigne avec tous ces bureaux, m'ame Muller; vous verrez combien ils vont encore m'envoyer de types pour acheter des chiens », soupira Chvéïk.

Je ne sais pas si les messieurs qui, au nouveau régime, sont venus vérifier les archives de la police, ont pu déchiffrer les postes des fonds secrets de la police d'Etat, où il y avait : B... 40 couronnes, F... 50 couronnes, L... 80 couronnes, etc., mais, dans tous les cas, ils se sont trompés en pensant que B..., F... et L... étaient les initiales de quelques personnages qui, pour 40, 50 et 80 couronnes avaient vendu la nation tchèque à l'Aigle bicéphale. « B » signifie simplement : chien du Saint-Bernard, « F » : Fox-terrier et « L... ». Loulou de Poméranie. Tous ces chiens furent amenés par Bretschneider à la police; il les avait achetés à Chvéïk. C'étaient de monstrueux bâtards en qui ne brillait aucune trace de la noble origine que Chvéïk avait affirmée à Bretschneider.

Son Saint-Bernard était un mélange de tout ce qu'il y avait de mieux comme chien mouton avec le premier cabot des rues venu; son fox-terrier avait les oreilles d'un basset qui aurait eu la taille d'un chien de trait et des pattes torses en manche de veste, comme s'il avait eu la danse de Saint-

Guy. Le loulou de Poméranie rappelait, avec sa tête hirsute, un griffon d'écurie écourté, de la hauteur d'un basset et l'arrière-train nu, comme les fameux chiens glabres d'Amérique.

Après, ce fut le tour du détective Kalous qui acheta une bestiole rappelant l'hyène mouchetée, mais avec une crinière de berger d'Écosse, et, sous la rubrique du Fonds secret on inscrivit de nouveau la lettre « D... » 90 couronnes.

Ce monstre était présenté comme un dogue.

Kalous ne put rien tirer non plus de Chvéïk. Il réussit aussi brillamment que Bretschneider. Les conversations politiques les plus subtiles ne pouvaient détourner Chvéïk de la maladie des jeunes chiens, et les ruses les plus diaboliques aboutissaient à l'achat par le détective d'un nouveau phénomène de croisement canin.

Ce fut la fin de la gloire de Bretschneider. Quand il eut chez lui sept de ces animaux, il s'enferma avec eux dans la chambre du fond et les tint là si longtemps sans nourriture qu'ils finirent par le dévorer.

Cet honnête serviteur de l'État lui épargna les frais d'un enterrement.

Sa fiche, à la Direction de la Police, se terminait par ces mots tragiques : « Dévoré par ses chiens. »

Plus tard, quand Chvéïk apprit ce drame, il ne put s'empêcher de dire :

« Il n'y a qu'une chose qui me tracasse la cercelle, c'est de savoir comment ils feront pour le recoller au moment du Jugement dernier. »

VII

CHVÉÏK S'EN VA-T-EN GUERRE

A L'ÉPOQUE où les forêts qui bordent la rivière de Rab en Galicie voyaient les armées autrichiennes en fuite la traverser précipitamment; à l'époque où,

en Serbie, les divisions autrichiennes recevaient la
fessée qu'elles méritaient depuis longtemps, le ministère impérial et royal de la Guerre se souvint,
dans sa détresse, de l'existence de M. Chvéïk. Le
ministère comptait sur le brave soldat pour se
tirer d'affaire.

L'invitation à se présenter, dans l'île des Tireurs,
devant la commission médicale qui l'incorporerait
éventuellement dans la réserve, trouva Chvéïk au
lit, car il souffrait de nouveau de ses rhumatismes.

Mme Muller était à la cuisine, à faire du café.

« M'ame Muller, appela Chvéïk d'une voix as-
sourdie, m'ame Muller, venez ici pour un instant,
s'il vous plaît! »

Et quand la logeuse, accourue à son appel,
s'arrêta devant le lit, Chvéïk reprit de la même
voix :

« Asseyez-vous, m'ame Muller, s'il vous plaît. »

La voix de Chvéïk prit quelque chose de mystérieux et de solennel.

Il déclara en se dressant sur son lit :

« Je pars au régiment!

— Vierge Marie! s'écria Mme Muller; et qu'est-ce
que vous y ferez, à ce régiment, m'sieur le patron?

— Je m'en vais faire la guerre, répondit Chvéïk
d'une voix sépulcrale. L'Autriche est dans un pétrin
abominable. À l'est, les Russes sont à deux doigts
de Cracovie et foulent le sol hongrois. Mais nous
sommes battus comme du linge, ma pauvre
m'ame Muller, et voilà pourquoi l'empereur m'appelle sous le drapeau. J'ai lu hier dans les journaux
que de sombres nuées s'amassaient à l'horizon de
notre chère Autriche-Hongrie.

— Mais puisque vous ne pouvez pas bouger,
m'sieur le patron?

— C'est pas un prétexte pour manquer à son devoir, m'ame Muller. Je me ferai pousser en petite
voiture. Vous connaissez le confiseur du coin de
notre rue? Eh bien, il en a, un petit truc comme
ça. Il y a quelques années, il s'en servait pour faire
prendre le frais à son grand-père. Vous irez le voir
de ma part, et vous lui demanderez de me prêter sa
voiture, et vous me roulerez devant ces messieurs. »

Mme Muller éclata en sanglots :

« Si j'allais trouver un médecin, m'sieur le patron?

— Ne bougez pas, m'ame Muller. Sauf mes jambes, je représente un morceau de *Kanonenfutr* assez potable et, du reste, à une époque où l'Autriche dégringole, tous les manchots, les jambes de bois, les paralytiques, les culs-de-jatte, et tous les infirmes doivent être à leur place. Continuez tranquillement à faire votre café. »

Et tandis que Mme Muller, toute tremblante, versait le café dans sa tasse, en y mêlant ses larmes amères, le brave soldat Chvéïk se mit à chanter dans son lit :

Le général Windischgraetz et les autres commandants
Ont commencé la bataille au soleil levant.
Hop, hop, hop!
Ont commencé à se battre et ont poussé des cris :
Jésus-Christ, aidez-nous avec la Vierge Marie,
Hop, hop, hop!

La logeuse, épouvantée par ce chant de guerre, oublia tout à fait son café et, faisant effort pour se tenir sur ses jambes qui lui rentraient dans le corps, écoutait bouche bée le « chant » que Chvéïk continuait à hurler :

Avec la Vierge Marie et avec nos quatre ponts!
Où sont tes avant-postes, ô Piémont?
Hop, hop, hop!
La bataille a eu lieu là-bas à Solférino,
Il y coulait du sang comme s'il tombait de l'eau,
Hop, hop, hop!
Comme s'il pleuvait du sang et de la chair en tas,
Car c'est le dix-huitième qui se battait là-bas,
Hop, hop, hop!
O les gars du dix-huitième, y a du bon pour vous!
Les voitures pleines de pèze vous suivent partout.
Hop, hop, hop!

« M'sieur le patron, je vous en supplie au nom de tout ce que vous avez de plus cher au monde, finissez! » sanglotait la logeuse dans la cuisine. Mais déjà M. Chvéïk achevait son chant guerrier :

Les voitures pleines de pèze et les filles qui vous
Aucun régiment ne vaut le dix-huitième,   [aiment!*
Hop, hop, hop!

D'un geste égaré Mme Muller poussa la porte et
courut à la recherche d'un médecin. Elle revint
une heure après. Pendant son absence Chvéïk s'était
endormi.

Un monsieur corpulent le réveilla. Il tint un instant la main de Chvéïk dans la sienne et dit :

« Ne vous inquiétez pas, je suis le docteur Pavek
de Vinohrady... faites voir votre main, là..., mettez-
vous ce thermomètre sous le bras... Bien, tirez la
langue... encore... ne la rentrez pas... M. votre père
et Mme votre mère sont-ils morts et de quoi? »

Et c'est ainsi qu'à une époque où Vienne désirait
voir toutes les nations d'Autriche-Hongrie donner
les exemples les plus brillants de dévouement et de
loyalisme, le docteur Pavek prescrivait à Chvéïk
du bromure pour modérer son enthousiasme patriotique et recommandait à ce vaillant soldat de ne
pas penser au service militaire :

« Restez couché et ne vous agitez pas, je repas-
serai demain. »

Le lendemain, le docteur s'arrêta dans la cuisine
et demanda à Mme Muller comment se portait
M. Chvéïk.

« C'est de pire en pire, m'sieur le docteur, répondit la logeuse avec une franche tristesse; la
nuit, lorsque les douleurs l'ont pris, il a chanté,
sauf votre respect, l'hymne autrichien. »

Le docteur Pavek se vit dans la nécessité d'aug-
menter la dose de bromure.

Le troisième jour, Mme Muller déclara que l'état
de santé de M. Chvéïk allait toujours empirant.

« Figurez-vous, m'sieur le docteur, que l'après-
midi il m'a envoyé chercher la carte du champ de bataille et, toute la nuit, il a déliré et a dit des choses
fantastiques, comme, par exemple, que c'te guerre,
l'Autriche allait la gagner.

— Et est-ce qu'il prend les potions que je lui ai
ordonnées?

— Il n'a même pas pensé à les acheter, m'sieur le
docteur! »

Le docteur Pavek partit après avoir accablé Chvéïk de tout un orage de reproches et en assurant qu'il ne viendrait plus soigner un homme qui refusait avec un tel entêtement les cachets de bromure.

Il ne restait que deux jours avant celui où Chvéïk devait paraître devant la commission de recrutement.

Chvéïk en profita pour prendre ses dernières dispositions. Tout d'abord il pria Mme Muller d'aller lui acheter une casquette militaire et de voir le confiseur pour s'entendre avec lui au sujet du véhicule. Ensuite, il jugea nécessaire de se procurer aussi une paire de béquilles. Par bonheur, le confiseur en avait justement une paire, relique de son aïeul.

Il ne manquait plus que le bouquet dont se parent les recrues. Mais Mme Muller pensait à tout. Pendant les deux derniers jours, la pauvre femme avait maigri à vue d'œil et ne cessait de pleurer.

Et c'est ainsi qu'arriva le jour historique où les rues de Prague virent un émouvant spectacle.

Une vieille femme poussait devant elle un ancien triporteur occupé par un homme qui, coiffé d'une casquette militaire qu'ornait « le petit François », brillant de mille feux, agitait frénétiquement une paire de béquilles.

Ses béquilles toujours en bataille, l'homme criait à tue-tête par les rues de Prague :

« A Belgrade! A Belgrade! »

Sa voiturette était suivie par une foule de badauds dont le nombre augmentait sans cesse.

En route, Chvéïk constata que les agents postés à divers carrefours lui faisaient le salut militaire.

Sur la place Saint-Venceslas son cortège comptait déjà plusieurs centaines de têtes et au coin de la rue Krakovska, un *bourchak* fut fortement malmené parce qu'il avait crié :

« *Heil! Nieder mit den Serben* [1]*!* »

Au coin de la rue Vodickova un détachement de policiers à cheval chargea contre la foule qui accompagnait Chvéïk.

1. « A bas les Serbes! »

L'inspecteur de district, à qui Chvéïk présenta
ses documents où on pouvait lire, « noir sur
blanc », qu'il était appelé, pour le jour même, à
comparaître devant la commission, fut un peu déçu
et, pour empêcher le « rassemblement sur la voie
publique », ordonna à deux agents d'escorter Chvéïk
jusqu'à l'île des Tireurs.

L'incident fut relaté et commenté le lendemain
par la presse. C'est ainsi que *La Gazette officielle de
Prague* publia l'entrefilet suivant :

L'ENTHOUSIASME PATRIOTIQUE D'UN INFIRME

*Hier, dans la matinée, les passants qui se pro-
menaient sur les boulevards ont été témoins d'une
scène touchante et qui manifeste éloquemment que,
dans les temps graves et solennels que nous tra-
versons, il se trouve aussi des fils de notre nation
tchèque pour faire preuve d'un loyalisme et d'un
attachement exemplaires envers le trône du vieux
monarque. On croirait revenue l'antique époque des
Grecs et des Romains, l'époque héroïque qui eut des
hommes comme Mucius Scævola qui, on le sait,
n'hésita pas à prendre part à une bataille sanglante
au mépris de son bras qui venait de brûler. Cette
manifestation d'un infirme béquillard que sa vieille
maman voiturait dans un pousse-pousse, fut une
belle exaltation publique du culte dévoué et de la
ferveur profonde que les sujets autrichiens pro-
fessent envers l'Empire. Ce fils de la nation tchèque
s'est fait inscrire comme volontaire, pour être sûr
de pouvoir sacrifier sa vie et ses biens à S. M. l'empereur. Et si son appel chaleureux « A Belgrade! »
a eu un écho si retentissant dans les rues de Prague,
c'est qu'une fois de plus les Praguois ont montré,
devançant par là les autres nations habitant l'Autriche, un amour éclatant pour notre Patrie et pour
la Maison impériale et royale.*

L'article du *Prager Tagblatt* était conçu à peu
près dans les mêmes termes, mais disait que le mar-
tial infirme avait passé accompagné d'une foule
d'Allemands qui lui faisaient un rempart de leurs
corps contre le lynchage que lui réservaient certai-

nement les agents tchèques de l'Entente cordiale.

Le second journal allemand, la *Bohemia,* avait relaté le fait dans un article priant les citoyens allemands de récompenser l'ardeur du patriotique infirme et d'envoyer à l'administration du journal les cadeaux qu'ils lui destinaient.

En somme, à en croire ces trois journaux, le pays tchèque n'avait jamais produit un plus noble citoyen que M. Chvéïk. Malheureusement, ces messieurs de la commission de recrutement professaient à son égard une tout autre opinion.

Particulièrement le médecin-inspecteur Bautze. C'était un homme sans pitié qui voyait partout des tentatives de fraude pour échapper au service militaire, au front, aux balles, aux shrapnells.

On connaît sa phrase célèbre : *Das ganze tchechische Volk ist eine Simulantenbande* [1].

Depuis les dix semaines de son activité, il avait repéré, sur un chiffre de onze mille soldats, dix mille neuf cent quatre-vingt-dix-neuf simulateurs, et le dernier soldat n'y aurait pas coupé non plus si, au moment où Bautze lui criait : « *Kehrt auch* [2]*!* » il n'avait pas succombé à un coup de sang.

« Enlevez-moi ce simulateur », dit Bautze, après avoir constaté que le pauvre bougre était mort.

C'est donc devant lui que se présenta Chvéïk en ce jour mémorable, et, nu qu'il était, il couvrait chastement sa nudité en croisant les béquilles qui le soutenaient.

« *Das ist wirklich ein besonders Feigenblatt* [3], dit Bautze; je crois qu'au Paradis il n'y en avait pas comme ça.

— Réformé pour idiotie, lut le sergent dans le dossier.

— Et qu'est-ce que vous avez encore? questionna Bautze.

— Je vous déclare avec obéissance que je suis rhumatisant, mais que je veux tout faire pour notre empereur, quand je devrais y laisser ma peau, répondit Chvéïk avec modestie; j'ai aussi les genoux enflés. »

1. « Les Tchèques ne sont qu'une bande de simulateurs. »
2. « Demi-tour! »
3. « Ça fait une drôle de feuille de vigne. »

Bautze jette un regard terrible sur le brave soldat Chvéïk et hurla : « *Sie sind ein Simulant* [1] ! » Puis, s'adressant au sergent, il ajouta d'un ton glacial : « *Den Kerl sogleich einsperren* [2] ! »

Baïonnnette au canon, deux soldats s'emparèrent de Chvéïk pour le conduire à la prison centrale de la place de Prague.

Chvéïk, s'appuyant sur ses béquilles, s'aperçut avec horreur que son rhumatisme disparaissait à vue d'œil.

Voyant Chvéïk escorté par des soldats avec baïonnette, la bonne Mme Muller qui l'attendait avec sa voiture au haut de l'escalier qui descendait dans l'île des Tireurs, éclata en sanglots et lâcha le véhicule pour ne jamais plus s'en occuper.

Pendant ce temps-là, Chvéïk avançait d'un pas modeste, encadré par deux défenseurs de l'État, en armes.

Les baïonnettes reflétaient les rayons du soleil. Passant par Mala Strana, Chvéïk, arrivé devant le monument du maréchal Radetzky, se tourna vers la foule qui marchait toujours derrière lui et cria : « A Belgrade! A Belgrade! »

Du haut de son monument, le maréchal Radetzky suivait, d'un regard rêveur, le brave soldat Chvéïk s'éloignant, son bouquet de recrue piqué sur sa veste, en boitant un peu, tandis qu'un monsieur à l'air sérieux expliquait aux badauds d'alentour qu'on emmenait un déserteur...

VIII

COMMENT CHVÉÏK FUT RÉDUIT AU TRISTE ÉTAT DE SIMULATEUR

En cette grande époque, les médecins militaires de l'Autriche tenaient beaucoup à chasser, du corps

1. « Vous n'êtes qu'un simulateur. »
2. « Qu'on mette ce gaillard-là en taule, et tout de suite. »

des simulateurs, le diable saboteur des devoirs les plus sacrés et à leur faire réintégrer le giron de l'armée.

Dans ce dessein fut institué tout un système de tortures graduelles qu'on appliquait aux simulateurs et aux gens suspects de l'être, tels que : phtisiques, rhumatisants, hernieux, néphrétiques, diabétiques, pneumoniques, malades atteints de fièvre typhoïde, etc.

La gradation avait été combinée d'une manière savante et comportait :

1° La diète très sévère : une tasse de thé le matin et le soir et, sans tenir compte de la nature de la maladie, de l'aspirine à tous les repas, pour provoquer une transpiration intense;

2° La cure de quinine en cachets, surnommée aussi « léchage de la quinine ». On en distribuait de fortes doses pour « rappeler aux lascars que le service militaire n'était pas de la rigolade »;

3° Le lavage de l'estomac avec un litre d'eau chaude, deux fois par jour;

4° L'emploi de clystères à l'eau savonnée et à la glycérine;

5° Enveloppements humides avec des draps trempés dans de l'eau glacée.

Il y eut des gens d'une endurance et d'une vaillance extraordinaires, qui, ayant passé par les cinq traitements successifs, se firent ensuite porter dans un cercueil très simple, au cimetière militaire. Il y eut aussi, par contre, des gens prompts à se décourager, qui déclaraient, avant même d'avoir passé par le clystère, qu'ils étaient guéris et qu'ils ne demandaient pas mieux de partir pour les tranchées avec le premier bataillon en partance.

A la prison de la place de Prague, on mit Chvéïk dans un pavillon où étaient rassemblés de ces simulateurs fatigués dont nous venons de donner le signalement.

« Je n'en peux plus », déclara le voisin de lit de Chvéïk, à sa gauche; il revenait justement de subir, pour la deuxième fois déjà, le lavage de l'estomac.

Cet homme simulait la myopie.

« Demain, je pars pour le régiment », décida

l'autre voisin de lit, à droite, qui venait du clystère. Le malheureux prétendait être sourd comme une souche.

Sur le lit près de la porte se mourait un phtisique, enveloppé dans un drap imbibé d'eau glaciale.

« C'est le troisième cette semaine, observa le voisin de droite; et toi, qu'est-ce que tu as?

— J'ai des rhumatismes », répondit Chvéïk suscitant une hilarité générale. Le moribond tuberculeux en riait lui-même aux éclats.

« Tu tombes bien avec tes rhumatismes, prononça à l'adresse de Chvéïk un homme gros et gras : c'est comme si tu disais que tu as des cors aux pieds. Je suis anémique, j'ai la moitié de l'estomac foutu, cinq côtes en moins, et pourtant on ne veut pas me croire. Par exemple, nous avons eu ici un sourd-muet. Pendant quinze jours, on l'a enveloppé toutes les demi-heures dans des draps trempés dans l'eau froide; chaque jour on lui passait un clystère et on lui nettoyait l'estomac. Tout le monde croyait qu'il avait gagné la partie et qu'on allait le lâcher, mais un beau jour le docteur lui a prescrit quelque chose pour vomir. Et ça lui a été fatal. Il a perdu courage et, à la fin des fins, il a déclaré qu'il n'avait plus de force de faire le sourd-muet et qu'il avait retrouvé l'ouïe et la parole. Nous autres, on disait tout pour l'encourager et pour l'empêcher de faire une bêtise. Mais il n'a rien voulu entendre et le matin, à la visite, il a déclaré qu'il entendait maintenant très bien et parlait mieux encore. Il a été fait, bien sûr.

— Celui-là, au moins, a tenu bon pendant assez longtemps, dit un autre simulateur qui prétendait avoir une jambe plus courte que l'autre d'un décimètre; c'est pas comme cet imbécile qui faisait semblant d'avoir eu une attaque d'apoplexie. Trois quinines, un lavement et une journée sans rien manger ont suffi. Il avouait avant de passer au lavage de l'estomac et il ne se rappelait plus son apoplexie. Son copain, un type qui racontait avoir été mordu par un chien enragé, a résisté un peu plus longtemps. Il mordait et hurlait que c'était plaisir de l'entendre. Mais il n'arrivait pas à avoir de l'écume à la gueule. On l'aidait de notre mieux.

Quelquefois, nous l'avons chatouillé pendant une heure avant la visite jusqu'à lui donner des convulsions et à le faire devenir tout bleu. Peine perdue, pas d'écume à la gueule. C'était épouvantable. Le jour où il s'est rendu, à la visite du matin, il nous a fait pitié à nous tous. Il était raidi au pied de son lit, droit comme un cierge, et quand il a salué le médecin, il a dit : « Monsieur l'*oberarzt*, je vous « déclare avec obéissance que le chien qui m'a « mordu n'était probablement pas enragé du tout. » L'*oberarzt* l'a regardé avec de si drôles d'yeux que le mordu a commencé à trembler et a dit : « Je « vous déclare avec obéissance, monsieur l'*oberarzt*, « que ce n'est pas un chien qui m'a mordu. Je me « suis mordu tout seul la main. » Le paquet lâché, il est passé au conseil de guerre pour « automutilation », c'est-à-dire qu'il voulait se couper la main à force d'y mordre, pour ne pas aller au front.

« Toute ces maladies, où il faut de l'écume à la gueule, déclara le simulateur gras, sont difficiles à imiter. Prenez l'épilepsie. Il y avait un type ici qui faisait l'épileptique. Il nous affirmait toujours que simuler une crise était pour lui un jeu d'enfant et qu'il pouvait en avoir une dizaine par jour. Il se tordait en convulsions, serrait les poings, faisait des yeux de crapaud, frappait autour de lui comme un fou, tirait la langue, bref, c'était une petite épilepsie soignée, du travail propre et bien fait. Mais voilà que tout d'un coup il attrape des furoncles, deux sur le cou, deux sur le dos, et la comédie a pris fin. Il ne pouvait plus remuer la tête, ni s'asseoir, ni se coucher. La fièvre l'a pris et, dans son délire, à la visite, il a raconté tout ce qu'il savait. Et qu'est-ce qu'il nous a passé, avec ses sacrés furoncles! On l'a laissé encore trois jours, et on lui faisait le régime de première classe, du café avec un petit pain le matin, une soupe ou une purée le soir. Quelle chierie, mes enfants! Nous autres, avec notre estomac bien nettoyé et affamés comme des loups qu'on était, on se plantait là à le regarder bouffer, faire claquer la langue, se gonfler, roter. Et il a fait encore trois victimes par-dessus le marché. Trois types qui simulaient une maladie de cœur, quand ils l'ont vu avouer, se sont fait balancer avec lui.

— Ce qu'il y a encore de mieux, dit un autre, c'est de simuler la folie. Dans la salle d'à côté, il y a deux instituteurs, mes collègues, qui prétendent être fous. L'un des deux gueule jour et nuit : « Le « bûcher de Giordano Bruno est encore tout fu- « mant : nous voulons la revision du procès de « Galilée. » L'autre ne fait qu'aboyer, il commence toujours par répéter trois fois de suite : « Oua- « oua-oua », il fait ensuite cinq fois : « Oua-oua- « oua-oua-oua », et puis il recommence le premier couplet. Ils font ce truc-là depuis trois semaines. Moi aussi, je voulais faire le fou, le fou religieux, et prêcher l'infaillibilité du pape, mais j'ai réussi à me procurer un cancer à l'estomac. C'est un coif- feur de Mala Strana qui me l'a refilé pour quinze couronnes.

— Je connais un ramoneur aux environs de Brev- nov, dit un autre malade, et celui-là pour dix cou- ronnes, vous fiche une fièvre à vous jeter par la fenêtre.

— Ce n'est rien, déclara quelqu'un; il y a, à Vrsovice, une sage-femme qui, pour vingt couronnes seulement, vous démet la patte que vous en avez pour toute votre vie.

— A moi, on me l'a démise pour cinq couronnes, dit une voix venant d'un lit dans le fond de la salle, pour cinq couronnes et trois chopes de bière.

— Et moi, ma maladie me coûte déjà plus de deux cents, déclara son voisin, mince comme un jonc; citez-moi n'importe quel poison et vous verrez si je n'en ai pas pris. Les poisons, ça me connaît. J'ai bu du sublimé, j'ai respiré des vapeurs de mer- cure, j'ai croqué de l'arsenic, j'ai bu du laudanum, j'ai mangé des tartines de morphine, j'ai avalé de la strychnine, j'ai gobé du vitriol et toutes sortes d'acides. Je me suis abîmé le foie, les poumons, les reins, la poche à fiel, le cerveau, le cœur et les boyaux.

— Pour ma part, ce qu'il y a de mieux, soupira un malheureux qui avait son lit près de la porte, c'est une injection au pétrole que vous vous piquez sous la peau de la main. Mon cousin a eu la chance. Il s'est fait couper ainsi le bras jusqu'au coude et personne ne l'embête plus aujourd'hui avec le service militaire.

— Vous voyez bien vous-mêmes, dit Chvéïk, qu'il faut supporter beaucoup pour S. M. l'empereur. Le lavage de l'estomac aussi bien que le clystère. Quand je faisais mon service militaire, les conditions étaient pires. Un malade? Pour le guérir on le ficelait et on le foutait au trou. Et là-dedans il n'y avait pas de lits et pas de crachoir comme ici. Une planche nue comme le mur, voilà ce qu'on nous offrait pour reposer nos maux. Une fois, un copain avait pour de bon la fièvre typhoïde, et son voisin, la petite vérole. On les a garrottés tous les deux et le *Regimentsartzt* leur a flanqué des coups de pied à l'estomac en les traitant de simulateurs. Une fois qu'ils ont été morts, l'affaire est venue devant le Parlement et les journaux en ont parlé. Bien entendu, on nous a défendu de lire des journaux où il y avait des articles là-dessus, et on a fouillé nos cambuses sens dessus dessous pour voir si nous ne les cachions pas. Moi, je ne suis pas veinard, et c'est moi qui ai trinqué, c'était couru. Le seul type qui avait un de ces journaux-là, fallait que ce soit moi. On m'a conduit au *Regimentsrapport,* et notre colonel, un veau, Dieu l'accueille dans son ciel, m'a demandé de lui dire qui était le chameau qui avait mis les journaux au courant. Il a dit qu'il allait me casser la gueule et qu'il me foutrait à la boîte. Ensuite, ç'a été le tour du *Regimentsartzt* qui brandissait tout le temps son poing devant mon nez et gueulait : « *Sie verfluchter Hund, sie schaebiges* « *Wesen, sie unglückliches Mistvieh* [1], fripouille so-« cialiste! » Moi, je le regarde dans les yeux sans broncher, la main droite à la casquette, la main gauche à la couture du pantalon. Ils tournaient tous les deux autour de moi comme des chiens, ils aboyaient après moi comme deux enragés, et moi je n'ouvrais pas la bouche. Je restais là, la main droite à la casquette et la main gauche à la couture du pantalon. Après avoir fait les fous pendant une demi-heure, voilà que le colonel saute sur moi et hurle : « Est-ce que tu es idiot ou est-ce que tu ne

---

1. « Salaud, minable, fumier... »

« l'es pas? — Je vous déclare avec obéissance, mon
« colonel, que j'suis un idiot. — Vingt et un jours
« de cachot pour idiotie, qu'il dit, sans bouffer
« deux fois par semaine; un mois de consigne; qua-
« rante-huit heures à être pendu ficelé; qu'on le
« foute dedans tout de suite, sans rien à boulotter;
« garrottez-le pour lui mettre dans la tête que
« l'armée n'a pas besoin de crétins pareils. On
« t'apprendra à lire les journaux, attends voir! » On
Et, pendant que j'étais à la boîte, il se passait des
choses extraordinaires à la caserne. Le colonel avait
expressément défendu aux soldats de lire n'importe
quoi, même la *Gazette officielle de Prague*, et à la
cantine ils avaient l'ordre de ne plus emballer le
fromage et les saucisses dans du papier de journal.
Mais c'est justement ça qui a eu un effet épatant :
figurez-vous que tous les soldats se sont mis à lire
tout le temps, et notre régiment est devenu le plus
instruit et le plus intelligent. On lisait tous les journaux possibles et, dans chaque compagnie, il y avait
des types qui faisaient des vers et des chansons pour
se payer la tête du colonel. Et, chaque fois qu'il
arrivait une affaire au régiment, il se trouvait un
bon copain qui s'arrangeait pour la passer aux journaux sous le titre *Les Martyrs de la Caserne*. Mais
ce n'est pas tout. On s'est mis aussi à écrire aux
députés tchèques à Vienne, pour leur demander de
nous protéger et ils ont fait à la Chambre des députés interpellation sur interpellation. On y disait
toujours que notre colonel était pire qu'une bête
féroce. Une fois, un ministre a envoyé chez nous
une commission d'enquête, et un certain François
Hentschel de Hluboka, qui avait écrit à un député
que le colonel l'avait giflé à l'exercice, s'en est tiré
avec deux ans de prison. La commission partie, le
colonel a fait aligner le régiment entier et a dit que
le soldat était le soldat, qu'il fallait faire son devoir
sans rouspéter et que celui qui n'était pas content,
commettait par cela même un « attentat contre la
discipline ». — « Vous vous étiez imaginé, tas de
« canailles que vous êtes, qu'avec la commission il
« y aurait du bon, qu'il a dit, mais voilà, vous avez
« la peau! Et maintenant, défilez, et chaque com-
« pagnie va répéter ce que j'ai dit. » Alors, les

compagnies défilèrent devant le colonel et, arrivée à l'endroit où il se tenait sur son cheval, chacune d'elles criait à vous casser les oreilles : « Nous « nous sommes imaginé, tas de canailles que nous « sommes, qu'avec la commission, il y aurait du « bon, mais voilà, nous avons la peau! » Le colonel n'a fait que se tordre jusqu'au passage de la 11e compagnie. Elle avance en bon ordre, frappe du pied, mais arrivée devant le colonel, rien, silence, pas un mot. Le colonel est devenu rouge comme une écrevisse et la fait tout recommencer. La même histoire, personne ne souffle mot et tous les gars de la 11e, qui n'avaient pas froid aux yeux, reluquent effrontément le colonel. « Repos! » qu'il dit alors, et il fait les cent pas à travers la cour, se tape avec sa cravache sur les jambières, crache dans tous les sens, et tout d'un coup il s'arrête et crie : « *Abtre-* « *ten* [1]! » Après, il est remonté sur son cheval, et le voilà parti au galop par la grande porte. On attendait avec impatience ce qui allait se passer. On a attendu un jour, deux jours, une semaine, et toujours pas de nouvelles. On n'a plus jamais revu le colonel à la caserne. Tout le monde en était content, même les sous-off's et les officiers. Puis il a été remplacé par un autre colonel et on racontait qu'on l'avait mis dans une maison de santé, parce qu'il avait écrit à Sa Majesté que la 11e compagnie s'était révoltée. »

L'heure de la visite de l'après-midi approchait. Le médecin militaire Grunstein, suivi d'un sous-officier du service sanitaire qui prenait des notes, allait d'un lit à l'autre.

« Macuna?
— Présent!
— Clystère et aspirine! Pokorny?
— Présent!
— Lavage de l'estomac et quinine! Kovari?
— Présent!
— Clystère et aspirine! Kotatko?
— Présent!
— Lavage de l'estomac et quinine! »

Machinalement, impitoyable et expéditive, la visite continuait.

---

1. « Rompez! »

« Chvéïk?

— Présent! »

Le docteur Grunstein regarda le nouveau venu.
« Qu'est-ce que vous avez?

— Je vous déclare avec obéissance que j'ai des rhumatismes. »

Au cours de sa carrière de praticien, le docteur Grunstein avait contracté l'habitude de parler avec une fine ironie qui faisait plus d'effet que des vociférations.

« Des rhumatismes, je comprends, dit-il à Chvéïk, c'est une maladie très grave. Et c'est vraiment un hasard, d'attraper des rhumatismes juste à une époque où il y a une guerre pareille et où on doit faire son service militaire. Je suis sûr que cela doit bien vous contrarier.

— Je vous déclare avec obéissance, monsieur l'*oberartzt*, que cela me contrarie énormément.

— Je m'en doutais, allez. Ce qui est bien gentil de votre part, c'est que vous avez pensé à nous, avec vos rhumatismes. En temps de paix, un pauvre infirme comme ça gambade comme un chevreau, mais, à peine la guerre déclarée, il s'aperçoit qu'il a des rhumatismes et que ses genoux ne sont plus bons à rien. N'avez-vous pas de douleurs aux genoux?

— Je vous déclare avec obéissance que si.

— Et la nuit, vous ne fermez pas l'œil, n'est-ce pas? Le rhumatisme est très dangereux, c'est une maladie très, très grave, et qui fait beaucoup souffrir. Heureusement nous autres ici, nous savons ce qu'il faut : avec la diète totale et aussi avec notre traitement, vous guérirez plus vite qu'à Pistany et vous galoperez au front qu'on ne vous verra plus, tant vous ferez de poussière. »

Puis, s'adressant au sous-officier, le médecin ajouta :

« Ecrivez : « Chvéïk, diète complète, lavage d'es-
« tomac deux fois par jour, clystère une fois par
« jour, et après nous verrons. » En attendant, conduisez-le à la salle de consultation, faites-lui laver l'estomac et administrez-lui un clystère aux petits oignons. Il pourra appeler tous les saints du paradis pour l'aider à chasser ses rhumatismes.

Sur ce, il prononça encore un discours plein de

sagesse à l'intention de tous les « simulateurs » de la chambrée

« Il ne faut pas croire que vous avez devant vous un veau à qui on peut monter tous les bateaux imaginables. Avec moi, ça ne prend pas, tenez-vous-le pour dit. Je sais très bien que vous êtes tous des simulateurs et que vous ne pensez qu'à déserter. J'agis en conséquence. Les soldats comme vous, j'en ai vu des centaines et des centaines! Sur ces lits, il y a eu des tas de gens dont la seule maladie était le manque d'esprit militaire. Tandis que leurs cama-rades font la guerre, ils s'imaginent qu'ils n'ont qu'à se pieuter dans leurs lits et à bien manger à l'hô-pital, en attendant la fin de la guerre. Mais tous ces gaillards se sont rudement trompés, comme vous d'ailleurs. Dans vingt ans encore vous vous réveil-lerez en gueulant quand vous rêverez au temps où vous avez essayé de m'avoir.

— Je vous déclare avec obéissance, monsieur l'*oberartzt*, fit une voix éteinte dans un lit près de la fenêtre, que je suis déjà guéri, j'ai déjà vu cette nuit que mon asthme avait tout à fait disparu.

— Comment vous appelez-vous?

— Kovarik. Je dois passer au clystère.

— Bien. Mais votre clystère, vous l'aurez encore comme souvenir pour vous faire penser un peu à nous en partant, dit le docteur Grunstein. Je ne voudrais à aucun prix que vous puissiez dire qu'on ne s'est pas occupé de vous. Bon, et maintenant, tous les malades dont le nom vient d'être lu, suivront le sous-officier qui sait ce qu'il a à faire. »

L'ordre fut exécuté et chacun des malheureux es-suya son traitement. Si quelques-uns s'efforçaient d'attendrir l'exécuteur par des prières ou en le me-naçant de se faire incorporer dans le service sani-taire et de lui en faire autant un jour, Chvéïk, lui, fit preuve d'un noble courage.

« Ne me ménage pas, dit-il au soldat qui lui ad-ministrait le clystère; rappelle-toi ton serment. Si ton père ou ton frère étaient à ma place, tu serais obligé de leur foutre ton clystère la même chose. Mets-toi bien dans la tête que c'est de clystères comme celui-là que dépend le salut de l'Autriche, et tu verras, nous aurons la victoire. »

Le lendemain, à la visite, le docteur Grunstein demanda à Chvéïk comment il se plaisait à l'hôpital militaire.

Chvéïk répondit que cette « institution militaire était quelque chose d'épatant » et qu'elle lui inspirait des sentiments élevés. Comme récompense, le brave Chvéïk eut la même chose que la veille avec, en outre, de l'aspirine et trois cachets de quinine que l'on avait fait fondre dans l'eau, en le priant de l'avaler à l'instant même.

Chvéïk s'exécuta et but sa ciguë peut-être avec encore plus de calme que Socrate. Le docteur Grunstein avait passé Chvéïk par les cinq degrés de son système de tortures.

Tandis qu'on l'enveloppait dans un drap humide en présence du médecin et que celui-ci demandait l'avis de Chvéïk, il répondit :

« Je vous déclare avec obéissance, monsieur l'*oberartzt*, que ça me rappelle une piscine ou des bains de mer.

— Et vous avez toujours vos rhumatismes?

— Je vous déclare avec obéissance, monsieur l'*oberartzt*, que je ne sens aucune amélioration. »

Mais Chvéïk n'était pas au bout de ses tourments.

Vers ce moment-là, la baronne von Botzenheim, veuve d'un général d'infanterie, se donnait beaucoup de peine pour découvrir le soldat infirme, fervent patriote, dont la *Bohemia* avait parlé dans l'article que nous connaissons.

Après une enquête à la Direction de la Police, on établit l'identité de Chvéïk, qui fut alors facile à retrouver. La baronne von Botzenheim, suivie de sa dame de compagnie et d'un laquais qui portait un gros panier de provisions, décida d'aller visiter l'hôpital militaire de Hradcany, qui abritait son protégé.

La pauvre baronne ne se doutait point de ce que signifiait un « traitement » à l'infirmerie de la prison de la place de Prague. Son nom lui ouvrit la porte de la prison; au bureau, on lui répondit avec une politesse extrême et, en cinq minutes, elle apprit que *der brave soldat Chvéïk,* recherché par elle, était logé au pavillon 3, lit 17. Le docteur Grunstein, qui accompagnait la baronne n'en revenait pas de cette visite.

Chvéïk, après sa « cure » quotidienne, était assis sur son lit, entouré d'un groupe de simulateurs amaigris et affamés qui n'avaient pas encore renoncé à la bataille avec le docteur Grunstein sur le champ de la diète totale.

En les écoutant, on aurait cru être tombé dans une société d'experts gastronomes ou assister à une leçon de l'Ecole supérieure d'art culinaire ou à un cours spécial destiné aux gourmets.

« On peut manger même des graillons de suif, racontait l'un d'eux qui soignait ici un « catarrhe gastrique invétéré », quand ils sont bien chauds. Pour les avoir tout à fait à point on choisit le moment où le suif est bien fondu. On les retire, on les écrase pour qu'ils soient bien secs, on sale et on poivre, et alors ils dégotent les graillons d'oie, c'est moi qui vous le dis.

— Hé! là-bas, n'en dites pas trop de mal, des graillons d'oie, hein? fit l'homme au « cancer de l'estomac », y a pas de graillons qui vaillent les graillons d'oie. Les graillons au lard de porc ne sont qu'une ratatouille dégueulasse à côté de ça! Bien entendu, faut qu'ils soient grillés à vous avoir une petite couleur d'or, à la manière juive. Et ils s'y connaissent, les juifs. Ils achètent une oie bien grasse, ils lui enlèvent la peau et ils la font griller au feu dans son jus, ensemble avec le saindoux.

— Pour les graillons de porc, fit observer le voisin de Chvéïk, vous vous mettez le doigt dans l'œil. Il est entendu que je vous parle des graillons de porc faits à la maison, avec un cochon qu'on a engraissé soi-même. Comme couleur, faut qu'ils soient pas trop bruns ni pas trop blonds. Une nuance entre les deux, quoi. Faut aussi qu'ils soient ni trop durs, ni trop mous. Surtout, faut pas qu'ils croquent sous la dent, parce qu'alors c'est qu'ils sont brûlés. Ils doivent fondre sur la langue, et faut pas que le saindoux vous coule du menton.

— Est-ce que quelqu'un de vous a déjà mangé des graillons de lard de cheval? » fit une voix.

Mais personne ne répondit, parce qu'à ce moment-là le sous-officier du service sanitaire poussa brusquement la porte et cria :

« Tous au lit! il y a ici une archiduchesse qui vient en visite officielle. Surtout, tâchez de ne pas montrer vos pieds sales! »

Une archiduchesse authentique n'aurait pu faire son entrée dans la chambrée avec un visage plus grave et plus sérieux que celui de la baronne von Botzenheim. Derrière elle marchait toute une suite finissant par le sergent de la comptabilité, qui voyait dans cette visite la main mystérieuse de l'autorité suprême et s'attendait à être expulsé du fromage découvert par lui derrière la zone d'opérations. Il se voyait déjà jeté en pâture aux shrapnells ou ornant les barbelés devant une tranchée.

Il était pâle, plus pâle encore que le docteur Grunstein. La petite carte de visite de la baronne, sur laquelle ce dernier avait lu « veuve du général d'infanterie... » ne cessait de danser devant les yeux du médecin qui flairait, lui aussi, un danger. Danger représenté par des relations influentes, des protections, des plaintes, un départ pour le front et autres castastrophes.

« Voici Chvéïk, madame la baronne, dit-il avec un calme factice, en arrêtant l'aristocratique visiteuse devant le lit du brave soldat. C'est un garçon qui a beaucoup de patience. »

S'étant installée près du lit de Chvéïk sur une chaise qu'on lui approcha, la baronne von Botzenheim commença :

« La soldat téchèque toit êdre douchours une brafe soldat, la soldat téchèque peaugoup malate, mais douchours êdre une héros, moi peaugoup aimer la Audrichien téchèque! »

Et en caressant les joues non rasées de Chvéïk, elle ajouta :

« Moi dout lire tans les chournaux, moi apporder à mancher, croguer, fumer, sucer, la soldat téchèque douchours une brafe soldat. *Johann, kommen Sie her* [1]! »

Le laquais, dont les côtelettes hirsutes rappelaient

1. « Jean, venez par ici. »

Babinsky, approcha le panier volumineux, tandis
que, assise sur le bord du lit de Chvéïk, la dame de
compagnie de la baronne, une grosse personne aux
yeux gonflés de larmes, retapait l'oreiller de paille
sous le dos du « brafe soldat ». Elle avait l'idée
fixe que c'était là l'une des attentions qui vont au
cœur des héros blessés et malades.

La baronne se mit en devoir de retirer du panier
les cadeaux qu'il contenait. Une douzaine de poulets
rôtis, enveloppés dans du papier de soie rose et
noués d'un ruban jaune et noir, deux bouteilles de
liqueur comme on en fabriquait pendant la guerre,
dont l'étiquette portait l'inscription *Gott strafe
England* surmontant le portrait de François-Joseph
et de Guillaume II. Les deux empereurs se tenaient
la main comme pour jouer à un jeu bien connu
des enfants tchèques : « Le petit lapin est tout
seul dans son trou, mon petit chou, qu'est-ce qu'il
y a qui ne va pas que tu ne peux pas bouger
de là? »

Elle tira encore du panier trois bouteilles de vin
pour les convalescents et deux boîtes de cigarettes.
Elle disposa avec grâce le tout sur un lit non occupé
à côté de celui de Chvéïk, en y joignant un livre
élégamment relié et intitulé *Quelques traits de la
vie de notre Souverain,* œuvre du rédacteur en chef
de la *Gazette officielle de Prague,* qui adorait pieusement le vénérable Habsbourg. La couverture se
garnit successivement de paquets de chocolat, portant
aussi la fameuse devise *Gott strafe England,* ainsi
que l'effigie des deux empereurs; mais ils ne se
tenaient plus par la main, ils se tournaient le dos,
ce qui donnait l'impression qu'ils « s'étaient établis
chacun à son propre compte ». Parmi les objets
qui furent étalés, il y avait aussi une brosse à dents
où en pouvait lire *Viribus unitis* : ainsi le soldat
qui se nettoierait les dents avec cette brosse, était
sûr de penser à l'Autriche. Il y avait encore,
comme cadeau destiné à faire le bonheur des soldats
partant pour le front, un service complet de manucure. Le couvercle de la boîte représentait un
homme qui se jetait sur l'ennemi, baïonnette au
canon, tandis qu'un shrapnell éclatait au-dessus de
sa tête. Au bas de l'image, on lisait : « *Für Gott,*

Kaiser und Vaterland! [1] » A côté, un paquet de fruits secs s'enorgueillissait, au lieu d'une image de circonstances, des vers suivants en allemand :

> *Oesterreich, du edles Haus,*
> *steck deine Fahne aus,*
> *lass sie im Winde weh'n.*
> *Oesterreich muss ewig steh'n!*

De l'autre côté figurait cette traduction ingénieuse :

> *Autriche, ô noble Empire,*
> *ton drapeau, il faut le sortir*
> *pour qu'il flotte parmi le vent.*
> *L'Autriche en a pour longtemps!*

Comme dernier cadeau, la donatrice posa sur le lit une plante de jacinthes blanches en pot.

Lorsque tous les cadeaux s'étalèrent sur le lit, la baronne von Botzenheim s'attendrit tellement qu'elle ne put s'empêcher de se mettre à pleurer. Plusieurs simulateurs en bavaient. La dame de compagnie qui soutenait Chvéïk sur son séant pleurait aussi. Un silence s'établit que Chvéïk interrompit brusquement : il joignit les mains comme pour prier et murmura :

« — Notre Père, qui êtes aux cieux, que votre « nom soit sanctifié, que votre règne arrive »... Pardon, madame, ce n'est pas ça, je voulais dire : « Dieu de miséricorde, qui êtes notre Père à nous « tous, veuillez bénir tous ces cadeaux dont nous « allons profiter grâce à votre bonté généreuse et « infinie. *Amen!* »

Cela dit, Chvéïk s'empara d'un poulet qu'il se mit à dévorer sous le regard effaré du docteur Grunstein.

« Quel appétit! murmura la baronne en extase à l'oreille du docteur; il est certainement déjà guéri et pourra bientôt repartir pour le front. Je suis vraiment contente que ces bagatelles lui ont fait plaisir. »

1. « Pour Dieu, l'Empereur et la Patrie. »

Puis, elle alla d'un lit à l'autre, en distribuant des cigarettes et des pralines, et revint vers Chvéïk. Elle lui passa la main sur les cheveux et sur les paroles *Behuet' euch Gott*, quitta la chambrée, sa suite derrière elle.

Avant que le docteur Grunstein, à qui incombait l'honneur de reconduire la baronne, eût eu le temps de remonter, Chvéïk avait distribué les poulets qui furent engloutis par les malades avec une vitesse vertigineuse. Le médecin ne retrouva plus que des os nettoyés aussi proprement que si les poulets étaient tombés dans une fourmilière et que leurs carcasses fussent restées ensuite exposées au soleil pendant des mois.

Les flacons de liqueur et les trois bouteilles de vin étaient vides. De même, le chocolat et les fruits secs avaient disparu dans la profondeur des estomacs en révolte. Un des malheureux avait même bu la fiole de vernis pour les ongles, qui faisait partie du service de manucure, et avait mordu dans le tube de dentifrice.

A son retour, le docteur Grunstein, qui avait retrouvé son aplomb, prononça un long et menaçant discours. Lorsque la porte de l'infirmerie s'était refermée derrière la visiteuse, ç'avait été pour lui un grand soulagement; il s'était senti débarrassé d'un grand poids. Les petits tas d'os dépieutés le confirmèrent dans sa conviction que ses patients étaient une engeance incorrigible.

« Soldats, commença-t-il, si vous étiez un peu, mais un tout petit peu raisonnables, vous n'auriez touché à rien et vous vous seriez dit qu'autrement l'*oberartzt* ne croirait jamais à vos blagues. Par votre conduite vous avez prouvé une fois de plus que vous n'appréciez pas ma bonté. Aussi vais-je vous faire laver l'estomac et passer le clystère. Comment! je me donne toute la peine du monde pour vous tenir à la diète totale dans l'intérêt de votre santé, et vous vous bourrez l'estomac, ce qui démolit tous mes soins? Voulez-vous tous vous fiche un catarrhe gastrique ou un cancer de l'estomac! Non, ce n'est pas dans vos intentions, n'est-ce pas? Voilà pourquoi, avant même que votre estomac ait pu digérer ce que vous lui avez fait avaler, je m'en vais vous le laver à fond et en vitesse. Vous vous en souviendrez jusqu'à la mort et vous raconterez encore à vos enfants comment, une fois, vous vous êtes régalés de poulet rôti et d'autres fins morceaux et comment vos gueules, sans se reposer du travail fait en vain, auront dû tout rendre, grâce à un lavage d'estomac venu au bon moment. Maintenant, pour vous mettre bien dans la tête que je ne suis pas un abruti comme vous, mais, tout de même, un peu plus malin que vous, vous allez de ce pas m'accompagner à la salle de consultation. Je vous annonce également que demain je convoquerai ici ces messieurs de la commission de contrôle. Moi, je vous ai assez vus. Vous vous portez tous à merveille, ou bien vous n'auriez jamais pu abîmer votre estomac comme vous venez de faire. J'ai dit. En route! »

Au lavage, quand ce fut le tour de Chvéïk, le docteur Grunstein, s'étant souvenu brusquement de la singulière visiteuse, demanda au protégé de cette dernière :

« Vous connaissez Mme la baronne von Botzen-heim?

— Je suis son beau-fils qu'elle avait abandonné quand j'étais tout petit et qu'elle vient de retrouver », dit Chvéïk avec son sang-froid coutumier.

Le docteur Grunstein dit simplement :

« Ensuite, Chvéïk passera au clystère! »

Ce soir-là, la tristesse régna dans le dortoir. Tout à l'heure, leurs estomacs étaient remplis de bonnes choses et de friandises et, maintenant, ils ne contenaient qu'une tasse de thé et un morceau de pain.

Le 21 soupira de son lit près de la fenêtre :

« Vous me croirez si vous voulez, camarades, mais j'aime mieux le poulet à la sauce que le poulet rôti.

— En couverte! » cria quelqu'un; mais ils étaient tous si affaiblis à la suite du festin contrarié que personne ne bougea.

Le docteur Grunstein tint parole. Le lendemain matin on vit arriver plusieurs médecins militaires constituant la redoutable commission.

Ils passaient gravement entre les lits, et on n'entendait plus qu'une seule et unique phrase :

« Montrez-nous votre langue! »

Chvéïk tira une langue si longue que son visage se contracta en une grimace involontaire et que ses yeux clignèrent.

« Je vous déclare avec obéissance, monsieur le *stabartzt,* que ma langue ne peut pas sortir plus que ça. »

Une discussion très intéressante s'ensuivit entre Chvéïk et la commission.

Chvéïk prétendait avoir fait cette dernière remarque de crainte que la commission ne crût qu'il dissimulait une partie de sa langue.

Les avis des membres de la commission étaient partagés. La moitié croyait juger Chvéïk *ein blœder Kerl,* l'autre croyait que c'était un « fripon qui voulait rigoler avec la guerre ».

« Il faudrait que le tonnerre de Dieu s'y mette pour qu'on ne puisse pas te pincer! » hurla le président de la commission.

Chvéïk considérait toute la commission avec le calme béat d'un petit enfant.

Le médecin-major principal vint tout près de Chvéïk et lui dit :

« Je voudrais bien savoir, cochon maritime, à quoi vous êtes en train de penser.

— Je vous déclare avec obéissance que je ne pense pas du tout.

— *Himmeldonnerwetter!* cria un autre membre de la commission, dont le sabre traînait avec bruit, regardez-moi ça, il ne pense pas! Et pourquoi, espèce d'éléphant siamois, ne pensez-vous pas, dites un peu, pourquoi?

— Je vous déclare avec obéissance que c'est parce qu'il est défendu aux soldats de penser. Quand je faisais mon service au 91e de ligne, il y a quelques années, notre capitaine nous disait toujours : « Le « soldat ne doit pas penser. Son supérieur pense « pour lui. Quand un soldat se met à penser, ce « n'est plus un soldat, mais une espèce de civil « pouilleux. Le soldat qui pense... »

— Votre gueule! interrompit avec fureur le président de la commission, vous êtes connu, allez.

Der Kerl meint : man wird glauben, er sei ein wirklicher Idiot[1]. Mais non, Chvéïk, vous n'êtes pas un idiot, au contraire, vous êtes malin, roublard, crapule, vagabond, pouilleux, comprenez-vous?

— Je vous déclare avec obéissance que je comprends.

— Nom de Dieu, je vous ai dit de fermer ça! M'avez-vous pas entendu?

— Je vous déclare avec obéissance que j'ai entendu que je devais la fermer.

— *Himmelherrgott*, fermez-la alors; quand je vous ordonne de la fermer, cela veut dire que vous n'avez pas à gueuler!

— Je vous annonce avec obéissance que je sais que je n'ai pas à gueuler. »

Les officiers supérieurs se regardèrent. Ensuite, ils appelèrent le sergent.

« Cet homme, lui dit le président de la commission, vous allez le conduire au bureau et vous y attendrez notre rapport. Ce type est d'une santé de fer, il fait le malin et, avec ça, il gueule encore et se paie la tête de ses supérieurs par-dessus le marché. Il s'imagine que nous sommes ici pour son plaisir, que le service militaire est une farce à se tordre. Attendez, mon vieux Chvéïk, la prison de la place de Prague vous apprendra que le service n'est pas une rigolade. »

Chvéïk suivit le sergent et, en traversant la cour, il fredonnait :

> *Je me disais toujours :*
> *« Etre sous les drapeaux,*
> *C'est l'affaire de quelques jours,*
> *On n'y laisse pas sa peau. »*

Et tandis que l'officier de service au bureau criait à Chvéïk qu'on devrait fusiller des saletés comme lui, dans les chambrées du premier étage la commission continuait à tuer les simulateurs à petit feu. Sur soixante-dix soldats, deux seulement purent s'en tirer. L'un avait la jambe coupée par un obus, l'autre un cancer aux os.

1. « Le gaillard se dit qu'on va croire qu'il est vraiment un idiot. »

Eux seuls ne furent pas expédiés avec la formule sacramentelle « *Tauglich*[1] ! » Tous les autres, sans exception des trois poitrinaires mourants, furent reconnus « bons pour le service armé », ce qui fournit au président de la commission le prétexte d'un discours.

Ce discours émaillé de jurons n'était pas fort substantiel. A en croire le président, ce n'étaient tous que des canailles et du fumier, et il n'existait pour eux qu'une seule possibilité, aller au front et se battre pour S. M. l'empereur, ce qui leur permettrait de reprendre leur place dans la société humaine et leur ferait pardonner, après la guerre, le crime de s'être dits malades pour échapper aux tranchées. « Mais, pour ma part, ajouta-t-il, je n'en crois rien, car je suis persuadé, au contraire, que c'est la corde qui vous attend tous! »

Un jeune médecin militaire, âme pure et non encore corrompue, demanda de pouvoir à son tour dire quelques mots. Son discours se distinguait de celui de son supérieur par une rhétorique empreinte d'optimisme et d'une touchante naïveté. Il parlait allemand.

Il s'étendit longtemps sur la nécessité pour chacun de ceux qui quittaient l'hôpital et allaient rejoindre leur régiment au front, de devenir un soldat victorieux, un preux chevalier. Lui-même était convaincu que tous allaient exceller dans l'art de la guerre, se comporter vaillamment au front et rester honnêtes dans toutes les affaires personnelles et militaires; qu'ils seraient des combattants invincibles, dignes de la mémoire du maréchal Radetzky et du prince Eugène; qu'ils seraient toujours prêts à abreuver de leur sang les vastes champs de bataille de la monarchie et qu'ils sauraient achever la tâche à laquelle les vouait l'Histoire; que, courageux jusqu'à la témérité, au péril de leur vie, ils iraient toujours de l'avant et, sous les glorieux drapeaux en loques de leurs régiments, ils n'hésiteraient pas à charger l'ennemi pour conquérir de nouveaux lauriers et de nouvelles victoires.

Dans le couloir, le médecin-major principal prit

1. « Bon pour le service. »

à part le jeune médecin, auteur du discours pathé-
tique :

« Mon cher collègue, je vous assure que vous
avez perdu votre temps. Ces saligauds-là, voyez-
vous, ça ne donnera jamais des soldats. Ce Radetzky
n'en fera pas plus que votre prince Eugène. C'est
une race peu ordinaire de malfaiteurs. »

IX

CHVÉÏK DANS LA PRISON DE LA PLACE
DE PRAGUE

La prison de la place de Prague formait le suprême
refuge de ceux qui ne voulaient pas aller à la
guerre. J'ai connu un agrégé en mathématiques, qui,
répugnant au service de l'artillerie, décida de voler
la montre d'un *oberleutenant* pour pouvoir se caser
dans la prison de la place. Il avait agi ainsi après
mûre réflexion. La guerre ne lui disait rien. Expé-
dier les obus et tuer des agrégés en mathématiques
de l'autre côté du front, il considérait cela comme
parfaitement idiot.

« Je ne veux pas me conduire comme un brutal », s'était-il dit et il avait froidement volé la
montre.

On procéda d'abord à l'examen de son état mental, mais, comme il déclarait avoir voulu se faire
un peu d'argent, on l'avait mis à la prison de la
place. Il y avait trouvé des embusqués de toute
sorte : des idéalistes et des individus pour qui le
service militaire n'était qu'un poste lucratif, par
exemple les sous-officiers de comptabilité qui tru-
quaient à qui mieux mieux sur la nourriture et la
solde des hommes, tant au front qu'à l'arrière;
leur troupe était grossie par des petits voleurs qui,
somme toute, valaient cent fois plus que ceux qui
les avaient fait mettre en prison. La prison renfer-
mait encore des soldats arrêtés pour des délits

d'ordre purement militaire, tel le refus d'obéissance, la mutinerie, la désertion, etc. Un genre à part était les prisonniers politiques dont il y avait quatre-vingts pour cent d'innocents et, sur ces derniers, la proportion des condamnés s'élevait à quatre-vingt-dix-neuf pour cent.

La procédure appliquée par les auditeurs militaires était impressionnante. Un tel appareil judiciaire distingue toujours un Etat à la veille d'une débâcle politique, économique et morale. Il essaie de conserver son éclat et sa gloire au moyen de tribunaux, de la police, et en abusant des gendarmes et des dénonciateurs de la plus basse espèce.

Dans chaque corps militaire jusqu'au plus infime, l'Autriche avait ses espions, et ces créatures dénonçaient ceux avec qui ils partageaient la chambrée ou la tranchée et le pain.

Evidemment, la police — en l'espèce MM. Klima, Slavicek et Cie — assuma avec une promptitude digne d'elle la charge de fournir « les matériaux » à la prison de la place de Prague. A côté d'elle, le service de la censure militaire livrait à cette prison les auteurs de lettres écrites du front à leurs familles, dont les membres subissaient à leur tour le sort des correspondants. La prison de la place de Prague voyait aussi passer de vieux campagnards qui s'était permis, en écrivant à leurs fils, de leur dire leurs misères et de plaindre celles des soldats; le conseil de guerre les condamnait tous invariablement à des peines de douze ans de forteresse.

Un chemin qui était un triste calvaire conduisait des cachots de la place de Prague au champ de manœuvres de Motol. Sur cette chaussée on rencontrait souvent des convois suivants : un homme, chargé de menottes et escorté par des soldats baïonnette au canon, marchait suivi d'un fourgon contenant un cercueil. Au champ de manœuvres de Motol, le commandement laconique de « *An! Feuer* [1] » mettait fin au défilé. Ensuite, sous forme d'un ordre du jour du colonel, on faisait connaître l'exécution à tous les bataillons et tous les régiments; les

1. « En joue! Feu! »

soldats apprenaient qu'un civil de plus avait été
exécuté pour s'être mutiné au moment où il entrait,
avec les autres conscrits, à la caserne, et que sa
femme, qui n'avait pas pu dire adieu à son mari,
avait été frappée d'un coup de sabre par le capitaine de service.

A la prison de la place de Prague gouvernait un
triumvirat composé du gardien-chef Slavik, du capitaine Linhart et du sergent Riha, ce dernier portant
aussi le surnom de « bourreau ». Tous les trois
étaient là bien à leur place. Combien de victimes
ont péri dans ces cellules, succombant à leurs bles-
sures sans qu'on en ait jamais rien su! Peut-être
que le capitaine Linhart poursuit sa carrière d'officier sous la république comme sous l'empire. Il
mérite qu'on lui compte comme années de service
celles qu'il avait passées à la prison de la place
de Prague. A MM. Slavicek et Klima de la police
d'Etat on les a bien comptées pour la pension,
leurs années de service! Repa a quitté le service
militaire pour s'adonner à son métier de maître
maçon. Il est possible qu'il fasse aujourd'hui partie
de plusieurs sociétés patriotiques.

Le gardien en chef, le premier sergent-major
Slavik, s'est adonné au vol et purge à présent sa
peine dans les cachots de la république. Ce pauvre
diable n'a pas eu la même chance que ces autres
messieurs qui représentaient la toute-puissance militaire de l'Autriche.

⁎

Il n'est pas étonnant que le gardien en chef Slavik
ait jeté sur Chvéïk, en le recevant en son pouvoir,
un regard de muet reproche :

« Elle doit en avoir, des taches, ta réputation,
hein? dit-il. Sans ça, tu ne serais pas ici. Mais
t'affole pas, va! Comme séjour ici, tu auras quelque
chose de soigné, mon petit, comme d'ailleurs, tout
le monde qui nous est tombé sous la main. Et ce
n'est pas une main de petite femme, tu penses! »

Et pour renforcer son regard menaçant, il mit
son poing gras et musclé sous le nez de Chvéïk
et dit :

« Renifle-moi ça, vaurien! »

Chvéïk obtempéra à son ordre et émit :

« Je ne voudrais pas qu'il m'arrive dans le nez, ça sent le cimetière. »

Les paroles calmes et sensées de Chvéïk eurent le don de plaire au gardien en chef.

« Hé! là, fit-il en cognant sur le ventre de Chvéïk, tiens-toi droit. Qu'est-ce que t'as dans tes poches? Si tu as des cigarettes, tu peux les garder, mais pour du pognon, faudra voir à me lâcher tout, on pourrait te le voler. C'est tout ce que t'as, bien vrai? Les menteries, c'est rudement puni ici, tu sais!

— Où est-ce qu'on va le foutre? demanda le sergent Riha.

— Au 16, décida son chef, où on a mis les saligauds en caleçon, vous voyez bien que le capitaine Linhart a marqué sur le document : « *Streng behüten, beobachten*[1]... » Oui, dit-il encore en s'adressant à Chvéïk, avec des crapules comme toi, on agit en crapule. Ici, les types qui rouspètent, on les fourre à la cellule ou on leur casse les côtes; ils n'en sortent qu'après qu'ils sont crevés. C'est notre droit. N'est-ce pas? Riha, je pense justement à c'te tête carrée de boucher, le dernier.

— Celui-là était dur, monsieur le gardien en chef, répondit Riha rêveur, quel costaud! Quand je l'ai piétiné, il m'a fallu sauter sur lui pendant cinq minutes pour que ses côtes commencent à craquer et que le rouge lui vienne à la gueule. Et ce chien a encore tenu pendant dix jours. Il avait l'âme chevillée au corps, c'est le cas de dire.

— Tu vois, saleté, ce qui t'attend si jamais tu oses rouspéter ou essayer de foutre le camp, reprit le sergent Slavik. Une tentative d'évasion, c'est une espèce de suicide et, chez nous, le suicide est puni tout pareil. Que Dieu ne te laisse pas venir en tête, espèce de fumier, de réclamer et de te plaindre aux inspecteurs! S'ils viennent et s'ils te demandent : « Vous n'avez pas de réclamation à faire? » il s'agit de te tenir droit, fripouille, de saluer et de répondre : « Je vous déclare avec obéissance que « je n'en ai aucune et que je suis très content ici! »

[1]. « A garder et surveiller sévèrement... »

Répète voir, dégueulasse, comment qu'tu le diras.
— « Je vous déclare avec obéissance que je n'en
« ai aucune et que je suis très content ici! » répéta
Chvéïk si doucement que le gardien en chef fut
pris et crut avoir affaire à un garçon plein de
franchise et de bonne volonté.

— Grouille-toi pour ôter tes frusques, dit-il
presque gentiment, sans même ajouter « fripouille »,
« dégueulasse » ou « fumier ». Tu ne garderas que
ta chemise et ton caleçon et tu vas aller au 16. »

Au 16, Chvéïk trouva une vingtaine d'hommes
déshabillés de la même façon que lui. C'étaient tous
des gens dont le dossier portait la fameuse note
Streng behüten, beobachten, et qu'on gardait donc à
vue avec une sollicitude particulière, pour les empêcher de prendre la fuite.

Le sergent-major Repa remit Chvéïk aux soins
du « chef de chambrée », un gaillard poilu à la
chemise bâillante. Celui-ci inscrivit le nom de
Chvéïk sur un bout de papier épinglé au mur et
lui dit :

« Demain, il y aura du bon chez nous. On nous
conduira au sermon à la chapelle. Nous autres, tous
en caleçon comme nous voilà, on nous fait mettre
tout à fait près de la chaire. Tu n'auras jamais tant
rigolé dans ta vie. »

Comme toutes les chapelles des maisons d'arrêt,
celle de la prison de la place faisait le délice des
prisonniers. On aurait tort de s'imaginer que l'obligation d'aller à la messe répondît à leur désir de
se rapprocher de Dieu, de s'élever et de mieux
connaître la morale divine.

Le sermon et la messe n'étaient pour eux qu'un
moyen de se soustraire à l'ennui de la prison. Ce
qui les attirait, c'était, non pas la ferveur des sentiments religieux, mais bien l'espoir de trouver, sur
le chemin de la chapelle, des « mégots » semés
dans les corridors. Le Bon Dieu avait moins de
charme qu'un bout de cigarette ou de cigare traînant dans la poussière.

Mais la principale attraction était le sermon.
Quelle pure joie il provoquait! Le *Feldkurat* Otto
Katz était le plus charmant ecclésiastique du monde.
Ses sermons se distinguaient par une éloquence

à la fois persuasive et propre à susciter chez les détenus une hilarité interminable. Il était vraiment beau à entendre quand il s'étendait sur la miséricorde infinie de Dieu, quand il s'évertuait à relever le niveau moral des prisonniers, « victimes de toutes les corruptions », et quand ils les réconfortait dans leur abjection. Il était vraiment beau à entendre, du haut de la chaire ou de l'autel, faisant pleuvoir sur ses fidèles des injures de toute sorte et des vitupérations variées. Enfin, il n'était pas moins beau à entendre quand il chantait *Ite missa est,* après avoir dit sa messe d'une façon tout à fait curieuse et originale, en brouillant et bousculant les parties de la messe; quand il avait trop bu, il inventait même des prières et une messe inédites, tout un rituel à lui.

Et puis, quelle gaieté quand, par hasard, il trébuchait et s'étalait par terre avec son calice ou bien avec le saint sacrement ou le missel, tout en invectivant contre l' « enfant de chœur », trié sur le volet parmi les détenus, parce qu'il lui avait donné méchamment un croc-en-jambe, et en le menaçant de « le foutre à la boîte et de le faire pendre ficelé comme un saucisson » !

Dans ces petits incidents, c'était toujours le coupable qui se faisait le plus de bon sang, fier d'avoir contribué à la rigolade générale et d'avoir brillamment joué son rôle devant ses camarades.

Le *Feldkurat* Katz, ce parfait aumônier militaire, était d'origine juive. Ceci, du reste, n'a rien d'étonnant, quand on sait que l'archevêque Kohn, un ami du poète Machar, ne l'était pas moins.

Le *Feldkurat* Katz avait à sa charge un passé encore plus pittoresque que celui du célèbre archevêque Kohn.

Après avoir achevé ses études à l'Académie de commerce de Prague, il était entré dans l'armée comme volontaire d'un an. A l'Académie, il avait surtout profité des leçons sur les questions de bourse et de maniement des traites, ce qui lui rendit facile d'acculer la Maison Katz et Cie à la faillite. Katz père partit pour l'Amérique du Nord, ayant ruminé un concordat sans rien dire à ses créanciers, ni à son associé qui, lui, avait préféré l'Argentine.

Après que le jeune Otto Katz eut fait ce beau cadeau aux Amériques du Nord et du Sud, se trouvant sans un sou et sans espérances, sans feu ni lieu, il décida de continuer la carrière d'officier.

Mais avant de réaliser son projet, il avait eu l'heureuse idée de se faire baptiser. Devenu chrétien, il s'adressa à Jésus-Christ pour lui demander de l'aider dans sa carrière, ce qui, de son point de vue, n'était qu'une convention commerciale conclue entre lui et le Fils de Dieu.

Le baptême avait eu lieu dans le couvent d'Emmaüs à Prague. Le fameux père Alban lui-même avait inondé d'eau bénite le futur aumônier militaire. Ç'avait été un spectacle édifiant : comme parrains, le néophyte avait choisi un commandant notoire pour sa dévotion, ancien chef de bataillon du régiment où le jeune Otto Katz avait servi, et une vieille fille, pensionnaire de l'Institut pour les demoiselles nobles tombées dans la gêne et, enfin, un vénérable chanoine à face de bouledogue.

Ayant subi avec succès son examen d'officier de réserve, le nouveau chrétien se fit immédiatement mettre de l'active. Au commencement, le service lui plut et il se mit à approfondir les mystères de l'art militaire.

Par malheur, ayant bu un jour à ne plus savoir ce qu'il faisait, il s'en alla au couvent, délaissant le sabre pour le bénitier. Il avait rendu visite à l'archevêque à Hradcany et put entrer au séminaire. La veille de son ordination le trouva encore ivre mort; ce n'est qu'après une large soûlerie dans une maison équivoque en compagnie de ces demoiselles qu'il avait quitté, au petit jour, ce local pour figurer dignement dans la cérémonie sacrée. Sur ce, il se mit en quête de protections auprès de ses anciens supérieurs du régiment et fut nommé aumônier. S'étant acheté un cheval, il commença à circuler tout fringant à travers Prague et participa aux beuveries amicales organisées par les officiers de son régiment.

Dans le corridor du logis du nouvel aumônier les autres locataires entendaient souvent des malédictions proférées par ses créanciers. Il recevait

non moins souvent les visites des péripatéticiennes
qu'il ramenait lui-même ou envoyait chercher par
son ordonnance. Il aimait aussi à jouer au poker,
et des mauvaises langues voulaient qu'il trichât au
jeu; mais personne n'essaya jamais de tirer des
larges manches de sa soutane militaire la fausse
carte. Dans les milieux d'officiers on l'appelait le
« Saint-Père ».

Il ne préparait jamais ses sermons, ce qui le distinguait de son prédécesseur à la prison de la place.
Celui-ci avait l'idée fixe d'améliorer les détenus.
Dans des accès d'exaltation religieuse, les yeux lui
sortaient de la tête et il s'épuisait à persuader aux
prisonniers que la réforme de la prostitution était
aussi urgente que celle de l'assistance aux filles-
mères; un autre de ses dadas concernait l'éducation des enfants naturels. Ses sermons planaient
dans l'abstraction et ne descendaient jamais à l'ac-
tualité. En un mot, c'était l'ennui fait aumônier.

En revanche, l'aumônier Otto Katz avait une façon
de prêcher qui réjouissait chacun.

C'était un moment solennel quand la chambrée
du 16 partait pour la chapelle, toujours en caleçon,
car, en leur octroyant un costume moins sommaire,
les autorités auraient craint de perdre quelqu'un
de ces précieux pensionnaires. Rangés au pied de
la chaire dans leurs caleçons blancs, on eût dit des
anges devant le trône de Dieu. Certains d'entre eux,
qui avaient eu de la chance de ramasser des mégots
en route, avaient été obligés de les chiquer, manquant, bien entendu, de poches où les mettre.

Les autres prisonniers, placés autour d'eux, ne
se lassaient pas de contempler les vingt caleçons
groupés sous la chaire, où le *Feldkurat* paraissait
enfin, précédé d'un cliquetis d'éperons.

« Garde à vous, cria-t-il, à la prière! que tout
le monde répète ce que je vais dire! Et toi, au
fond, espèce de canaille, ne te mouche pas dans
tes doigts, tu es dans la maison de Dieu, et je te
ferai foutre à la boîte. Nous allons voir, tas de
vagabonds, si vous savez encore votre *Pater*,
allons-y... Je me doute bien que vous n'en savez
plus le premier mot, bien sûr, vous ne pensez guère
à prier. Vous aimez mieux vous empiffrer de bœuf

aux haricots, rester à plat ventre sur votre paillasse, vous fourrager dans le nez et ne pas vous en faire pour le Bon Dieu, c'est bien ça! »

Du haut de la chaire, le prédicateur regardait les vingt chérubins en caleçons, qui se faisaient du bon sang comme tous les autres fidèles. Ceux du fond jouaient avec leurs couteaux de poche au « jeu du boucher ».

« Il y a du bon ici », chuchota Chvéïk à son voisin, personnage soupçonné d'avoir coupé, moyennant la somme de trois couronnes, à un camarade tous les doigts d'une main pour le faire exempter du service militaire.

« Ce n'est pas tout, répondit l'autre, attends voir. Il a pris encore une cuite aujourd'hui, et c'est toujours quand il est dans les vignes qu'il nous sort le chemin épineux du péché. »

En effet, le *Feldkurat* était d'une humeur charmante. Dans son éloquence, il se penchait si dangereusement en dehors de la chaire qu'à un moment donné peu s'en fallut qu'il ne perdît l'équilibre.

« Chantez quelque chose, les gars, cria-t-il, ou bien voulez-vous que je vous apprenne une nouvelle chanson? Chantez avec moi :

C'est ma bien-aimée, ma plus chère,
Que j'aime d'un amour toujours croissant,
Je ne suis pas seul à lui faire la cour :
Nous sommes beaucoup à l'aimer tour à tour,
Et c'est par milliers qu'elle compte ses amants,
Elle, ma bien-aimée, ma plus chère,
Elle, la Sainte Vierge Marie...

« Vous n'êtes pas capables de l'apprendre, tas d'abrutis, continua-t-il, et moi, je suis d'avis qu'on devrait vous fusiller tous, avez-vous compris? Je l'affirme du haut de cette place que je tiens de Dieu, espèces de gibier de potence, car, le Bon Dieu, c'est quelqu'un qui ne vous craint pas et qui vous en fera voir de toutes les couleurs, que votre cervelle, si vous en avez une, n'y résistera pas. Et vous hésitez encore à vous tourner vers le Sauveur, et vous vous obstinez à suivre le chemin épineux du péché.

— Ça y est, c'est la cuite réglementaire! chuchota allégrement le voisin de Chvéïk.

— Le chemin épineux du péché, espèces d'an-douilles, c'est le théâtre de la lutte contre les vices. Vous êtes tous des enfants prodigues, et vous aimez mieux vous la couler douce dans une cellule que de vous mortifier aux pieds de notre Père à tous. Elevez votre regard bien haut et bien loin, vers les hauteurs célestes, et vous vaincrez; la paix inon-dera votre âme, vauriens. Celui qui est dans le coin là-bas, je le préviens qu'il est grand temps d'arrêter sa trompette. Tu te crois peut-être un cheval dans une écurie, mais tu es dans la maison denotre Seigneur. enez-vous-le pour dit, mes petits agneaux. Bon, où en étions-nous encore? *Ja, über den Seelenfrieden, sehr gut*[1]. Enfoncez-vous bien dans la tête, abrutis, que vous êtes des membres de la société humaine et que vous avez le devoir de regarder au-delà du sombre horizon, dans l'espace lointain, et de vous rappeler que tout passe ici-bas, sauf Dieu qui est éternel. *Sehr gut, nicht wahr, meine Herren*[2]? Je sais que je devrais prier jour et nuit pour vous le Dieu de bonté pour qu'il fasse pleuvoir, espèces d'andouilles, sa miséricorde sur vos cœurs endurcis et avec sa sainte grâce vous nettoie de vos péchés et vous adopte à jamais pour siens, gredins, et vous chérisse jusqu'à la fin du monde. Allons donc! Vous vous êtes trompés un rude coup. Ne comptez pas sur moi pour vous faire entrer au paradis, je ne suis pas ici pour cela... » Le *Feldkurat* hoqueta. « Non, je ne suis pas ici pour ça, répéta-t-il, je ne veux rien faire pour vous, je ne suis pas gourde à ce point-là, je sais trop que vous êtes des saletés indécrottables. Dans sa haute sagesse, Dieu ne veut pas connaître même votre passage sur cette terre, le souffle de l'amour divin n'amollira jamais vos âmes, et, d'ailleurs, vous n'en avez pas. Le Bon Dieu n'est pas là pour s'occuper de mecs comme vous! Est-ce que vous m'écoutez au moins, vous, les types en caleçons? »

Les vingt caleçons levèrent les yeux vers la chaire et répondirent comme un seul homme :

1. « Ah oui, à la paix de l'âme, très bien. »
2. « Très bien, pas vrai, messieurs? »

« Nous vous déclarons avec obéissance, monsieur l'aumônier, que nous avons bien écouté.

— Il ne s'agit pas d'écouter seulement, dit le *Feldkurat* en poursuivant son sermon. Les sinistres orages de la vie, vos souffrances dans cette vallée de larmes, ne seront pas effacés par la faveur du ciel, vous pouvez en être sûrs, classe de fourneaux, la bonté de Dieu a ses bornes, et toi, veau qui renifles là-bas au fond, veux-tu bien finir, ou je vais te flanquer à la boîte jusqu'à ce que tu sois tout bleu! Et vous, là-bas, vous croyez-vous chez un cochon de bistrot? Dieu est plein de miséricorde, mais la faveur du Ciel est réservée aux gens comme il faut et n'est pas pour les rebuts de la société humaine qui n'observent pas ses lois et ne connaissent pas le premier mot du *Dienstreglement*. Voilà ce que je tenais à vous dire. Vous ne savez pas ce que c'est que de prier, et vous prenez la chapelle pour un beuglant ou un cinéma, où on va rigoler. Des idées comme ça, je vous les ferai passer, vous verrez si je suis ici rien que pour vous faire rire et vous donner la joie de vivre. Je vous ficherai tous en cellule, chacun tout seul et ça ne va pas traîner, je vous en fiche mon billet, gredins. Je perds mon temps avec vous, et je vois que tout ça est peine perdue; un maréchal ou un archevêque ne gagnerait rien avec vous, vous resterez des sales types pour qui le Bon Dieu n'existe pas. Et pourtant, vous vous rappellerez un jour votre aumônier qui ne pensait qu'à votre salut. »

Du groupe de vingt caleçons monta un sanglot: Chvéïk se mettait bruyamment à pleurer.

Le *Feldkurat* le regarda. Chvéïk s'essuyait les yeux de ses poings, ce qui réjouissait fort ses camarades.

Le *Feldkurat* reprenait son sermon, enrichi d'un motif nouveau:

« Cet homme est digne de servir d'exemple à tout le monde. Que fait-il? Il pleure. Ne pleure pas, je t'en prie, ne pleure pas! Tu voudrais rentrer dans le droit chemin? Tu n'y réussiras pas si facilement que ça, mon petit. Tu pleures maintenant, et, une fois rentré à la chambrée, tu te retrouveras le même voyou qu'avant. Tu n'y es pas du tout: il te faudra réfléchir rudement sur la grâce infinie de Dieu et sur sa miséricorde et te grouiller plus que tu n'as jamais fait pour que ton âme, chargée de péchés, trouve en ce monde la voie du vrai bien. Nous avons ici sous les yeux un homme qui chiale et prouve par là son désir de se convertir. Eh bien, les autres, que font-ils? Rien du tout. Là-bas, je vois un saligaud qui mâche quelque chose comme s'il descendait d'une famille de ruminants; dans ce coin-là, je vois des individus répugnants qui trouvent que la maison de Dieu est le meilleur endroit pour chercher leurs poux. Est-ce que vous n'avez pas le temps de vous gratter chez vous? Il me semble, monsieur le gardien en chef, que vous ne vous occupez de rien du tout. Vous ne comprenez donc pas que vous avez l'honneur d'être des soldats et non de la vermine de civils? Il serait temps, nom de Dieu, de penser au salut de votre âme, et vous penserez à vos poux quand vous rentrerez à la chambrée. Amen, abrutis. mon sermon est fini, et je vous demande de vous tenir convenablement pendant la messe. Je ne veux pas d'histoires comme la dernière fois, où on a vu des types faire des échanges de linge contre du pain, et ils se rinçaient la dalle à l'élévation. »

Le *Feldkurat* descendit de la chaire, et, suivi du gardien en chef, se dirigea vers la sacristie. Quelque temps après, le gardien en chef revint et, sans autre forme de procès, tira Chvéïk du groupe des caleçons pour l'emmener dans la sacristie.

En y entrant, Chvéïk trouva le *Feldkurat* commodément assis sur la table et roulant une cigarette.

« Vous voilà, vous, dit le *Feldkurat*. Réflexion faite, je crois que vous n'êtes qu'un truqueur, tu m'entends, filou! C'est la première fois qu'on chiale à mon sermon. »

Il sauta de la table et, secouant Chvéïk par les épaules, lui cria sous le mélancolique portrait de François de Sales :

« Avoue, voyou, que tu as pleuré par blague! Tu ne vas pas prétendre que tu as chialé sérieusement? »

Du haut de son cadre François de Sales attachait

sur Chvéïk son regard énigmatique. En face du saint était suspendu un autre tableau représentant un martyr dont les soldats romains étaient en train de scier les fesses. Le visage de leur victime ne reflétait ni souffrance, ni la joie du sacrifice : il n'était pas illuminé non plus de la béatitude des martyrs. On n'y lisait qu'un ahurissement qui semblait dire : « Comment est-ce que je me trouve ici, messieurs, et qu'est-ce que vous voulez faire de moi? »

« Je vous déclare avec obéissance, monsieur l'aumônier, dit Chvéïk en jouant son va-tout, que je confesse à Dieu tout-puissant et à vous, mon père, qui êtes à la place de Dieu, que j'ai pleuré sérieusement par blague. Je me suis dit que vous aviez besoin d'un pécheur repenti pour votre sermon. Et alors j'ai voulu vous faire vraiment plaisir et vous prouver qu'il y avait encore des gens bien au monde, et pour moi aussi, j'ai voulu me soulager un peu en rigolant. »

Le *Feldkurat* considéra la face débonnaire de Chvéïk. Les rayons du soleil jouaient sur le tableau sombre de François de Sales et doraient de leur clarté le martyr ahuri qui lui faisait pendant.

« Vous commencez à m'intéresser, fit le *Feldkurat*, se rasseyant sur la table. De quel régiment faites-vous partie? » Et il hoqueta.

« Je vous déclare avec obéissance, monsieur l'aumônier, que j'appartiens au 91ᵉ de ligne sans y appartenir.

— Et comment êtes-vous arrivé à la prison de la place? » interrogea le *Feldkurat* entre deux hoquets.

Dans la chapelle, des sons d'harmonium se firent entendre, remplaçant les orgues absentes. Le musicien, un instituteur emprisonné pour désertion, en tirait de lugubres airs d'église. Alternant avec les hoquets réguliers du *Feldkurat*, ces harmonies constituaient une gamme dorique absolument nouvelle.

« Je vous déclare avec obéissance, monsieur l'aumônier, que je ne sais pas du tout comment je suis arrivé ici. Mais je ne me plains pas d'y être. Seulement, j'ai la guigne. Je n'ai jamais que de bonnes intentions et, à la fin du compte, tout tourne mal, je suis un vrai martyr comme celui de ce tableau. »

Le regard du *Feldkurat* se leva sur celui-ci. Il sourit et dit :

« Vous me ravissez de plus en plus; il faut que je m'informe de vous auprès du juge-auditeur. Pour le moment, je vous ai assez vu. Comme je voudrais être débarrassé de cette malheureuse messe! *Kehrt euch! Abtreten*[1]! »

Rentré au sein du groupe paternel des vingt caleçons, Chvéïk, comme ils lui demandaient ce que le *Feldkurat* lui avait dit, répondit en trois mots très secs :

« Il est soûl. »

La messe, nouveau tour de force du *Feldkurat*, fut suivie avec une grande attention par les prisonniers qui ne cachaient pas leur goût pour l'officiant. L'un d'eux paria même sa portion de pain contre deux gifles que le *Feldkurat* allait faire tomber le saint sacrement par terre. Il gagna son pari.

Il n'y avait pas de place dans ces âmes pour le mysticisme des croyants ou la piété des catholiques convaincus. Ils éprouvaient un sentiment analogue à celui qu'on éprouve au théâtre quand on ne connaît pas le contenu de la pièce et qu'on suit avec patience les péripéties de l'action. Les prisonniers se plongèrent avec délices dans le spectacle que leur offraient les évolutions du *Feldkurat*.

Ils n'avaient d'yeux que pour la beauté de la chasuble qu'avait endossée à rebours le *Feldkurat* et, pleins d'attention, suivaient avec ferveur tout ce qui se passait à l'autel.

L' « enfant de chœur », un rouquin, ancien sacristain et pickpocket expérimenté du 28ᵉ régiment, faisait des efforts pour se remémorer le plus exactement possible les phases du sacrifice de la messe. Il joignait à ses fonctions d' « enfant de chœur » celles de souffleur du *Feldkurat* qui confondait avec une insouciance absolue les diverses parties de la messe et s'embrouillait dans le texte jusqu'à chanter les prières de l'Avent, au grand contentement de ses fidèles.

1. « Demi-tour! Rompez! »

Il manquait totalement d'oreille, et la voûte de
la chapelle résonnait d'un tel piaulement qu'on se
serait cru dans une étable à porcelets.

Devant l'autel, les prisonniers ne retenaient pas
de petits cris de joie et de satisfaction :

« Il est encore rétamé ce coup-ci; tu parles s'il
est mûr! Ah! quelle cuite! je parie qu'il s'est encore
soûlé chez les gonzesses... »

Pour la troisième fois déjà la voix du *Feldkurat*
fit entendre son *Ite missa est* qui résonna dans la
chapelle comme le cri de guerre d'une tribu
indienne, si aigu et si rauque que les vitraux en
tremblèrent.

L'officiant plongea encore une fois ses regards
au fond du calice, pour voir s'il ne contenait plus
une goutte de vin, esquissa un geste de dépit et
se tourna vers les fidèles :

« Voilà, gredins, vous pouvez disposer; la messe
est finie. Je n'ai remarqué en vous aucune trace
de la piété que vous devriez avoir, vagabonds, et
vous êtes dans l'église devant la face du saint sacrement. Face à face avec Dieu tout-puissant, vous
n'avez pas honte de rire à haute voix, de tousser
et de faire du chahut, de traîner les pieds, et c'est
devant moi que vous osez faire toutes ces saletés,
espèces de fourneaux, devant moi qui tiens ici la
place de la Sainte Vierge, de Notre Seigneur Jésus-
Christ et de notre Père à tous. Si vous continuez
à vous conduire comme ça, vous verrez ce que vous
allez prendre pour votre rhume. Vous verrez alors
qu'il n'y a pas qu'un seul enfer, celui dont je
vous ai parlé la dernière fois, mais qu'il y en
a déjà un sur la terre, et que, même si vous devez
échapper à celui d'un bas, vous n'y couperez pas
à l'autre. *Abtreten!* »

Après s'être si bien acquitté de l'œuvre pie de
la consolation des prisonniers, le *Feldkurat* se dirigea vers la sacristie, ordonna au rouquin de verser
du vin dans la burette, le but, se rhabilla et en-
fourcha son cheval qui l'attendait dans la cour.
Mais tout d'un coup il pensa à Chvéïk, remit pied
à terre et alla trouver l'auditeur Bernis.

Le juge d'instruction Bernis était très mondain;
charmant danseur et au demeurant fêtard passionné,

il s'ennuyait énormément au bureau et passait son
temps à composer des vers d'albums, pour en avoir
toujours d'avance. C'était lui le pivot de tout l'appareil de cette justice militaire; sur son bureau
s'amoncelaient des documents d'affaires en suspens
et des paperasses dans un état de confusion inex-
tricable. Sa manière de travailler inspirait le respect à tous les membres du tribunal militaire du
Hradcany. Il avait l'habitude de perdre les actes
d'accusation et au besoin les inventait de toutes
pièces. Il embrouillait les noms et les causes des
accusés et n'agissait jamais que par lubies. Il faisait
condamner les déserteurs pour vol et les voleurs
pour désertion. Il fabriquait aussi avec rien des
procès politiques. Il était capable des tours de passe-
passe les plus compliqués et s'amusait à accuser les
détenus de crimes auxquels ils n'avaient jamais
pensé. Il inventait des outrages de lèse-majesté et,
quand il égarait le dossier, s'empressait de suppléer
les paroles subversives.

« *Servus*, dit le *Feldkurat* en lui tendant la main,
comment ça va?

— Pas fameusement, répondit le juge d'instruction Bernis; on m'a encore mêlé mes paperasses que
le diable ne peut pas s'y reconnaître. Hier encore,
j'ai passé au procureur un acte d'accusation qui
m'avait fait rudement suer, et on me l'a retourné en
disant qu'il ne s'agissait nullement de rébellion,
mais tout simplement du vol d'une boîte de
conserves. Il paraît que j'y avais marqué aussi un
faux numéro d'ordre : je ne sais pas comment ils
arrivent à dénicher tout ça. »

Le juge cracha.

« Est-ce que tu joues encore aux cartes? demanda le *Feldkurat*.

— C'est fini, mon vieux, je ne faisais que perdre.
La dernière fois qu'on avait joué au macao avec le
vieux colonel chauve, c'est celui-là qui a tout en-
caissé. Mais j'ai pour le moment une petite. Et toi,
saint-père, qu'est-ce que tu fais?

— Je cherche un tampon, répondit le *Feldkurat* :
j'en avais un, un vieux comptable sans instruction
supérieure, mais tout de même un avachi de première classe. Il pleurnichait tout le temps et priait

le Bon Dieu de le protéger, je l'ai envoyé au front
avec le bataillon qui y partait justement. On dit que
le bataillon s'est fait esquinter. Ensuite, on m'a
donné comme tampon un type qui était toujours
fourré chez le bistrot, où il levait le coude à mon
compte. Il était encore supportable, celui-là, mais il
suait des pieds. Je l'ai envoyé au front, lui aussi.
Aujourd'hui, au sermon, j'ai découvert un loustic
qui s'est mis à pleurer par rigolade. C'est un type
comme ça qu'il me faut. Il s'appelle Chvéïk et
perche au 16. Je voudrais savoir comment il est
arrivé ici et si on ne pourrait pas s'arranger pour
me le passer. »

Le juge commença à chercher dans ses paperasses le dossier Chvéïk, mais sans succès.

« Je dois l'avoir passé au capitaine Linhart, dit-il
après une longue recherche infructueuse; je me
demande comment tous ces documents peuvent disparaître comme ça. Linhart doit les avoir, attendez
que je lui donne un coup de téléphone. — Allô, mon
capitaine, le lieutenant-auditeur Bernis à l'appareil.
Je vous prierais de me dire si vous n'avez pas dans
votre bureau des documents concernant un certain
Chvéïk... Comment, c'est moi qui dois les avoir?...
Ça m'étonnerait beaucoup... Et c'est à moi-même
que vous les avez transmis?... Je n'en reviens pas...
Cet homme est placé au 16, mon capitaine. En effet,
le 16 est de mon ressort, je ne l'ignore pas, mon
capitaine, mais je croyais que les documents traînaient quelque part chez vous... Comment, vous
m'interdisez de vous parler sur ce ton? Vous dites
que chez vous il ne traîne rien du tout?... Allô.
Allô... »

Bernis raccrocha le récepteur et, s'étant rassis
derrière son bureau, se livra à une charge à fond
contre le désordre qui sévissait dans les affaires en
instruction. Entre lui et le capitaine Linhart régnait
depuis longtemps une hostilité à laquelle ni l'un ni
l'autre ne cherchait à mettre fin. Si, par hasard, un
document quelconque qui devait être remis à Linhart tombait entre les mains de Bernis, celui-ci le
« classait » avec tant de soin que personne ne le
revoyait jamais. Or, le capitaine Linhart usait de
réciprocité pour les documents destinés à être étu-

diés par Bernis. Par exemple, les annexes qui devaient étayer une accusation, disparaissaient régulièrement et sans retour. Les documents relatifs à l'affaire Chvéïk ne furent retrouvés dans les archives du tribunal militaire que sous le nouveau régime, c'est-à-dire après la guerre. Ils étaient accompagnés de la note suivante : « Il (Chvéïk) se préparait à rejeter son masque fallacieux pour se mettre au premier plan d'un mouvement subversif attentatoire à la personne sacrée de Sa Majesté et à la sûreté de l'Etat. » La chemise du dossier Josef Koudela, dans lequel les papiers de Chvéïk avaient été remis par mégarde, portait l'inscription « Affaire réglée » et la date du règlement.

« Je n'ai aucun Chvéïk dans tout ça, dit Bernis. Mais je m'en vais le convoquer et, pourvu qu'il n'avoue pas, je pourrai le relâcher et je te l'enverrai. Tu n'auras qu'à t'arranger avec son régiment. »

Après le départ du *Feldkurat,* Bernis fit appeler Chvéïk et lui enjoignit de se tenir un moment près de la porte, car il venait justement de recevoir de la Direction de la Police une dépêche, l'informant que les pièces à joindre à l'affaire n° 7 267 et concernant le fantassin Maixner avaient été remises au bureau 1, contre la signature du capitaine Linhart.

Pendant que l'auditeur Bernis scrutait la dépêche, Chvéïk examinait curieusement le bureau.

La chambre était loin de lui produire une impression agréable. Aux murs, il y avait les photographies d'exécutions opérées par la soldatesque autrichienne dans diverses contrées de la Serbie et de la Galicie. Sur ces « photos artistiques », on voyait des chaumières incendiées et des arbres servant de potences naturelles, aux branches alourdies sous le poids des cadavres de civils. Une photographie particulièrement réussie montrait toute une famille serbe pendue au complet : le petit garçon, le père et la mère. Deux soldats baïonnette au canon, gardaient l'arbre aux pendus, et un officier, fièrement campé au premier plan, fumait une cigarette. Dans le fond on apercevait une cuisine de campagne d'où montait la fumée de la soupe.

« Eh bien, Chvéïk, quelle nouvelle avec vous? interrogea Bernis après avoir plié et rangé la dépêche. Qu'est-ce que vous avez donc commis? Voulez-vous tout avouer, ou bien aimez-vous mieux attendre qu'on dresse votre acte d'accusation? Ça ne peut pas continuer comme ça. N'oubliez pas que vous n'avez pas affaire à un tribunal composé d'andouilles civiles. Chez nous, c'est un tribunal militaire, *K. u. M. Militärgericht.* Votre seul espoir de salut, votre seul moyen d'échapper à une punition sévère, mais juste, c'est de tout dire de votre plein gré. »

Dans des cas souvent répétés, où le dossier d'un accusé venait à disparaître d'une façon ou de l'autre, Bernis avait une méthode spéciale. Il épiait toujours minutieusement le détenu, cherchant à lire dans son attitude et sur son visage les raisons pour lesquelles il se trouvait sous le verrou.

Sa perspicacité et sa connaissance des hommes étaient si profondes qu'un tzigane, soldat envoyé à la prison de la place de Prague pour y expier le vol de quelques effets de lingerie (il était occupé au magasin militaire), finit par être accusé de crimes politiques. D'après l'acte d'accusation, il aurait entretenu plusieurs soldats dans une taverne de la restauration prochaine de l'Etat tchèque indépendant qui unirait comme jadis les pays de la Couronne tchèque, à savoir la Bohême, la Moravie et la Silésie avec la Slovaquie, et qui serait gouverné par un roi slave.

« Nous avons des preuves contre vous, et il ne vous reste qu'à avouer, avait-il dit au malheureux tzigane. Dites-nous dans quelle taverne cela s'est passé, de quel régiment étaient les soldats en question, et la date du « crime. » »

Ne voyant pas d'autre issue, le tzigane inventa une date, un bistrot et un numéro de régiment et, revenant de l'instruction, il prit la clef des champs.

« Alors, il ne vous plaît pas d'avouer? dit Bernis à Chvéïk, celui-ci gardant un absolu mutisme; vous ne voulez pas me dire comment vous êtes arrivé ici et pourquoi on vous y a mis? C'est bien ça, hein? Mais je vous conseille de me dire tout avant que moi je ne vous le dise. Je vous signale encore une fois qu'il serait bien préférable d'avouer, dans votre intérêt. Ça facilite l'instruction, et puis, la sentence est toujours moins grave. Pour ça, c'est comme dans les tribunaux civils.

— Je vous déclare avec obéissance, fit Chvéïk de sa voix d'agneau du Bon Dieu, que je me vois ici dans la situation d'un enfant trouvé.

— Comment ça?

— Je vous déclare avec obéissance que je m'en vais vous l'expliquer en deux mots. Dans notre rue habitait dans le temps un marchand de charbon qui avait un gosse de deux ans, tout à fait innocent. Un jour, ce gosse-là s'est mis en route et a fait le trajet de Vinohrady à Liben. Là, un agent l'a cueilli et l'a conduit au commissariat où on l'a enfermé comme si on avait arrêté un adulte et pas un enfant de deux ans. Comme vous voyez, cet enfant était tout à fait innocent et on l'a enfermé tout de même. S'il avait pu parler et si on lui avait demandé pourquoi il était arrêté, il n'aurait pas pu le dire. C'est mon cas tout craché. Je suis donc une espèce d'enfant trouvé. »

Le regard perçant du juge militaire erra de bas en haut sur la personne de Chvéïk et brisa sur son visage. L'homme qui se tenait devant lui rayonnait d'une telle innocence et d'une si tranquille indifférence que Bernis hésita et, très énervé, se mit à marcher de long en large dans le bureau. Dieu sait ce que Chvéïk serait devenu si Bernis n'avait promis au *Feldkurat* de le lui envoyer sans faute.

Enfin, il fit halte devant la table.

« Ecoutez, dit-il à Chvéïk qui regardait avec indifférence autour de lui, si jamais je vous rencontre encore une fois, je vous ferai voir de quel bois je me chauffe! — Emmenez-le. »

Chvéïk ayant réintégré le 16, Bernis fit appeler le gardien en chef Slavik.

« Jusqu'à nouvel ordre, fit-il d'un ton rogue, on va mettre Chvéïk à la disposition de M. le *Feldkurat* Katz. Faites apprêter ses papiers de mise en liberté et qu'on le conduise, sous l'escorte de deux hommes, chez M. le *Feldkurat!*

— Faut-il lui mettre les menottes en route, monsieur l'*Oberleutnant?* »

Le juge frappa du poing sur la table :

« Vous n'êtes qu'un veau, tenez. Je vous ai bien dit de faire dresser le document de sa mise en liberté », dit-il.

Et toute l'amertume qui, durant cette journée, avait été amassée dans son âme par la conduite du capitaine aussi bien que par celle de Chvéïk, déborda comme un torrent impétueux et se répandit sur la tête du gardien en chef qui dut encore se laisser dire en sortant :

« Comprenez-vous maintenant, pourquoi vous êtes un veau couronné? »

Malgré cette couronne, le gardien en chef n'était pas content du tout. En quittant le bureau du juge il frappa du pied le prisonnier de corvée qui balayait les corridors.

Quant à Chvéïk, le gardien en chef décida qu'il passerait encore une nuit à la prison de la place de Prague pour pouvoir s'en souvenir plus tard.

⁎

Une nuit passée à la prison de la place de Prague se grave dans la mémoire en traits ineffaçables.

A côté du 16 était située l'affreuse cellule, sombre trou d'où, comme presque toujours, cette dernière nuit que Chvéïk passa dans l'établissement Riha-Slavik-Linhart, s'échappait le hurlement déchirant d'un soldat à qui Riha, par ordre de Slavik, rompait les côtes à coups de bottes.

Quand le silence s'y fit, ce fut le tour du 16, à cette différence près, que dans cette chambrée ne résonnait que le bruit sec des poux que les prisonniers tuaient entre leurs ongles, avec des plaisanteries chuchotées sourdement.

Au-dessus de la porte, dans un œil-de-bœuf muni d'une grille, était encastrée une lampe à pétrole dont la flamme trouble fumait. L'odeur du pétrole se mêlait à l'exhalaison des corps non lavés et à la puanteur du seau aux besoins de la communauté, d'où se soulevait à chaque emploi répété, un nouveau remugle pestilentiel.

La mauvaise alimentation rendait les digestions laborieuses et la plupart des prisonniers étaient affligés de « vents » dont ils viciaient l'atmosphère et que, pour se distraire, ils avaient eu l'idée de combiner en un jeu de signaux qui se faisaient écho.

Dans les couloirs résonnait le pas rythmique des surveillants, et, par intervalles, le guichet s'ouvrait pour laisser paraître la tête d'un soldat de garde.

Cette nuit-là quelqu'un racontait, mussé dans son lit :

« Avant d'essayer de foutre le camp de la prison et d'être passé ici, au 16, j'étais au 12. Là, c'est des cas moins graves. Une fois, on y a foutu un homme qui avait l'air d'un type de la campagne. Il devait tirer quinze jours pour avoir logé chez lui des soldats dégoûtés de coucher à la caserne. On avait cru qu'il s'agissait de désertion, mais il a fini par avouer qu'il avait logé des soldats seulement pour de l'argent et sans penser à mal. Il devait être enfermé avec les prisonniers légèrement punis, mais, comme la chambrée était pleine, on l'a placé chez nous, au 12. Donc, ce type dont je vous parle, il aurait fallu le voir quand il s'est amené; il était chargé comme un chameau dans le désert. Paraît qu'il avait la permission de s'acheter la nourriture sur son pognon. On le laissait même fumer! Dans ses deux havresacs il avait deux gros jambons, des pains énormes, des œufs, du beurre, des cigarettes, du tabac, enfin tout ce qu'il faut pour se les caler, quoi. Et il avait pensé qu'il boufferait ça tout seul. Nous autres, c'était la ceinture. L'un après l'autre, on cherchait à le taper, mais il ne voulait rien entendre. Il disait qu'il n'avait que quinze jours à tirer et qu'il avait juste de quoi ne pas s'esquinter l'estomac avec les saletés qu'on nous donnait à manger, à nous autres. Il nous a tout de même proposé de nous laisser sa portion de choux et de pommes de terre pourries, pour se la partager ou pour la manger chacun son tour. J'ai oublié de vous dire que c'était un type très distingué; il ne voulait jamais se servir de notre seau, il attendait toujours la promenade du matin pour aller aux latrines. Il était tellement gâté qu'il avait apporté même ses papiers hygiéniques. Son offre bien sûr, on lui a dit qu'on s'en foutait et nous avons continué à crever d'envie un jour, deux jours, trois jours. Lui, il ne s'en faisait pas. Il bouf-

fait tranquillement son jambon, mettait du beurre
sur son pain, épluchait ses œufs, bref, vivait comme
un prince. Les cigarettes qu'il fumait n'étaient pas
à compter et figurez-vous qu'il ne nous a pas laissé
tirer une seule bouffée! Il nous refusait ça en disant
qu'à nous autres il était défendu de fumer et que, si
on le voyait nous donner des cigarettes, ça lui ferait
du tort. Comme je vous disais tout à l'heure, on a
supporté ça pendant trois jours. Puis, la nuit du
troisième au quatrième jour, on a fait le coup. Le
matin il se réveille — j'ai oublié de vous dire
qu'avant de se bourrer l'estomac, il priait toujours
le Bon Dieu, — donc, il se réveille, fait sa prière et
se met à chercher ses sacs. Il les a trouvés, bien
entendu; seulement, ils étaient raplatis comme des
pruneaux secs. Il s'est mis à crier qu'on l'avait volé
et qu'on ne lui avait laissé que du papier hygié-
nique. Puis, pendant cinq minutes, il a cru qu'on lui
avait fait une blague. Il disait : « Je sais bien, far-
« ceurs, que vous me rendrez mes affaires, mais
« n'empêche, vous avez réussi à me faire peur. »
Il y avait avec nous un lascar de Liben, qui dit :
« Je vais vous dire, m'sieur le baron, couvrez-vous
« la figure avec votre couverture et comptez jusqu'à
« dix, vous verrez voir ce qui va arriver avec vos
« sacs. » Notre fermier lui a obéi comme un petit
enfant et il s'est mis à compter : « Un, deux, trois...
« — Faut pas aller si vite », que lui dit le Libenois.
Alors, le type compte plus doucement. Enfin, il sort
de son lit et court à ses sacs. Il ne trouve rien, bien
entendu, et il fallait voir la gueule qu'il faisait. Nous
autres, on se tordait. « Allez-y encore un second
« coup », que lui dit le Libenois. Le type — et
c'était encore plus crevant — ne s'est pas fait prier
encore cette fois-là. Ce n'est que quand il a vu qu'il
n'y avait rien à faire, qu'il s'est mis à cogner contre
la porte et à crier au secours. Quand le gardien en
chef et Riha sont arrivés, nous autres, on a prétendu
qu'il avait tout bouffé la veille, même que nous
l'avions encore entendu boulotter tard dans la nuit.
Il pleurait et disait qu'alors il serait resté au moins
des miettes de pain. Vous parlez, si on en a trouvé,
des miettes! On n'était pas assez marteau pour en
laisser, nous autres, n'est-ce pas. Toutes ses provi-

sions y avaient passé, et ce qu'on n'avait pas pu avaler, on s'était arrangé pour le monter au deuxième par la ficelle. Pendant toute la journée, il est resté sans manger et il faisait attention s'il ne nous attraperait pas à mâcher de ses provisions ou à fumer ses cigarettes. Le lendemain, la même chose. Mais le soir, il a déjà trouvé bon goût à la pourriture de choux et de pommes de terre. Seulement, il ne faisait plus sa prière comme au bon temps, quand il avait encore son jambon et ses œufs. Nous autres, on n'existait plus pour lui. Une seule fois il a ouvert la gueule pour nous parler, c'est quand un type s'était procuré, on ne sait pas comment, des cigarettes. Il voulait qu'on lui laisse tirer une bouffée. Vous pensez, s'il a eu la peau.

— Je craignais déjà que vous lui ayez laissé tirer c'te bouffée, dit Chvéïk, ça aurait gâté toute ton histoire. Ça n'arrive que dans les romans, mais, à la prison de la place, il n'est pas permis d'être si idiot que ça, dans des conditions pareilles.

— Et le passage à tabac, vous ne l'avez pas oublié, fit une voix.

— On n'y a pas pensé, Bon Dieu! »

Cette petite omission de la part des copains du 12 donna lieu à une discussion à voix basse. La plupart étaient d'avis que le type qui avait bouffé tout seul méritait largement le passage à tabac.

Petit à petit, les bavardages languissaient. Les détenus s'endormaient en se grattant sous le bras, sur la poitrine et sur le ventre, aux endroits préférés par les poux. Ils tiraient sur leurs visages les couvertures vermineuses pour ne pas être gênés par la lumière de la lampe à pétrole...

A huit heures du matin on convoqua Chvéïk au bureau.

« Devant la porte du bureau, à gauche, il y a un crachoir où on jette des mégots, dit l'un des coprisonniers à Chvéïk. Au premier, il y en a encore un autre. Comme on ne balaie les corridors qu'à neuf heures, tu es sûr d'y trouver quelque chose. »

Mais Chvéïk déçut l'espoir des fumeurs. Il ne devait plus retourner au 16, au grand étonnement des dix-neuf caleçons.

Un soldat de la *Landwehr,* couvert de taches de

rousseur et doué d'une vive imagination, colporta
que Chvéïk avait tiré un coup de fusil sur le capitaine et qu'on l'avait conduit au champ de manœuvre de Motol, pour l'exécuter.

X

COMMENT CHVÉÏK DEVINT LE TAMPON
DE L'AUMÔNIER MILITAIRE

I

L'ODYSSÉE de Chvéïk recommença, cette fois, sous
l'escorte honorifique de deux soldats qui, baïonnette au canon, le conduisirent chez le *Feldkurat*.

Ces deux soldats se complétaient l'un l'autre. Si
le premier était une perche, l'autre était un vrai
pot à tabac. La perche boitait de la jambe droite,
le pot à tabac de la jambe gauche. Ils avaient été
mobilisés à l'arrière, car avant la guerre on les
avait dispensés de tout service.

Ils marchaient gravement le long du trottoir, jetant par moments un regard sournois à Chvéïk qui
s'avançait à deux pas devant eux et ne manquait pas
de saluer les militaires qu'il rencontrait. Son costume civil et la casquette de soldat qu'il s'était
achetée dans son enthousiasme de nouveau conscrit
étaient restés au magasin de la prison de la place :
on lui avait donné un antique accoutrement militaire, défroque d'un vétéran pansu qui devait avoir
une tête de plus que Chvéïk.

Quant au pantalon, il était si volumineux qu'il
aurait pu contenir encore trois Chvéïk; il lui pendait autour des jambes comme celui d'un clown. Ses
plis énormes qui remontaient jusqu'à la poitrine
frappaient les passants de stupeur. Une veste non
moins énorme, rapiécée aux coudes, sale et grais-
seuse, flottait autour du torse de Chvéïk qu'elle rendait semblable à un épouvantail à moineaux. On

l'avait muni d'un képi qui lui descendait au-dessous des oreilles.

Chvéïk répondait aux sourires des passants par un doux sourire, par un regard chaud et tendre de ses yeux de grand enfant.

Les trois hommes marchaient vers la demeure du *Feldkurat,* sans dire un seul mot.

Ce fut le pot à tabac qui adressa le premier la parole à Chvéïk. Ils se trouvaient justement sous les arcades de Mala Strana.

« De quel patelin es-tu? demanda-t-il.

— De Prague.

— Et est-ce que tu ne vas pas essayer de foutre le camp? »

A ce moment la perche crut nécessaire d'intervenir. C'est un fait très curieux : tandis que les pots à tabac sont habituellement crédules, les perches, en revanche, sont enclines au scepticisme.

La perche fit donc remarquer au pot à tabac : « S'il pouvait, il le ferait.

— Et pourquoi qu'il foutrait le camp, répliqua ce dernier, puisqu'il est en liberté? Il ne retournera plus à la prison. J'ai ses documents dans mon paquet.

— Et qu'est-ce qui est écrit sur son compte, dans tes documents? questionna la perche.

— Je n'en sais rien.

— Ben, si tu n'en sais rien, n'en parle pas. »

Ils s'engageaient sur le pont Charles et se turent. C'est seulement dans la rue Charles que le pot à tabac reprit le fil de la conversation.

« Tu ne sais pas pourquoi on t'amène chez le *Feldkurat?*

— Pour me confesser, répondit négligemment Chvéïk; je dois être pendu demain. Avec les condamnés à mort on fait toujours des trucs comme ça : ça s'appelle la consolation suprême.

— Et pourquoi que tu dois être...? demanda prudemment la perche, tandis que le pot à tabac regardait Chvéïk avec compassion.

— Je n'en sais rien, dit ce dernier, son sourire ingénu aux lèvres; tu peux m'en croire. Probable que c'est mon sort.

— Tu es né sous une mauvaise étoile, ça peut

arriver des choses comme ça, fit remarquer le pot à tabac; chez nous, à Jasen, près de Josephof, au temps de la guerre avec la Prusse, les Prussiens ont pendu un type de la même façon. Un beau matin, ils sont venus le prendre et l'ont pendu sans lui donner la moindre explication.

— Je crois, dit la perche toujours sceptique, qu'on ne pend pas un homme pour rien du tout; il faut toujours une raison pour motiver la... chose.

— Dans le temps de paix, oui, ça se passe comme ça, repartit Chvéïk, mais, quand il y a la guerre, un individu ne compte pas. Tué au front ou pendu en ville, c'est kif-kif.

— Ecoute voir, est-ce qu'il n'y aurait pas, des fois, de la politique là-dessous? » A la façon dont la perche prononça ce dernier mot, on sentait bien qu'elle commençait à se prendre d'affection pour le prétendu condamné à mort.

« Je te crois qu'il y en a! rigola Chvéïk.

— Et n'es-tu pas du parti socialiste tchèque? »

La prudence dont s'écartait la perche s'imposa maintenant au pot à tabac. Aussi intervint-il énergiquement :

« Tout ça ne nous regarde pas, Bon Dieu! dit-il. Tu vois bien qu'on nous reluque de tous les côtés. Si, au moins, on pouvait ôter les baïonnettes dans un passage pour que ça ne soit pas si remarquant! Dis donc, tu ne foutras pas le camp? On aurait des embêtements, tu penses bien. Est-ce que j'ai pas raison, Toine? ajouta-t-il en s'adressant à la perche.

— C'est pourtant vrai, les baïonnettes, on pourrait bien les ôter. C'est un des nôtres, tout de même », riposta la perche.

Son scepticisme évaporé fit place à une compassion qui emplit son âme. Ils trouvèrent un passage où les soldats enlevèrent leurs baïonnettes. Le pot à tabac permit à Chvéïk de marcher à côté de lui.

« Tu as bien envie de fumer, hein? dit-il; est-ce qu'on te permettra de fumer avant...? » Il entendait « avant de te pendre », mais n'acheva pas sa phrase, sachant que ça serait une faute de tact.

Ils fumèrent alors tous les trois et les gardiens de Chvéïk se mirent à l'entretenir de leurs familles, qui habitaient Hradec Kralové, de leurs femmes et

de leurs enfants, de leurs petits champs et de la
vache qui était leur seule propriété à chacun.

« J'ai soif », émit Chvéïk tout à coup.

La perche et le pot à tabac échangèrent un regard.

« Pour ce qui est de la soif, on boirait bien un
coup aussi, nous autres, prononça le pot à tabac,
ayant compris que la perche était de son avis, mais
où est-ce qu'on irait pour ne pas trop se faire remarquer?

— Allons au *Kouklik*, proposa Chvéïk; vous pose-
rez vos flingots à la cuisine; le patron, Serabona,
c'est un Sokol; avec lui on est tranquille, vous
n'aurez rien à craindre.

« C'est une boîte où on fait de la musique, reprit Chvéïk; il y vient des petites femmes et des
gens très bien, à qui on interdit l'entrée de la Maison municipale. »

La perche et le pot à tabac se regardèrent de nouveau. Puis la perche déclara :

« Allons-y. Karlin est encore loin. »

Chemin faisant, Chvéïk leur raconta de petites
histoires, et ils arrivèrent enfin au *Kouklik*. Laissant
leurs fusils à l'endroit désigné par Chvéïk, ils pé-
nétrèrent dans la salle où les accueillit la chanson
alors en vogue : « A Pankrac, là-haut, sur la colline,
il y a une gentille allée... »

Une demoiselle, assise sur les genoux d'un gigolo
aux cheveux pommadés, chantait d'une voix en-
rouée : « Ma seule amie que j'aimais tant a pris un
autre amant... »

A une table, la tête entre les mains, dormait un
marchand ambulant de sardines à l'huile. Par moments il sortait de son somme, frappait de la main
sur la table et bégayait : « Ça ne va pas, non, ça ne
va pas du tout, du tout! » Derrière le billard, trois
habituées de la maison interpellaient un jeune
cheminot : « Dis donc, beau blond, paie-nous un
vermouth, quoi? » Plus loin, deux individus se
querellaient sur l'arrestation d'une fille du nom
de Marianne. L'un prétendait avoir vu de ses yeux
les flics l'emmener au poste, l'autre affirmait qu'il
« l'avait vue qu'elle s'en allait coucher avec un soldat à l'hôtel Vals ».

Près de la porte était installé un soldat en com-

pagnie de quelques civils, les entretenant de sa
blessure en Serbie. Il tenait son bras en écharpe, et
ses poches regorgeaient des cigarettes qu'on lui
avait données. Il répétait qu'il ne pouvait plus boire,
mais un vieux monsieur chauve l'exhortait sans
cesse à boire encore un coup. « Mais buvez donc,
voyons, buvez, mon petit soldat! qui sait si on se
retrouvera encore une fois? Voulez-vous que je fasse
jouer pour vous une chanson? Est-ce que vous
aimez : *L'enfant est devenu orphelin?* »

Aussitôt le violon et l'harmonica firent entendre
les premiers accords de la chanson que le vieux
monsieur chauve mettait au-dessus de toutes les
autres. Les larmes lui vinrent aux yeux et il chanta
d'une voix tremblante d'émotion : *A l'âge de rai-*
son, le pauv' enfant demanda où était sa maman...

Des voix s'élevèrent de l'autre table :

« Oh! là là! — La barbe! — Ben, vrai, en v'là
une goualante! — Il en a du vice, le vieux! — C'est
pas fini encore? »

Et, pour faire taire l' « orchestre », la table ennemie entonna : « *Ah! l'heure des suprêmes adieux,*
qu'il est triste mon cœur amoureux... »

« Hé! François! criaient au soldat blessé les oc-
cupants de la table hostile après avoir fait taire
l' « orchestre » et son *Enfant devenu orphelin...*
laisse ces abrutis et viens t'asseoir ici... Qu'est-ce
que t'attends pour les envoyer paître?... Passe-nous
les cigarettes, au moins... T'es donc ici pour les
amuser, ces gourdes, non? »

Chvéïk et ses gardiens contemplaient le spectacle
avec intérêt.

Chvéïk évoquait les jours où il venait ici en
temps de paix. Il se rappelait les « descentes »
opérées dans ce local par le commissaire de police
Draschner, il revoyait les filles qui redoutaient le
célèbre policier, tout en ayant l'air de se moquer
de lui. Il pensait surtout à un soir où les filles
avaient chanté en chœur :

> *Un jour que Draschner s'amenait,*
> *Il est arrivé un bien bon malheur :*
> *La Marie s'est soûlée et prétendait*
> *Que Draschner ne lui faisait pas peur.*

Chvéïk croyait encore voir s'ouvrir la porte pour livrer passage au commissaire Draschner avec son armée de policiers. Ils avaient rassemblé tous les clients en un groupe. Chvéïk fut arrêté lui aussi, parce qu'il avait eu l'audace de poser cette question au commissaire Draschner au moment où celui-ci lui demandait sa carte d'identité : « Est-ce que vous avez la permission de la police? » Chvéïk songeait aussi à un poète qui était assis près de la glace et y composait des poèmes qu'il lisait ensuite aux filles.

En revanche, les gardiens de Chvéïk, eux, ne caressaient pas de réminiscences semblables. Venus pour la première fois dans ce local, ils trouvaient tout charmant, car tout pour eux était nouveau. Le pot à tabac manifesta le premier son contente-ment, car l'optimisme des êtres comme lui va tou-jours de pair avec une soif de jouissances. La perche luttait avec elle-même. Elle finit par perdre ses scrupules comme naguère son scepticisme.

« Je vais danser », dit-elle en vidant sa cinquième chope de bière.

Le pot à tabac prenait de plus en plus goût aux plaisirs des sens. Assise à côté de lui, une fille lui tenait un langage obscène qui allumait de luxure ses yeux lubriques.

Chvéïk se bornait à boire. Après quelques danses, la perche amena sa danseuse à la table. On chantait, buvait, dansait, et les plus hardis pelotaient abon-damment leurs compagnes. Dans cette atmosphère d'amour à bon marché, de nicotine et d'alcool, tout le monde mettait en pratique le mot célèbre : « Après nous le déluge! »

L'après-midi, un soldat vint s'asseoir à leur table et leur proposa de leur faire avoir, pour dix cou-ronnes, un furoncle ou un phlegmon. Il leur montra une seringue et leur expliqua qu'en se faisant une injection de pétrole dans le bras ou dans la jambe ils seraient sûrs de garder le lit pendant deux mois, et, s'ils avaient soin d'humecter la plaie avec de la salive, pendant six mois au moins, après quoi on les rendrait certainement à la vie civile.

La perche qui avait déjà perdu son équilibre

mental, accepta l'offre du soldat qui lui pratiqua une injection à la jambe.

Le soir venu, Chvéïk proposa de continuer la route, étant donné que le *Feldkurat* les attendait. Le pot à tabac, qui commençait déjà à divaguer, essaya de retenir Chvéïk encore quelque temps. La perche se rangea à son avis et ajouta que rien ne pressait, puisque le *Feldkurat* les attendait tout de même. Mais Chvéïk trouvait le temps long et les menaça de s'en aller tout seul.

Les gardiens s'inclinèrent donc en stipulant qu'on s'arrêterait encore ailleurs.

Cette nouvelle « station » se présenta sous la forme d'un petit café de la rue de Florence, ou, à court d'argent, le pot à tabac vendit sa montre pour pouvoir se régaler tous les trois.

De là, Chvéïk se vit dans la nécessité de guider ses surveillants, en les tenant chacun par un bras, ce qui lui donna d'ailleurs bien du tintouin. Les deux lascars étaient incapables de se tenir debout et proposaient à chaque instant d' « aller boire encore un coup quelque part ». Peu s'en fallut que le pot à tabac ne perdît le paquet de documents qu'il devait remettre au *Feldkurat*. Chvéïk fut obligé de le porter lui-même.

Il dut aussi les alerter à la rencontre de chaque officier à saluer. Enfin, après un effort surhumain, il réussit à les traîner jusqu'à la maison qu'habitait le *Feldkurat* dans la rue Royale.

Il leur remit les baïonnettes au canon et, en leur bourrant les côtes, les empêcha d'oublier que c'était à eux de conduire le prisonnier, et non le contraire.

Au premier étage ils s'arrêtèrent devant une porte où brillait la carte de visite de « Otto Katz, *Feldkurat* » et à travers laquelle venait un brouhaha de voix et un tintement de verres. Un soldat vint ouvrir la porte.

« *Wir... melden... gehorsam... Herr... Feldkurat...* dit la perche d'une voix entrecoupée, en le saluant d'un geste vaguement militaire, *ein... Paket... und ein Mann mitgebracht* [1].

— Restez pas dehors, dit le soldat, d'où est-ce

1. « Nous... annonçons... monsieur... le Feldkurat... un paquet... et un homme amené avec... »

que vous vous amenez avec une cuite comme ça, Bon Dieu! C'est comme le *Feldkurat*, tous les mêmes... » Et il cracha.

Tandis que le soldat, qui avait débarrassé le pot à tabac du paquet de documents, s'en alla prévenir le *Feldkurat*, le trio attendit dans l'antichambre. Le *Feldkurat* ne se dérangea pas tout de suite, mais brusquement la porte de la chambre s'ouvrit comme sous une rafale. Il était en gilet et tenait d'une main un cigare.

« Comme ça, vous voilà? dit-il à Chvéïk. Et on vous a escorté, pourquoi?... Avez-vous des allumettes?

— Je vous déclare avec obéissance, monsieur l'aumônier, que je n'en ai pas.

— Et pourquoi que vous n'en avez pas? Un soldat doit toujours avoir des allumettes sur lui. Le soldat qui n'a pas d'allumettes... c'est un... quoi donc?...

— C'est un soldat sans allumettes, monsieur l'aumônier, répondit Chvéïk.

— C'est ça, il est sans allumettes et ne peut donner de feu à personne. Premier point. Au second maintenant : Est-ce que vous ne puez pas des pieds?

— Je vous déclare avec obéissance, monsieur l'aumônier, que non.

— Tant mieux! Au troisième point : Est-ce que vous buvez de l'eau-de-vie?

— Je vous déclare avec obéissance, monsieur l'aumônier, que je ne bois jamais d'eau-de-vie, sauf du rhum.

— De mieux en mieux. Maintenant, regardez-moi cette gourde d'ordonnance. Il est le tampon du lieutenant Feldhuber qui me l'a prêté pour aujourd'hui. Ce coco-là ne boit rien de rien, il est abstinent, et voilà pourquoi il s'en va au front avec le bataillon qui part après-demain. Il s'en va au front, parce que moi, je n'ai pas besoin d'un gaillard comme ça. Ce n'est pas un tampon, ça, c'est une vache. Les vaches, ça ne boit que de l'eau et ça beugle comme un veau.

— Tu es abstinent, toi? dit Chvéïk en s'adressant à la malheureuse ordonnance, et tu n'en as pas honte? Tu mériterais qu'on te casse la gueule. »

Le *Feldkurat* qui pendant son entretien avec
Chvéïk n'avait cessé de regarder les gardiens de
ce dernier, se tourna maintenant vers eux. Ils va-
cillaient et faisaient des efforts désespérés pour
se tenir droits en s'appuyant contre leurs fusils.

« Vous vous êtes soûlés, dit le *Feldkurat*, et
vous... vous... êtes soûlés en service commandé,
vous n'y couperez pas... A la boîte! Chvéïk, prenez
leurs fusils, vous les conduirez à la cuisine et vous
les surveillerez jusqu'à l'arrivée de la patrouille.
Je m'en vais téléphoner à la caserne. »

Et c'est ainsi que les paroles de Napoléon : « Sur
le champ de bataille, la situation peut changer de
face de minute en minute », se trouvèrent une fois
de plus entièrement confirmées.

Pas plus tôt que le matin, les deux soldats avaient
mené Chvéïk sous leur escorte et craignaient qu'il
ne prît la fuite; mais les rôles changeaient : c'était
Chvéïk maintenant qui leur servait de guide et allait
même devoir les surveiller.

Au premier moment, les deux gardiens ne se rendirent pas compte de ce renversement de situation.
Ils ne le comprirent qu'en se voyant dans la cuisine,
désarmés et gardés à vue par Chvéïk, baïonnette
au canon.

« Ce que j'ai soif! » soupira le naïf pot à tabac,
tandis que la perche, revenue à son scepticisme,
se plaignait de cette trahison noire.

Tous deux accusaient Chvéïk de les avoir mis
dans cette mauvaise passe; ils lui reprochaient de
leur avoir dit qu'il allait être pendu le lendemain
et prétendaient qu'il avait voulu seulement se payer
leur tête.

Chvéïk ne proféra pas un seul mot et ne quitta
pas son poste près de la porte.

« Ce qu'on était andouilles pour te croire! »
criait la perche.

A la fin, quandd ils eurent exposé tous leurs griefs,
Chvéïk déclara :

« Au moins, vous savez maintenant que le service
militaire n'est pas une rigolade. Je ne fais que
mon devoir. J'y ai écopé moi aussi; seulement,
comme on dit, dame Fortune a bien voulu me sourire.

« — Ce que j'ai soif, Bon Dieu! » répéta le pot à tabac.

La perche se leva et se dirigea en titubant vers la porte.

« Laisse-nous partir, camarade, voyons! dit-il; fais pas la bête, quoi.

— Ne me touche pas, répondit Chvéïk, je suis là pour vous surveiller. Dans le service, on n'a pas d'amis. »

Mais le *Feldkurat* apparut sur le seuil :

« Pas moyen d'avoir la caserne, dit-il. Vous pouvez disposer, saligauds, mais retenez bien que dans le service il est interdit de se soûler. Filez et au trot! »

Disons, à l'honneur de M. le *Feldkurat,* qu'il n'avait pas téléphoné à la caserne pour la bonne raison qu'il n'avait pas le téléphone chez lui, et qu'il avait tout simplement parlé dans le socle creux d'une lampe.

II

Depuis trois jours que Chvéïk était au service du *Feldkurat* Otto Katz, il ne l'avait vu qu'une seule fois; le troisième jour il en eut alors des nouvelles par l'ordonnance du lieutenant Helmich qui fit dire à Chvéïk de venir chercher son maître.

Pendant le trajet, l'ordonnance apprit à Chvéïk qu'après une dispute véhémente avec le lieutenant Helmich le *Feldkurat* avait cassé le piano, qu'il restait avec une cuite effroyable et qu'il n'y avait pas moyen de l'avoir dehors; que, du reste, le lieutenant Helmich n'était pas moins soûl, qu'il avait jeté le *Feldkurat* dans le corridor où ce dernier demeurait assis sur le sol, tout somnolent.

Chvéïk, arrivé dans le corridor, secoua le *Feldkurat* et, lorsque celui-ci ouvrit les yeux en grommelant, le salua et dit :

« Je vous déclare avec obéissance, monsieur l'aumônier, que je suis déjà là.

— Vous êtes là.. et qu'est-ce que vous voulez?

— Je vous déclare avec obéissance que je viens vous chercher, monsieur l'aumônier.

— Vous venez me chercher... et où est-ce qu'on ira après?

— A la maison, monsieur l'aumônier.

— Et pourquoi faut-il que j'aille à la maison?... est-ce que ce n'est pas chez moi, ici?

— Je vous déclare avec obéissance, monsieur l'aumônier, que vous êtes en ce moment assis dans le corridor d'une maison étrangère.

— Et qu'est-ce, diantre, je suis venu y faire?

— Je vous déclare avec obéissance que vous êtes venu ici en visite.

— Mais, je n'ai jamais fait de visites... Vous faites erreur... »

Chvéïk aida son maître à se lever et l'adossa au mur. Le *Feldkurat,* qui était incapable de se tenir debout, ondulait d'un côté à l'autre et tombait contre Chvéïk en ne cessant de répéter avec un sourire idiot :

« Je sens que je vais tomber. »

Enfin, Chvéïk réussit à l'appuyer solidement contre le mur, mais alors, il s'endormit.

Mais Chvéïk l'éveilla.

« Qu'est-ce que vous désirez? demanda le *Feldkurat* qui voulait se laisser glisser par terre pour s'asseoir. Qui êtes-vous?

— Je vous déclare avec obéissance, répondit Chvéïk en le retenant maintenant contre le mur, que je suis votre tampon, monsieur l'aumônier.

— Je n'ai aucun tampon, moi, dit péniblement le *Feldkurat,* tout en essayant encore de rouler sur Chvéïk; et puis, je ne suis pas aumônier. D'ailleurs, je suis un cochon, ajouta-t-il avec la franchise des ivrognes; lâchez-moi, monsieur, je ne vous connais point. »

La courte lutte qui s'ensuivit finit par la victoire de Chvéïk. Celui-ci en profita pour traîner le vaincu au bas de l'escalier. Dans le vestibule la lutte reprit de plus belle, le *Feldkurat* résistant à outrance pour ne pas être tiré dans la rue. « Je ne vous connais point », ne cessait-il de répéter, en regardant fixement Chvéïk. « Et vous, est-ce que vous connaissez Otto Katz? C'est moi. Je viens de voir l'archevêque, hurla-t-il en s'accrochant au battant de la porte, comprenez-vous? Le Vatican s'intéresse à moi. »

Renonçant désormais aux formules de respect et à son « je vous déclare avec obéissance », Chvéïk recourut à un autre ton et à des expressions plus familières.

« Lâche la porte que j'te dis, fit-il, ou je te casse la patte. On s'en va chez nous, je ne veux plus d'histoires. Rouspète pas! »

Le *Feldkurat* lâcha la porte en roulant sur Chvéïk de tout son poids et hoqueta :

« Je veux bien aller quelque part avec toi, mais pas chez le bistrot Suha, j'dois de l'argent au garçon. »

Chvéïk sortit le *Feldkurat* dans la rue et essaya de le pousser dans la direction de leur domicile.

« Qui est ce monsieur? demanda un passant.

— C'est mon frère, répondit Chvéïk, il est en permission; il est venu me voir et s'est soûlé de joie en me revoyant parce qu'il avait cru que j'étais mort. »

Le *Feldkurat*, qui pendant cette scène sifflotait un air d'opérette d'une façon méconnaissable, se retourna à ces dernières paroles de son ordonnance vers les curieux et leur dit :

« S'il y a des morts parmi vous, il faut qu'ils viennent faire leur déclaration de décès au *Korpskommando* dans le délai de trois jours, pour l'aspersion de la dépouille. »

Et il tomba dans le mutisme, faisant tout ce qu'il pouvait pour s'étaler sur le trottoir et plonger son nez dans la boue. Chvéïk le traînait toujours. La tête en avant et en arrière ses jambes inertes comme celles d'un chat auquel on aurait cassé les reins, le *Feldkurat* bégayait : « *Dominus vobiscum... et cum spiritu tuo. Dominus vobiscum.* »

A la station de fiacres Chvéïk assit son maître contre le mur d'une maison et s'en fut négocier avec les cochers.

Un des cochers déclara qu'il connaissait très bien le monsieur, qu'il l'avait déjà chargé plus d'une fois et qu'il n'en voulait plus.

« Il m'a vomi plein toute la voiture, une infection, dit-il très franchement. Même qu'il me doit encore de l'argent. Je l'ai baladé une fois pendant deux heures sans qu'il se rappelle son adresse.

Trois fois, je suis allé réclamer mon pognon chez
lui et, à la fin des fins, une semaine après il m'a
juste donné cinq couronnes. »

Après d'interminables négociations, un cocher
consentit à les prendre.

Chvéïk retourna vers le *Feldkurat* qui s'était ren-
dormi. Son chapeau melon — car il ne sortait pas
souvent en uniforme — s'était éclipsé.

Chvéïk le réveilla et, le cocher aidant, réussit
à le hisser dans la voiture. Le *Feldkurat* tomba
aussitôt dans une hébétude totale, prenant Chvéïk
pour le colonel Just du 75ᵉ de ligne, et répétant :
« Ne te fâche pas, camarade, que je te tutoie.
Je suis un cochon. »

A un moment donné on put croire que le roulement du fiacre allait le retaper un peu. Assis tout
droit, il se mit à chanter une chanson, fruit probablement d'une improvisation poétique :

Je pense toujours à ce beau temps passé
Où tu me prenais sur tes genoux,
On était heureux sans jamais se lasser
De vivre à Merklin, pays si doux.

Mais après un instant il retomba dans son hébétude et demanda à Chvéïk, en clignant de l'œil :
« Comment allez-vous, chère madame? »

Et un peu plus tard :
« Partez-vous bientôt en villégiature, chère madame? » Se prenant à voir double, il demanda
encore :
« Vous avez déjà un fils aussi grand que cela? »

Ce fils imaginaire se confondit immédiatement
avec Chvéïk.

« Veux-tu bien t'asseoir! cria Chvéïk quand le
Feldkurat voulut monter sur la banquette; je t'apprendrai à te tenir, attends voir un peu. »

Le *Feldkurat*, sidéré, se tut du coup, regarda par
la fenêtre de la voiture de ses petits yeux porcins,
sans se rendre compte où on le conduisait.

Il perdit même toute connaissance des notions les
plus élémentaires, et s'adressant à Chvéïk, il dit :
« Veuillez me donner, madame, une première
classe. »

Et il fit le geste d'ôter son pantalon.

« Veux-tu te boutonner tout de suite, saloperie! s'écria Chvéïk; tous les cochers te connaissent pour avoir vomi dans leurs voitures. Il ne manquerait plus qu'autre chose! Et ne va pas croire que tu te balades encore ce coup-ci à l'œil. C'est pas comme la dernière fois, tu m'entends! »

Le *Feldkurat* saisit mélancoliquement sa tête dans ses mains et se mit à chanter : « Moi, personne ne m'aime plus... » Il s'interrompit pour faire remarquer : « *Entschuldigen sie, lieber Kamerad, sie sind ein Trottel, ich kann singen was ich will*[1]. »

Voulant probablement siffler un air, il fit sortir de sa gorge un roulement si sonore que le cheval, le prenant pour le signal d'arrêt, stoppa au milieu de sa course.

Chvéïk sans s'émouvoir ordonna au cocher de continuer. Le *Feldkurat* se mit en devoir d'allumer son porte-cigarettes.

« Il ne prend pas! criait-il éperdument après avoir usé toutes ses allumettes. Vous me soufflez dessus. »

Mais il perdit immédiatement le fil de ses pensées et s'esclaffa :

« C'est rigolo, nous sommes tout seuls dans le tram, n'est-ce pas, monsieur et cher collègue? » Et il fouillait ses poches avec agitation.

« J'ai perdu mon billet! criait-il; arrêtez, il faut que je le retrouve. »

Mais il fit un geste résigné :

« Continuez plutôt... »

Puis il divagua :

« Dans la plupart des cas... Oui, tout va bien... En tout cas... Mais vous vous trompez, monsieur, c'est évident... Comment! le deuxième étage... Mais c'est un prétexte qui ne tient pas debout... Remarquez bien, madame, qu'il ne s'agit nullement de moi... c'est plutôt pour vous, je suppose... Garçon, payez-vous... J'ai un café nature... »

Dans son engourdissement, il se disputait avec un ennemi imaginaire en lui prouvant qu'il avait

1. « Excusez-moi, cher camarade, mais vous n'êtes qu'un crétin, je peux chanter ce que je veux. »

tort de lui contester le droit de s'asseoir près de
la fenêtre Ensuite, prenant le fiacre pour un compartiment de chemin de fer, il hurla dans la rue, en
tchèque et en allemand : « Nymburk, on change
de train! »

Chvéïk le tirant en arrière, le *Feldkurad* se résolut à imiter la voix de différents animaux. Il
s'attarda surtout à faire le coq et son « kikeriki! »
triomphant retentit au loin.

Par moments, sa vivacité n'avait plus de bornes :
ne pouvant tenir en place, il essayait de passer
par la fenêtre. Il insultait les passants en les traitant de vagabonds. Il jeta son mouchoir sur la
chaussée et cria au cocher d'arrêter, prétendant
qu'il avait perdu ses bagages. Puis, il raconta : « A
Budejovice, il y avait dans le temps un tambour-
major... Il s'est marié. Un an après, il était déjà
mort ». Il pouffa en ajoutant : « N'est-ce pas, que
c'est drôle? »

Pendant qu'il faisait tout cela, Chvéïk s'était
conduit envers son officier sans le moindre égard.

A toutes les tentatives d'émancipation, il le ramenait impitoyablement à la réalité par des coups
de poing dans les côtes. Le *Feldkurat* s'y résignait
avec une mansuétude extraordinaire.

Il ne se révolta qu'une seule fois en essayant
de sauter par la fenêtre de la voiture en pleine
vitesse, après avoir déclaré qu'il savait parfaitement qu'on voulait le rouler et le faire descendre
à Podmokli au lieu de Budejovice. Quelques se-
condes suffirent pour réprimer cette révolte et pour
faire rasseoir le *Feldkurat* à sa place. Ce qui pré-
occupait surtout Chvéïk, c'était la crainte de voir
le *Feldkurat* s'endormir. Il le rappelait sans cesse
à la réalité par des exhortations courtoises, par
exemple :

« T'endors pas, espèce de charogne crevée! »

Envahi tout à coup d'une humeur mélancolique,
le *Feldkurat* fondit en larmes et s'enquit auprès
de Chvéïk s'il avait encore sa mère.

« Moi, mon pauvre monsieur, je suis tout seul
au monde! cria-t-il par la fenêtre; ayez pitié de
moi!

— La ferme! c'est honteux, l'admonestait Chvéïk;

on va encore savoir que tu t'es soûlé; eh! tourte!
— Je n'ai rien bu, camarade, protestait le *Feld-kurat,* je ne suis absolument pas soûl. »

Une minute après, il se démentait déjà en se levant avec ces paroles :

« *Ich melde gehorsamst, Herr Oberst, ich bin besoffen* [1]. »

Et il réitéra dix fois de suite avec désespoir sincère :

« Je suis un cochon. »

S'adressant de nouveau à Chvéïk, il l'implora avec une insistance touchante:

« Jetez-moi hors de cette automobile. Pourquoi m'avez-vous pris avec vous? »

Ensuite, il murmura :

« Il y a des ronds autour de la lune. Est-ce que vous croyez à l'immortalité de l'âme, capitaine? Est-ce qu'un cheval peut entrer au ciel? »

Il éclata de rire, puis, sa tristesse le reprenant, il fixa sur Chvéïk un regard apathique :

« Permettez, monsieur, il me semble que je vous ai déjà vu quelque part. N'avez-vous jamais été de passage à Vienne? Je me rappelle vous avoir souvent rencontré au séminaire. »

Passant ensuite aux vers latins, il murmura :

« *Aurea prima satast ætas, quæ vindice nullo* [2]. »

Et il ajouta :

« Je n'en sais pas plus long, fichez-moi à la porte! Vous ne voulez pas? Vous avez peur que je me démolisse? Mais non, mais non, allez... S'il faut que je tombe, je veux tomber sur le nez », proféra-t-il d'une voix énergique.

Il reprit ensuite :

« Monsieur, mon cher ami, donnez-moi une gifle, je vous en supplie.

— C'est une seule qu'il vous faut ou plusieurs? demanda Chvéïk.

— Deux.

— Les voilà... »

Le *Feldkurat* compta les gifles à haute voix, manifestant un vif contentement.

« Ça me fait vraiment du bien, dit-il, surtout à l'estomac; ça fait digérer, je suis tout à
fait à mon aise. Maintenant, déchirez-moi mon
gilet. »

Variant dans ses goûts, il demanda à Chvéïk de
lui scier la jambe, de l'étrangler pour un petit
moment, de lui faire les ongles et de lui arracher
les dents de devant.

Il se voulait martyr et demanda à Chvéïk de
lui couper la tête pour la jeter dans la Veltava.

« Les étoiles autour de ma tête m'iraient vraiment
très bien, s'enthousiasmait-il, mais, moi, j'en voudrais dix. »

Il parla ensuite des courses de chevaux et passa
de là au ballet.

« Est-ce que vous aimez danser le csardas? Et
est-ce que vous connaissez le pas de l'ours? Tenez,
c'est comme ça... »

Il tenta de faire vide autour de lui pour danser
et s'écroula sur Chvéïk. Celui-ci le boxa en règle
et le déposa ensuite sur la banquette.

« Je sais que je veux quelque chose, cria le *Feldkurat*, mais je ne sais pas ce que c'est. Ne savez-
vous pas ce que je veux? »

Il baissa la tête, en proie à une résignation profonde.

« Ce que je veux, ça ne me regarde pas, fit-il
gravement, et vous, monsieur, ça ne vous regarde
pas non plus. Je ne vous connais pas. De quel
droit fixez-vous sur moi vos yeux intelligents? Etes-
vous capable de me donner satisfaction sur le
terrain? »

Cette ardeur belliqueuse ne dura pas longtemps,
et il tenta de faire tomber Chvéïk de la banquette.

Son mentor l'ayant ramené au calme en lui prouvant nettement sa supériorité physique, le *Feldkurat* s'égara dans un autre ordre d'idées :

« Sommes-nous aujourd'hui lundi ou vendredi? »

Il chercha aussi à s'informer si on était au mois
de décembre ou de juin, et il fit preuve d'une remarquable mobilité d'esprit en posant les questions
les plus diverses :

« Etes-vous marié? Aimez-vous le roquefort?
Avez-vous des punaises dans votre chambre? Votre

santé est-elle toujours bonne? Est-ce que votre petit chien a eu la maladie? »

Il devint confidentiel. Il raconta qu'il devait de l'argent pour des bottes à l'écuyère, une cravache et une selle, et que, quelques années auparavant, il avait attrapé une blennorragie qu'il soignait au moyen du permanganate de potasse.

« Je n'avais pas eu l'embarras du choix, n'est-ce pas, dit-il, quoique ce soit un traitement un peu dur. Vraiment, il n'y avait rien à faire, pardonnez-moi de vous raconter ça. Un Thermos, continua-t-il, oubliant ce qu'il venait de dire, c'est un récipient spécial pour tenir chauds les boissons et les aliments. Quel jeu est plus sérieux : le banco ou le vingt-et-un? Qu'en pensez-vous, cher collègue? Bien sûr! que je t'ai déjà vu quelque part, s'exclama-t-il ensuite en approchant de la figure de Chvéïk ses lèvres écumantes, puisqu'on était camarades d'école. »

Un temps :

« Ah! ma pauvre petite, dit-il en caressant sa jambe gauche, comme tu as grandi depuis que je ne t'ai vue. La joie de te retrouver me console de toutes les souffrances supportées jusqu'ici. »

Dans une poétique effusion il évoqua un paysage paradisiaque de figures heureuses et de cœurs fervents.

A genoux dans la voiture, il récita un *Ave Maria,* ce qui le secouait d'une hilarité inextinguible.

La voiture s'arrêta enfin devant la maison, mais le *Feldkurat* ne voulait pas descendre.

« Nous ne sommes pas encore arrivés! cria-t-il : au secours! c'est un enlèvement! Je veux continuer le voyage. »

On dut l'extraire de la voiture comme un escargot de sa coquille. Un instant on put craindre de l'avoir complètement désarticulé, les pieds du *Feldkurat* étant retenus dans la banquette.

Lui riait de leurs angoisses :

« Vous ne réussirez pas à me démettre la carcasse, messieurs, dit-il; je suis trop costaud pour ça. »

On le traîna tant bien que mal à travers le vestibule dans l'escalier jusqu'à son logis où on le jeta sur le canapé comme un sac de chiffons.

Le *Feldkurat* refusa énergiquement de payer le chauffeur, étant donné qu'il n'avait pas commandé d'auto. Il fallut plus d'un quart d'heure pour lui expliquer qu'il ne s'agissait point d'une auto, mais d'un simple fiacre.

Il fit remarquer alors qu'il ne prenait jamais de fiacre à un seul cheval, comme on prétendait le lui faire croire, mais toujours une voiture à deux chevaux.

« Vous voulez me rouler, disait-il en clignant un œil malin à ses deux porteurs; vous savez bien que nous sommes allés tous les trois à pied. »

Mais, dans un accès de générosité subite, il jeta son porte-monnaie au cocher.

« Prends tout, lui cria-t-il, *ich kann bezahlen*[1]. Je ne suis pas à un sou près. »

Il aurait mieux fait de dire qu'il n'était pas à trente-six kreutzer près, car le porte-monnaie ne contenait que cette somme. Par bonheur, tout en le menaçant de « lui casser la gueule », le cocher résolut de le fouiller à fond.

« Ben, gifle-moi, si tu veux, lui répondait le *Feldkurat,* je n'en mourrai pas, va! Je t'autorise à aller jusqu'à cinq. »

Dans une poche du gilet du *Feldkurat* le cocher trouva un billet de dix couronnes. Il s'en saisit et sortit en maudissant sa destinée et le *Feldkurat* qui lui avait fait perdre son temps.

Le *Feldkurat* s'engourdit peu à peu, mais il ne pouvait s'endormir à cause des projets qui bourdonnaient dans sa tête. Il avait envie de jouer du piano, d'aller à une leçon de danse, de se cuisiner lui-même une carpe au beurre, etc.

Il promettait aussi à Chvéïk de le marier à sa sœur — qui d'ailleurs n'existait pas. Il émit aussi le vœu d'être transporté dans son lit, et à la fin, il s'assoupit, après avoir exigé « qu'on honorât en lui l'être humain qu'il était » et s'être proclamé d'ailleurs « un parfait cochon ».

Lorsque, le lendemain matin, Chvéïk pénétra dans la chambre du *Feldkurat,* il le trouva couché sur

1. « Je peux payer. »

le canapé et plongé dans de profondes réflexions.
Le *Feldkurat* se demandait qui avait bien pu l'inon-
der de ce liquide de provenance inconnue, qui tenait la plus grande partie de son pantalon collé au
canapé.

« Je vous déclare avec obéissance, monsieur l'aumônier, que cette nuit... »

C'est par ces paroles réticentes que Chvéïk expliqua à son maître qu'il faisait erreur en s'imagi-
nant victime d'une manœuvre malveillante. Mais le
Feldkurat qui avait la tête lourde, était fort déprimé.

« Je ne peux pas me rappeler comment je suis
arrivé de mon lit sur le canapé.

— Votre lit, il ne vous a même pas vu; à peine
rentrés, nous vous avons mis sur le canapé.

— J'ai dû en faire de belles, probable, hein?
Est-ce que je n'aurais pas été soûl, par hasard?

— Vous aviez pris ce qu'on appelle une cuite
pas ordinaire, monsieur l'aumônier. C'est comme
je vous le dis, c'était une petite cuite à la hauteur.
Si maintenant vous vous laviez un peu et mettiez
du linge propre, je crois que ça ne vous ferait pas
de mal.

— J'ai l'impression d'avoir les jambes et les bras
cassés, geignit le *Feldkurat*. J'ai soif aussi. Est-ce
que je ne me suis pas battu, hier?

— Pour la batterie, ça n'a pas été si grave que
ça; vraiment, on ne peut pas le dire. Maintenant,
si vous avez soif, rien d'étonnant à ça : c'est toujours celle d'hier qui continue. Quand on a soif,
ça ne passe pas si vite que ça. J'ai connu un ébé-
niste qui s'était soûlé à la Saint-Sylvestre 1910
et qui au jour de l'An avait encore tellement soif
qu'il a été obligé de s'acheter un hareng saur et
de recommencer à boire; le pauvre type n'en pouvait plus. Il y a quatre ans de ça, ce satané ré-
veillon le fait boire sans arrêt, il faut qu'il boive
de plus en plus, et tous les samedis il se fait une
provision de harengs pour toute la semaine. C'est
comme aux chevaux de bois, comme aurait dit mon
vieux sergent-major du 91e de ligne. »

Le *Feldkurat* avait mal aux cheveux et se trouvait fortement démoralisé. A entendre ses expressions de repentir, on aurait cru qu'il fréquentait

assidûment les conférences du docteur Alexandre
Batek sur des sujets comme « Guerre à outrance
au démon de l'alcool qui tue nos meilleurs fils », et
qu'il avait pour livre de chevet *Les cent et un bons
conseils*, opuscule du même docteur.

Il apporta cependant aux paroles de M. le docteur
Batek quelques variantes de son cru.

« Si, au moins, je buvais des liqueurs de grand
luxe, comme l'arak, le marasquin ou le cognac!
Mais non, je ne bois jamais que d'immondes crasses.
Hier, j'ai encore pris un de ces genièvres... Je me
demande comment j'ai pu avaler ça. Il avait un goût
à vous retourner l'estomac. Si, au moins, c'avait été
de la griotte! Mais il n'y a rien à faire. L'humanité
invente des saletés abominables et s'en rince le
gosier comme avec de l'eau de source. Prenez, par
exemple, le genièvre : ça n'a ni goût ni couleur, et
ça brûle seulement la gorge. Si encore c'était du
vrai, comme j'en ai bu une fois en Moravie! Mais
celui d'hier était certainement distillé avec de l'esprit de bois et de l'huile de pétrole. Vous m'entendez roter. L'eau-de-vie, c'est du poison, continua-t-il
dans sa méditation, et encore faut-il qu'elle soit
d'origine garantie, de la vraie, quoi, et pas fabriquée
à froid par les juifs. C'est la même blague pour
le rhum. Il est rare d'en trouver du bon. Si on
avait une goutte de vrai brou de noix, soupira-t-il
ensuite, de celui que boit le capitaine Chnable à
Brouska! »

Il fouilla ses poches et examina son porte-
monnaie.

« J'ai trente-six kreutzer, dit-il, c'est toute ma
fortune. Si je vendais mon canapé? qu'est-ce que
vous en pensez? Je dirai à mon propriétaire que
je l'ai prêté à un ami, ou qu'on me l'a volé. Vous
pourriez aussi aller voir de ma part le capitaine
Chnable et lui demander cent couronnes. Il a de
l'argent, je l'ai vu qui gagnait hier aux cartes. S'il
n'y a rien à faire, vous irez à la caserne de Verchovice, et vous demanderez les cent couronnes au
lieutenant Mahler. Si là encore c'est la peau, vous
irez trouver le capitaine Ficher au Hradcany. Vous
lui direz que j'ai besoin de cette somme pour payer
le fourrage, que je l'ai bue. Et si Ficher ne marche

pas, vous irez mettre le piano au mont-de-piété,
je m'en fous. Pour les officiers, je vous écrirai un
mot. Ne vous laissez pas faire. Dites bien à tous
ces messieurs que j'ai un terrible besoin d'argent,
que je suis resté sans un sou. Inventez tout ce que
vous voulez, mais ne revenez pas les mains vides.
Vous demanderez aussi au capitaine Chnable de
vous donner l'adresse de son fournisseur de brou
de noix. »

Chvéïk remplit brillamment sa mission. Son air
ingénu et son regard franc lui conquirent la
confiance générale; on le crut sur parole.

Il avait jugé opportun de raconter aux capitaines
Chnable et Ficher et au lieutenant Mahler que son
maître devait payer non pas le fourrage, mais à
sa maîtresse délaissée une pension alimentaire. Il
n'essuya donc aucun refus.

Quand, après cette expédition glorieusement terminée, Chvéïk exhiba les trois billets de cent couronnes au *Feldkurat*, celui-ci — qui s'était lavé et
avait fait toilette — eut peine à en croire ses
yeux.

« Je les ai ramassés tous les trois à la fois,
expliqua Chvéïk; comme ça nous n'aurons plus
besoin de chercher de l'argent demain ou après-
demain. Ça a marché tout seul, il n'y a eu un peu
de tirage qu'avec le capitaine Chnable, devant qui
j'ai dû me mettre à genoux. Ça doit être un sale
type, celui-là. Mais, quand je lui ai dit que nous
devions payer une pension...

— Une pension? questionna le *Feldkurat* tout
inquiet.

— Mais, oui, une pension, monsieur l'aumônier,
pour consoler votre demoiselle. Vous m'aviez dit
d'inventer quelque chose et il n'y a que cette idée-
là qui m'est venue. Dans notre maison logeait dans
le temps un cordonnier qui avait sur le dos cinq
petites femmes avec cinq pensions. Il était misérable
comme tout, aussi tapait-il tout le monde et le pognon lui pleuvait de tous les côtés, comme chacun
s'apitoyait sur sa triste situation. Ces messieurs
m'ont demandé quelle personne c'était et je leur ai
dit qu'elle était très jolie et qu'elle n'avait pas
quinze ans. Alors, ils m'ont demandé son adresse.

— Vous en avez fait de belles, Chvéïk, soupira
le *Feldkurat* qui se mit à arpenter la chambre.
Nous voilà jolis, se lamenta-t-il, c'est un scandale
de plus! Si, au moins, je n'avais pas si mal à la
tête...

— Je leur ai donné l'adresse d'une vieille femme
sourde comme un pot qui habite dans la rue de
mon ancienne logeuse, expliquait Chvéïk. Je voulais
mener l'affaire à bonne fin, parce que vous m'en
aviez donné l'ordre formel. Un ordre est un ordre.
Je ne voulais pas me laisser éconduire et je devais
bien inventer quelque chose, monsieur l'aumônier.
Je dois aussi vous dire que les déménageurs attendent dans l'antichambre. Je les ai fait venir pour
porter le piano au mont-de-piété. Ce n'est pas une
mauvaise idée de nous en débarrasser. On aura plus
de place pour se remuer et plus d'argent en poche.
Ainsi on sera tranquille pour quelques jours. Si le
proprio demande pourquoi nous faisons enlever le
piano, je lui dirai que c'est pour une réparation. Je
l'ai déjà dit à la concierge pour que ça ne lui fasse
pas trop d'effet de voir arriver les déménageurs.
J'ai trouvé aussi un acheteur pour le canapé. C'est
un de mes amis, un marchand de meubles, qui va
venir cet après-midi. Un canapé de cuir, ça vaut
son prix aujourd'hui.

— C'est tout ce que vous avez fait? demanda
le *Feldkurat* qui se tenait la tête dans les mains et
courait dans la chambre comme s'il allait devenir
fou.

— Je vous déclare avec obéissance qu'au lieu de
deux bouteilles de brou de noix, du même qu'achète
le capitaine Chnable, j'en ai apporté cinq, pour
avoir une réserve, ainsi on aura une goutte à boire
à la maison. Est-ce que les hommes peuvent entrer
maintenant pour le piano, avant que le clou ne
ferme? »

Le *Feldkurat* fit un geste désespéré, et un instant
après les déménageurs procédaient à leur besogne.

Revenu du mont-de-piété, Chvéïk trouva son
maître assis devant la bouteille de brou de noix
et vociférant : on lui avait servi à midi une côtelette pas cuite.

Le *Feldkurat* était de nouveau à son affaire. Il

déclara à Chvéïk qu'à partir du lendemain il allait
commencer une vie nouvelle; que boire de l'alcool
était une preuve du matérialisme le plus vulgaire
et qu'il fallait revenir à la vie spirituelle.

Ses méditations philosophiques durèrent une
demi-heure. Il venait de déboucher la troisième bouteille de brou de noix, lorsque le marchand de
meubles se présenta. Le *Feldkurat* lui céda le canapé
pour un prix dérisoire et l'invita à rester un
moment pour faire un bout de causette avec lui.
Il fut très mécontent que le marchand s'excusât
de décliner son invitation, car il allait encore
passer chez un autre client pour une table de nuit.

« Je regrette de n'en avoir pas, fit le *Feldkurat*
d'un ton de reproche, mais qu'est-ce que vous voulez! on ne peut pas penser à tout, n'est-ce pas? »

Le marchand de meubles parti, c'est à Chvéïk
que le *Feldkurat* ordonna de lui tenir compagnie,
et avec lui qu'il but encore une autre bouteille. Il
disserta surtout des femmes et du jeu de cartes.

Les deux hommes restèrent attablés très longtemps. Le soir les surprit encore plongés dans leur
amical entretien.

Pendant la nuit un petit changement devait avoir
lieu. Le *Feldkurat* retomba dans son ivresse de la
veille et confondit Chvéïk avec une de ses connaissances. Il lui disait : « Ne vous en allez pas
encore; est-ce que vous vous souvenez du petit
officier roux du train? »

Cette idylle dura jusqu'au moment où Chvéïk déclara avec une énergie qui ne souffrait pas de
réplique :

« J'en ai soupé, tu vas maintenant te mettre au
lit et roupiller, c'est compris?

— T'emballe pas, mon chéri! tu vois bien, je
t'obéis, bégayait le *Feldkurat*. Tu te rappelles encore
le temps où on était ensemble en troisième, quand
je faisais tes devoirs de mathématiques? Tes parents
ont une villa à Zbraslav, ne me contredis pas. Vous
pouvez aller à Prague en bateau, malins. Vous
connaissez bien la Veltava. »

Chvéïk l'obligea à ôter ses souliers et à se désha-
biller. Il obéit mais grogna, faisant appel à des
témoins imaginaires.

« Vous avez vu, messieurs, dit-il debout devant
son armoire, comment je suis traité par ma famille.
Je ne veux plus connaître ma famille, décida-t-il
en s'installant sous la couverture. Même si le ciel
et la terre se liguaient contre moi, ils n'y feraient
rien, je ne veux plus connaître ma famille. »

La chambre à coucher retentit bientôt d'un ron-
flement d'enfer.

III

C'est dans ces premiers jours que Chvéïk passa
chez le *Feldkurat* que se place la visite qu'il fit à
son ancienne logeuse, Mme Muller. Chvéïk ne trouva
qu'une cousine de cette dernière, qui lui annonça,
en pleurant, que Mme Muller, elle aussi, avait été
arrêtée chez elle le jour même où elle avait conduit
son locataire devant la commission de recrutement,
dans l'île des Tireurs. Jugée par un tribunal militaire, la pauvre femme avait été envoyée au camp
de concentration des prisonniers militaires de Steinhof. Elle avait déjà écrit de là-bas à sa cousine,
à laquelle elle avait confié sa maison.

Chvéïk prit entre ses mains cette touchante relique et lut :

« Ma chère Anne, tout va très bien ici, surtout
rapport à la santé. La voisine du lit d'à côté est
toute rouge de... et nous avons ici aussi la petite...
A part ça, tout va au mieux. Le manger est très
abondant et nous ramassons des... de pommes de
terre pour en faire de la bonne soupe. J'ai appris
que M. Chvéïk était déjà... je te prie de t'informer
où ça lui est arrivé, parce que je voudrais bien
fleurir sa tombe, quand on en aura fini avec cette
guerre. J'ai oublié de te dire que j'ai mis au grenier
dans un coin une boîte avec un ratier, un tout
petit chiot. Mais il y a déjà plusieurs semaines qu'il
ne doit plus avoir eu à manger, il a mangé juste
le jour où les... sont venus me chercher. Par conséquent, je crois qu'il doit être aujourd'hui... la même
chose. »

La carte était sabrée par les lettres rouges de
l'estampille : *Zensuriert! K.u.K. Konzentrations-
lager, Steinhof.*

« Vous savez, le petit chien était vraiment crevé, sanglota la cousine de Mme Muller, et votre chambre, je crois que vous ne la reconnaîtriez plus. Je l'ai louée à des petites couturières, et elles en ont fait un vrai salon. Sur les murs il n'y a que des modes, et la fenêtre est pleine de fleurs. »

La cousine de Mme Muller écoutait à peine les consolations que Chvéïk lui prodiguait.

Tout en se lamentant, elle émit la supposition que Chvéïk était certainement déserteur, et en venant la voir il voulait son malheur. Elle finit par le déclarer une fripouille sans scrupules et le traita en conséquence.

« C'est rigolo, tout ce que vous me dégoisez maintenant, railla Chvéïk, ça me plaît. Eh bien, sachez-le, m'ame Kejr, vous avez raison, j'ai foutu le camp et me voilà déserteur... Mais, vous savez, ça n'a pas été si facile que ça, il a fallu que je descende à peu près quinze gendarmes et sergents... Surtout, *motus,* hein!... »

Et Chvéïk s'éloigna de son foyer qui ne voulait plus de lui, en disant :

« J'ai donné à la blanchisserie quelques cols et plastrons, vous serez bien aimable, m'ame Kejr, d'aller les chercher quand vous aurez un petit moment. J'en aurai besoin en civil. Vous ferez aussi attention, s'il vous plaît, à mon costume dans l'armoire, que les mites ne me le bouffent pas. Vous direz aussi bonjour de ma part à ces demoiselles qui couchent dans mon lit. »

Chvéïk dirigea ses pas vers le *Calice,* Lorsqu'elle l'aperçut, Mme Palivec déclara qu'elle ne lui servirait rien du tout, car il venait certainement de déserter.

« Mon mari, dit-elle en recommençant à débiter la vieille histoire, avait été si prudent, et le voilà en prison, — et pour rien du tout, le pauvre homme! Et dire qu'il y a des gens qui se promènent comme ils sortiraient de boire une bière et qui fichent le camp du régiment! Vous savez que la semaine dernière, on a encore demandé après vous. »

Plein d'intérêt, un vieux serrurier qui écoutait

la conversation s'approcha de Chvéïk et lui souffla à l'oreille :

« Attendez-moi dehors; j'ai quelque chose à vous dire. »

Dans la rue, les deux hommes se comprirent tout de suite. Le serrurier s'obstinait à prendre au sérieux les paroles de Mme Palivec sur la désertion de Chvéïk.

Chvéïk protesta, mais en vain. Le serrurier lui confia que son fils avait déserté aussi et se cachait chez une tante à Jasena près de Josefov. Et il serra la main de Chvéïk en lui insinuant dans la paume un billet de vingt couronnes.

« C'est pour vos premiers besoins, dit-il en poussant Chvéïk dans un restaurant de vin qui tenait le coin de la rue, je vous comprends si bien! vous n'avez rien à craindre avec moi. »

Chvéïk revint tard dans la nuit chez le *Feldkurat* qui, lui, n'était pas encore rentré.

Il arriva le matin seulement, réveilla Chvéïk et lui dit :

« Demain, nous disons une messe au camp. Tâchez de faire du café au rhum. Ou plutôt, faites un grog : j'aime autant ça, d'ailleurs. »

XI

CHVÉÏK SERT LA MESSE AU CAMP

I

C'EST toujours au nom d'une divinité bienfaisante, sortie de l'imagination des hommes, que se prépare le massacre de la pauvre humanité.

Avant de couper le cou à un prisonnier de guerre, les Phéniciens célébraient un service divin assez semblable à celui que célébraient encore leurs descendants quelques milliers d'années plus tard avant d'aller se battre.

Les anthropophages des îles de la Guinée et de la Polynésie, avant de manger dans un festin solennel leurs prisonniers de guerre ou les gens qui les incommodent — missionnaires, explorateurs, négociants ou simples curieux —, sacrifient à leurs dieux selon des rites divers. Notre civilisation ne s'introduisant chez eux qu'au ralenti, ils ne revêtent point de chasubles, mais ornent leurs reins de plumes de couleurs éclatantes.

Aux temps de la Sainte Inquisition, avant de mettre le feu au bûcher, on célébrait le service divin le plus solennel, la grande messe chantée.

A chaque exécution d'un condamné à mort assiste un prêtre qui l'obsède de sa présence.

En Prusse, le pasteur escorte le malheureux jusqu'à la hache; en France, le prêtre l'accompagne au pied de la guillotine; en Amérique, le condamné, auquel le fauteuil électrique tend le bras, est également flanqué d'un prêtre; en Espagne, un ecclésiastique est indispensable à une pendaison; en Russie, un pope barbu honore de sa présence l'exécution des révolutionnaires, etc.

Et en tous ces lieux les serviteurs des Eglises brandissent leur crucifix comme pour dire : « On va te couper ta tête, on va te pendre, on va t'égorger, ton corps va être traversé par 15 000 volts, mais ta souffrance n'est rien du tout auprès de celle du Crucifié. »

Et les abattoirs de la Grande Guerre n'ont pu fonctionner non plus sans la bénédiction des prêtres. Les aumôniers de toutes les armées chantèrent la messe pour la victoire des maîtres dont ils mangeaient le pain.

Les exécutions des soldats mutinés ne pouvaient avoir lieu sans prêtres, non plus que celles des légionnaires tchèques, faits prisonniers par l'Autriche.

Rien de changé depuis le temps où un brigand du nom d'Adalbert, alias « le Saint », un sabre dans une main et un crucifix dans l'autre, contribua vigoureusement à noyer dans leur sang les Slaves de la mer Baltique.

En Europe, les gens marchaient comme du bétail aux abattoirs où les conduisaient — dignes auxi-

liaires des empereurs bouchers, des rois et des
généraux — les prêtres de toutes les religions, qui
leur donnaient leur bénédiction et leur faisaient
jurer que « sur terre, sur mer, dans les airs, etc. »

Les messes du camp avaient toujours lieu en
deux occasions spéciales : avant le départ des soldats pour le front, et, au front même, avant la tuerie.
Je me rappelle qu'au front, à une de ces messes, un
aéroplane ennemi jeta une bombe juste sur l'aumônier, dont il ne subsista que des loques sanglantes.

Il passa aussitôt martyr, tandis que les aéroplanes
autrichiens faisaient de leur mieux pour procurer
cette même béatitude immortelle à des aumôniers
de l'autre côté du front.

L'aventure de notre aumônier nous amusa beaucoup et sur la croix provisoire, plantée à l'endroit
où reposaient ses restes, on put lire un matin l'épi-
taphe suivante :

Ce qui arrive à tous, t'est arrivé à toi
Qui promettais le ciel à ceux qui n' sont pas lâches.
Comme une tuile tombant du haut d'un toit,
La bombe t'écrasa ne laissant qu'un' pauv' tache.

II

Chvéïk prépara un grog qui « était un peu là »
et dépassait de loin ceux dont les vieux matelots
ont le secret. Celui-ci était digne de rincer le gosier
des pirates du XVIIIᵉ siècle.

Le *Feldkurat* en fut enchanté.

« Où avez-vous appris à faire des choses aussi
épatantes? demanda-t-il.

— En voyageant, répondit Chvéïk; c'est à Brême
qu'un vieux cochon de matelot m'a appris. Il m'a
dit cent fois qu'un grog devait être assez fort pour
que celui qui l'avait bu, s'il lui arrivait de tomber
à la mer, fût capable de nager sans bouger un doigt
à travers toute la Manche; tandis qu'avec un grog
pas assez fort dans le ventre, les buveurs étaient
sûrs de se noyer comme un chiot.

— Avec un grog comme ça dans le corps, Chvéïk,

notre messe ira toute seule, approuva le *Feldkurat;*
je crois que je serai même en forme pour faire un
discours d'adieux aux soldats. Une messe au camp
n'est pas quelque chose d'aussi drôle que dans la
chapelle de la prison de la place, ou qu'un sermon
pour les canailles qui l'écoutent. A une messe pareille, on ne triche pas, il faut avoir les idées nettes.
Notre autel de campagne, nous l'avons, c'est toujours ça. Il est pliant, un très chic exemplaire de
poche. Jesus Maria, Chvéïk! gémit-il en se bourrant
le front de coups de poing, mais nous sommes totalement idiots. Savez-vous où il est resté, notre autel
pliant? Dans le dessous du canapé qu'on a bazardé,
bonté divine!

— Ça, il n'y a pas, c'est un malheur, dit Chvéïk; je
connais bien le marchand, mais j'y pense, j'ai rencontré sa femme avant-hier. Elle m'a dit que son
mari était en prison à cause d'une armoire volée
qu'il avait achetée, et que notre canapé était maintenant chez un instituteur à Verchovice. Ça nous
fera toute une histoire, cet autel de camp. Ce que
je propose, c'est de boire encore un grog et de nous
mettre à sa recherche parce que, à mon avis, il est
impossible de dire une messe sans autel.

— C'est vrai, il nous faut absolument l'avoir! dit
le *Feldkurat* d'un ton désespéré; à part ça, tout est
prêt au champ de manœuvres. On a déjà planté
l'estrade. La monstrance, c'est le couvent de Brevnov qui nous doit la prêter. Pour ce qui est du calice, je dois avoir le mien, mais je ne sais plus ce
qu'il est devenu. »

Il réfléchit un instant et reprit :

« Supposons qu'il est perdu. Dans ce cas-là, je
pourrais demander au lieutenant Wittinger du 75e
de ligne sa fameuse coupe de sport. Dans le temps,
il prenait part à des courses à pied et il a une fois
gagné cette coupe comme premier prix offert par le
Sport Favori. C'était un champion comme on n'en
voit pas tous les jours. Il a fait, et d'ailleurs il s'en
vante assez, les quarante kilomètres du trajet
Vienne-Modling en une heure quarante-huit minutes. Je l'ai vu hier et c'est une affaire entendue
entre nous, il me prête sa coupe qui fera un calice
épatant. Il faut être un crétin comme moi pour re-

mettre toujours à la dernière minute des prépara-
tifs comme ça. Mais c'est bien fait pour moi. J'ai
eu tort de ne pas ouvrir le compartiment du canapé
avant de m'en séparer. »

Sous l'influence de la recette du vieux cochon de
matelot, expert en grogs, il se livra à un véritable
examen de conscience, se décernant les titres les
plus variés du règne animal et végétal.

« Il s'agira de se grouiller pour remettre la main
sur votre autel de camp, dit Chvéïk; il fait déjà
jour. Je vais mettre mon uniforme et m'appliquer
encore un grog. »

Ils partirent enfin. En route, le *Feldkurat* raconta
à Chvéïk qu'il avait gagné la veille beaucoup d'argent aux cartes et que, si tout marchait bien, il
pourrait bientôt dégager son piano du mont-de-
piété.

Dans des moments comme celui-là, le *Feldkurat*
avait l'optimisme des païens toujours prêts à pro-
mettre des offrandes à leurs dieux, pour le cas où
ceux-ci feraient réussir leur entreprise.

A moitié endormie, la femme du marchand de
meubles leur donna l'adresse de l'instituteur, récent
propriétaire du canapé. En récompense, le *Feldkurat* fit preuve d'une prodigalité remarquable : il
ne dédaigna pas de pincer la joue de la marchande
et de la chatouiller sous le menton.

Tous deux partirent pour Verchovice, à pied, car
le *Feldkurat* avait déclaré qu'il voulait prendre un
peu l'air, afin de changer ses idées.

Une légère surprise les attendait. L'instituteur
ayant examiné le contenu du meuble le jour même
où il l'avait acheté et y ayant découvert l'autel,
avait cru à une manifestation de la volonté divine :
en donateur généreux, il l'avait offert à l'église de
Verchovice, le munissant de l'inscription suivante :
« Don de François Kolarik, instituteur retraité, en
l'an de grâce 1914, pour l'honneur et la plus grande
gloire de Dieu. » Il resta donc perplexe devant la
réclamation du *Feldkurat* qui l'avait trouvé dans le
plus intime négligé.

Les paroles de l'instituteur laissaient deviner qu'il
avait tenu sa découverte pour miraculeuse, un aver-
tissement de Dieu. Il raconta qu'une voix intérieure

l'avait incité à fouiller le canapé, voix qui lui disait : « Va et regarde ce qu'il y a dans le compartiment. » Ce songe lui aurait aussi montré un ange lui donnant cet ordre péremptoire : « Ouvre tout de suite le compartiment du canapé! » Il lui avait obéi.

En y voyant l'autel à trois parties avec une voûte pour le tabernacle, le brave homme était tombé à genoux et dans une copieuse prière avait remercié le Bon Dieu de lui faire connaître ainsi sa volonté d'embellir l'église de Verchovice.

« Tout ça, je m'en moque, répondit le *Feldkurat;* vous avez trouvé une chose qui ne vous appartenait pas : il fallait la porter au commissariat de police au lieu d'en faire cadeau à une sacrée sacristie.

— Avec votre miracle, ajouta Chvéïk, vous pouvez avoir pas mal de fil à tordre. Ce que vous avez acheté, c'est un canapé et pas un autel militaire. Fallait pas vous en laisser accroire par les anges. Vous me rappelez un type de Zhor qui, en labourant son champ, avait trouvé un calice qu'un voleur devait y avoir caché en attendant qu'on ait oublié son sacrilège. Ce type, qui était dans votre genre, avait reconnu aussi là-dedans le doigt de Dieu, et, au lieu de fondre le calice pour en vendre l'or, s'en est allé trouver le curé dans l'intention d'offrir l'objet à l'église. Bonne idée, mais le curé a eu ses soupçons et, prenant le type pour le voleur qui serait revenu poussé par les remords, il l'a dénoncé au maire, et le maire aux gendarmes. A la fin des fins, malgré son innocence, il a été condamné pour sacrilège, surtout qu'il avait des miracles plein la bouche. Pour essayer de s'en tirer, il a cru malin de débiter des blagues sur les anges, et il a mêlé la Sainte Vierge à cette histoire; total, dix ans de prison. Vous, ce que vous avez de mieux à faire, c'est de nous accompagner chez le curé pour qu'il nous rende un objet qui est la propriété de l'armée. Un autel de campagne, ce n'est pas un chat ou un bas russe, qu'on le distribue au premier venu. »

En s'habillant, le vieil instituteur tremblait de tout son corps et claquait des dents.

« Je n'avais aucune mauvaise intention, messieurs, en vérité, je vous le jure! J'avais cru seulement obéir à la volonté de Dieu en enrichissant d'un ornement notre pauvre église de Verchovice.

— Sur le dos de l'Intendance militaire, bien entendu, dit Chvéïk brutalement. Merci pour une volonté de Dieu comme ça. Un certain Pivonka de Chotebor avait cru aussi au doigt de Dieu, la fois qu'il avait trouvé sur la route un collier de vache et que ce collier entourait justement le cou d'une vache que personne ne gardait. »

Le pauvre vieil instituteur fut totalement affolé par ces paroles et renonça à se défendre; il ne pensait plus qu'à se vêtir au plus vite pour régler cette affaire pénible.

Les trois hommes trouvèrent le curé de la paroisse de Verchovice plongé dans un profond sommeil. Réveillé en sursaut, il pensa qu'on l'appelait pour administrer un malade et se mit à crier.

« Est-ce qu'ils ne me laisseront jamais la paix avec leur extrême-onction! monologua-t-il en s'habillant à contrecœur; ne peuvent-ils choisir pour mourir que le moment où je dors enfin! Et avec ça, ils oseront encore marchander. »

Le représentant du Bon Dieu auprès des civils catholiques de Verchovice et le représentant de Dieu ici-bas et auprès des autorités de l'armée, se rencontrèrent dans l'antichambre.

En somme, la question se réduisait à un différend entre un civil et un militaire.

D'une part le curé affirmait que le dessous d'un canapé n'était pas un endroit où loger un autel de campagne, d'autre part le *Feldkurat* opinait que la place d'un autel de ce genre était encore moins dans une église exclusivement fréquentée par des civils.

Chvéïk jugea nécessaire d'émettre quelques observations. Il trouvait par exemple qu'il était très facile pour une pauvre église de s'enrichir comme ça aux dépens de l'Intendance militaire. Il eut soin de prononcer le mot « pauvre » entre guillemets.

Ils se rendirent enfin à la sacristie et le curé restitua l'autel pliant contre ce reçu en règle :

Je soussigné, déclare avoir reçu un autel de campagne, qui était arrivé par hasard dans l'église de Verchovice.

L'aumônier militaire : OTTO KATZ.

L'autel de campagne sortait des ateliers de la maison juive Moritz Mahler à Vienne, fabricante d'objets nécessaires à la messe et d'articles de piété, comme, par exemple, chapelets et images saintes.

Comme toute pompe de l'Eglise, cet autel, composé de trois parties, brillait d'oripeaux criards.

Sans se fier à son imagination, personne n'aurait pu deviner ce que représentaient les images décorant les trois panneaux. Elles donnaient seulement l'impression de pouvoir servir aussi bien aux ministres de quelques cultes païens dans le Zambèze qu'aux Chamans des Bouriates et des Mongols.

Peint avec vulgarité, il ressemblait de loin à un de ces tableaux colorés dont se servent les médecins des compagnies de chemins de fer pour découvrir les employés daltonistes.

Une figure dominait, espèce d'être humain portant une auréole, nu et de couleur verdâtre, comme le croupion de l'oie quand il est au premier degré de décomposition et commence à embaumer.

Flanqué de deux côtés par un personnage ailé censé représenter un ange, cet homme saint et nu ne supportait qu'avec horreur la compagnie que le peintre lui avait donnée, car les deux anges avaient l'aspect de dragons de contes de fées : c'était un ambigu de chat sauvage ailé et de bête d'Apocalypse.

Le deuxième panneau devait figurer la Sainte-Trinité. Pour la colombe, le peintre ne risquait rien. Il avait simplement retracé un oiseau qui pouvait être une colombe tout aussi bien qu'une poule de la race de wyandottes blanches.

Mais, ce qui était propre à épouvanter, c'était Dieu le Père qui avait les traits d'un de ces sauvages brigands de l'Ouest qui sévissent dans les films américains.

Le Fils, tout au contraire, apparaissait jeune, allègre et bien portant, doué d'un embonpoint assez florissant et couvrant sa nudité d'une sorte de caleçon de bain. Il avait tout d'un *sportsman*. Il soutenait sa croix d'un geste d'une suprême élégance comme s'il tenait une raquette de tennis.

De loin, tout se fondait en une tache évoquant l'entrée d'un train dans une gare.

Quant au troisième panneau, il était absolument impossible d'en comprendre le sujet.

Les opinions, à son propos, des soldats exposés à contempler ce chef-d'œuvre tout le long d'une messe, étaient partagées et s'égaraient dans les suppositions les plus fantaisistes. Un soldat reconnut un jour dans cette peinture un paysage de la Sazava.

Une inscription au bas du panneau limitait seule les conjectures. On y lisait : « *Heilige Maria, Mutter Gottes, erbarme Dich unser* [1]. »

Chvéïk héla un fiacre, y installa l'autel et le *Feldkurat*, et monta lui-même à côté du cocher.

Le cocher était une âme subversive. Il se permettait des remarques très désobligeantes sur « la victoire des armes autrichiennes », disant par exemple : « Ce qu'on vous a balancés de Serbie, là-bas, non, quelle vitesse! »

A l'octroi, Chvéïk répondit à l'employé qui lui demandait ce qu'il y avait dans la voiture :

« La Sainte-Trinité et la Vierge avec mon *Feldkurat*. »

Pendant ce temps-là les compagnies prêtes à partir pour le front attendaient avec impatience l'arrivée du *Feldkurat*. Mais celui-ci était loin d'avoir rassemblé tout ce qui lui manquait encore pour la cérémonie. Aussi la voiture les conduisit-elle sans désemparer chez le lieutenant Wittinger qui devait prêter sa coupe de sport; il fallait aussi s'arrêter au couvent de Brevnov pour y prendre la monstrance et le ciboire, ainsi qu'une bouteille de vin de messe.

« Tu comprends, dit Chvéïk au cocher, ça a l'air d'un travail à la va comme je te pousse, mais il y a tant de fourbis qu'on ne peut pas penser à tout. »

Et il n'avait que trop raison, car, arrivant au champ de manœuvres, au pied de l'estrade où devait se dresser l'autel, le *Feldkurat* s'aperçut qu'il était dépourvu d'enfant de chœur...

Le *Feldkurat* avait coutume de confier ces fonctions à un fantassin, téléphoniste du génie, mais celui-ci avait préféré aller au front.

« Ça ne fait rien, monsieur l'aumônier, lui dit Chvéïk, je peux bien le remplacer. »

1. « Sainte Marie, mère de Dieu, ayez pitié de nous. »

— Et est-ce que vous vous y connaissez au moins?

— Non, monsieur l'aumônier, mais il faut toujours essayer tout. C'est la guerre et aujourd'hui des gens font certaines choses auxquelles ils n'auraient jamais pensé auparavant. Je ne suis pas assez bête pour ne pas savoir lâcher un *et cum spiritu tuo* en réponse à votre *Dominus vobiscum*. C'est pas si difficile que ça de tourner autour de vous comme un chat autour d'une assiette de purée chaude. Et je suis parfaitement capable de vous laver les mains et de vous verser du vin de la burette...

— Ça pourra aller, dit le *Feldkurat,* mais je vous préviens qu'avec moi il faut mettre du vin aussi dans la burette à eau; occupez-vous-en tout de suite, voulez-vous? Du reste, je vous ferai toujours signe de passer à droite ou à gauche, suivant que j'aurai besoin de vous. En sifflant — tout bas, bien entendu — une fois, ça voudra dire « à droite »; en sifflant deux fois, ce sera « à gauche ». Quant au livre de messe, pas la peine de le transbahuter tout le temps, enfin, vous verrez. En somme, tout ça, c'est une bonne farce. Vous n'avez pas le trac?

— Je ne crains rien au monde, pas même quand je dois servir la messe. »

Le *Feldkurat* avait raison en disant que tout cela n'était pour lui qu'une bonne farce.

Tout marcha comme par enchantement.

Le discours du *Feldkurat* fut très succinct.

« Soldats, dit-il, avant votre départ pour le front, nous nous rassemblons ici pour élever nos cœurs vers Dieu, pour le prier de nous donner la victoire et de nous garder sains et saufs. Je ne veux pas vous retenir plus longtemps et je vous souhaite très bonne chance.

— Repos! » commanda le vieux colonel.

Les messes de camp portent ce nom parce qu'elles sont régies par les mêmes lois que les opérations en campagne. Pendant la guerre de Trente Ans elles se distinguaient par leur longue durée, sans doute en proportion avec la durée de la guerre.

D'accord avec la tactique contemporaine qui exige que les mouvements des armées soient prestes et

rapides, les messes de camp doivent nécessairement
obéir au même rythme.

Celle du *Feldkurat* dura juste dix minutes. Les
soldats les plus rapprochés de l'autel furent très
étonnés de s'apercevoir que l'officiant sifflait.

Chvéïk mit beaucoup d'adresse à évoluer suivant
les signaux convenus, passant de la gauche à la
droite de l'autel, et ne disant autre chose que « *Et
cum spiritu tuo* ».

Ces trémoussements évoquaient une danse indienne autour de la pierre du sacrifice. Ils eurent
cependant l'effet salutaire de faire passer aux soldats l'ennui que leur inspirait le morne et poussiéreux champ de manœuvres avec une allée de pru-
niers à l'horizon et, malheureusement beaucoup
moins loin, une rangée de latrines qui exhalaient
leur odeur, destinée sans doute à remplacer le par-
fum des encensoirs.

Les soldats rigolaient ferme. Les officiers groupés
autour du colonel se racontaient des petites histoires piquantes. De temps en temps on entendait
un des hommes dire :

« Passe-moi une bouffée. »

Et la fumée des cigarettes montait vers le ciel
comme la fumée d'un bûcher rituel. Comme le colonel avait allumé un cigare, tous les sous-officiers
l'imitèrent.

Enfin, le commandement strident de *Zum Gebet*[1]
perça l'air poussiéreux, et tout le carré d'uniformes
gris plia le genou devant la coupe de sport du lieutenant Witinger.

Le calice était rempli à ras bord, et le geste énergique qu'eut le *Feldkurat* pour le vider suscita dans
l'opinion publique une réaction exprimée par la
phrase suivante :

« Comme il y est allé pour s'envoyer son pi-
nard! »

Le *Feldkurat* refit encore par deux fois son geste
si suggestif. Par deux fois aussi, le commandement
« A la prière! » retentit aux oreilles des soldats, et
la musique entonna enfin « Dieu protège notre Empereur... » La messe était finie.

---

1. « A la prière! »

« Ramassez-moi tous ces trucs, dit le *Feldkurat*
à Chvéïk en montrant du doigt l'autel pliant, la
monstrance, le ciboire et le « calice »; il s'agit de
rendre les objets prêtés. »

Le cocher, loué pour toute la matinée, les recon-
duisit chez leurs « fournisseurs » qui rentrèrent en
possession de leur bien, à l'exception cependant de
la bouteille de vin.

De retour au logis, après avoir invité le cocher à
se faire payer au commandement de la place de
Prague, Chvéïk demanda au *Feldkurat* :

« Je vous déclare avec obéissance, monsieur l'aumônier, que je voudrais bien vous poser une question : Est-ce que l'enfant de chœur doit être de la
même confession religieuse que l'officiant?

— Parbleu, répondit le *Feldkurat*, sans cela la
messe est nulle.

— Dans ce cas, monsieur l'aumônier, il est arrivé
un accident bien regrettable, car moi, je suis sans
confession. C'est bien ma guigne, ça! »

Le *Feldkurat* observa Chvéïk quelque temps sans
rien dire. Puis, il lui frappa l'épaule et lui dit :

« Je vous autorise à finir le vin de messe, il en
est resté un peu dans la bouteille; quand vous l'aurez
bu, vous pouvez vous considérer comme rentré dans
le sein de l'Eglise. »

XII

CONTROVERSE RELIGIEUSE

Or, il arrivait à Chvéïk de rester des jours entiers
sans nouvelles de ce pasteur de brebis militaires. Le
Feldkurat partageait son temps entre les devoirs de
son état et la noce; il revenait à son domicile sale,
non lavé, déconfit comme un chat qui rentre au coin
du feu après une excursion nocturne et amoureuse
sur les toits.

A ses retours intermittents, lorsqu'il n'était pas

trop abruti pour parler, il aimait, avant de s'endormir, à discourir avec Chvéïk d'idéal élevé, de noble élan, de pure joie que lui procurait la pensée.

Il essaya souvent de l'exprimer en vers et citait Henri Heine.

Chvéïk eut l'honneur de servir encore une fois une messe de camp, célébrée, celle-là, pour le départ au front d'un bataillon de sapeurs.

A cette occasion, on avait convoqué, par mégarde ou par précaution, un second *Feldkurat,* ancien professeur de religion dans un lycée et homme fort dévot, qui ne cacha pas son étonnement lorsque son collègue l'engagea à boire un coup de cognac à même la gourde que Chvéïk emportait toujours soigneusement remplie, dans chacune de leurs missions.

« C'est une marque excellente, avait dit le maître de Chvéïk à l'aumônier ahuri; buvez-en une gorgée et retournez à vos affaires, je m'arrangerai sans vous; j'ai rudement besoin de prendre un peu d'air frais, parce que j'ai mal aux cheveux. »

Le pieux *Feldkurat* s'en alla en hochant la tête et Katz remplit brillamment sa tâche comme toujours.

Pour la transsubstantiation, il se servit cette fois-ci de *Weinspritz,* et le sermon fut un peu plus long, car un mot sur trois était suivi par un *et cætera* et un « évidemment ».

« Soldats, dit-il, vous partez aujourd'hui pour le front, *et cætera.* Elevez vos cœurs *et cætera* vers Dieu, évidemment. Vous ne savez évidemment pas ce que vous allez devenir, *et cætera.* »

Le sermon continuait sur ce ton. Le courant d'*et cætera* et d' « évidemment » s'arrêtait parfois pour laisser passer des « nom de Dieu » et les noms de tous les saints.

Dans son élan oratoire, le *Feldkurat* ne manqua pas de conférer l'auréole au prince Eugène, devenu le saint patron des sapeurs, toujours prêt à leur venir en aide, sur le champ de bataille, pour la construction d'un ponton dangereux.

La messe fut cependant achevée sans autre scandale, ayant fort diverti les soldats qui y assistaient.

Un incident se produisit au moment où, le *Feldkurat* et Chvéïk montant dans le tramway pour re-

tourner chez eux, le conducteur leur refusa d'ac-
cueillir dans la voiture leur autel pliant.

« Rouspète pas, ou je t'abîme la figure avec ce
malheureux innocent de saint! » dit Chvéïk en bran-
dissant l'autel plié sous le nez du conducteur.

Arrivés enfin à la maison, ils constatèrent qu'ils
avaient perdu le tabernacle.

« Ça n'a aucune importance, déclara Chvéïk; les
premiers chrétiens disaient bien leurs messes sans
se servir du tabernacle. Si nous déclarions la perte
à la police, quelqu'un d'honnête qui l'aura certainement retrouvé viendra demander une récompense.
Un soldat de mon régiment de Boudéïovice, une
tourte comme on n'en fait plus, avait trouvé une
fois six couronnes dans la rue, et il est allé les remettre au commissariat de police. Les journaux en
ont parlé, bien entendu, et cet imbécile d'honnête
homme a été ridiculisé à jamais. Personne ne voulait plus le connaître; tout le monde lui disait : « Il
« faut être idiot pour faire une stupidité comme ça,
« c'est honteux! Si tu as un tout petit peu d'hon-
« neur dans le corps, tu passeras ta vie à t'en re-
« pentir. » Il courtisait une bonniche qui a rompu
avec lui aussitôt qu'elle a su sa bêtise. Quand il est
revenu en permission dans son patelin, ses camarades l'ont mis à la porte de chez le bistrot. Il a
commencé à dépérir, sa gaffe ne lui sortait pas de
la tête, et à la fin du compte il s'est jeté sous le
train. Il y avait aussi dans notre rue un tailleur qui
a trouvé un jour une bague en or. On a eu beau lui
conseiller de prendre garde à la police et de ne pas
être assez bête pour y reporter l'objet, il n'a voulu
écouter personne. Au commissariat, on l'a très bien
accueilli, en lui disant que la perte d'une bague de
brillants y avait été déjà signalée, mais ils n'ont pas
plus tôt examiné la pierre qu'ils l'ont attrapé :
« Dites donc, vous, ce n'est pas un brillant, ça,
« c'est du verre! Combien avez-vous touché pour la
« pierre que vous avez enlevée, hein? Des honnêtes
« gens comme ça, nous les connaissons bien, ce
« n'est pas encore vous qui nous la ferez. » A la
fin, la chose s'est expliquée parce qu'il s'est amené
là un autre type qui avait perdu une bague avec
une pierre fausse, un bijou de famille, mais le tail-

leur a fait tout de même trois jours de prison pour
outrages aux agents. Quand il en est sorti, il a reçu,
comme récompense, dix pour cent de la valeur de
cette camelote, c'est-à-dire une couronne vingt
hellers, et il était si excité qu'il a jeté les deux
pièces à la tête du monsieur à qui la bague appartenait. Alors, celui-ci a porté plainte pour injures
et le tailleur a été encore condamné à dix couronnes d'amende. Après son histoire, il racontait
dans tout le quartier que les gens assez bêtes pour
rapporter un objet trouvé mériteraient vingt-cinq
coups de trique sur les fesses, et qu'on tape dessus
jusqu'à ce qu'ils deviennent tout noirs, et cela sur
la place publique, pour que tout le monde en prenne
bonne note et qu'il n'y ait pas de danger qu'on
suive leur exemple. Je crois que celui qui aura
trouvé notre tabernacle ne nous le rapportera pas,
même s'il y voit le numéro de notre régiment, et
peut-être bien à cause de ça, justement, pour n'avoir
pas d'embêtement avec les militaires. Il le jettera
certainement à l'eau. Hier soir, j'ai vu à la *Couronne
d'or* un type de la campagne, qui avait l'air d'avoir
cinquante-six ans. Ce malheureux était allé demander à l'administration du district, à Nova Paka,
pourquoi on avait réquisitionné sa voiture. L'administration l'a foutu à la porte, et il s'en allait
chez lui quand il a vu sur la place un convoi militaire. Il s'est arrêté pour regarder un peu les chevaux, et voilà qu'un jeune homme lui a demandé
de garder une minute sa voiture, le temps d'aller
faire une course. Il n'est jamais revenu, et le vieux
a dû rester à côté de la voiture. Il ne lui a servi de
rien d'expliquer que ce n'était pas lui le cocher
réquisitionné : on l'a obligé à conduire la voiture
jusqu'en Hongrie, et il serait arrivé probablement
en Serbie, si l'idée ne lui était pas venue de faire
comme l'autre et de lâcher la voiture à son tour. Il
m'a dit hier qu'il ne lui arriverait plus jamais
d'avoir le moindre rapport avec des effets de propriété militaire. »

Le soir ils eurent la visite de l'autre *Feldkurat*
qui était venu dans la matinée au champ de ma-

nœuvres pour dire la messe aux sapeurs. C'était un fanatique qui ne pensait qu'à rapprocher de Dieu toutes les âmes qui lui tombaient sous la main. Du temps qu'il était professeur de religion, il inspirait des sentiments de piété à ses élèves en les giflant : on avait l'occasion de lire dans les journaux des entrefilets sous le titre « Une brute » ou « Un professeur de religion qui prêche à coups de gifles ». Il était convaincu que le seul moyen d'enseigner la religion aux élèves était d'user du bâton.

Il boitait d'une jambe, à la suite d'une discussion animée qu'il avait eue un jour avec le père d'un enfant giflé par lui, parce qu'il doutait de la Sainte-Trinité. Le professeur lui avait donné trois gifles : une pour le Père, la deuxième pour le Fils, la troisième pour le Saint-Esprit.

Ce fougueux apôtre était venu ce jour-là rendre visite à son collègue Katz afin de toucher son âme indocile et de le remettre dans le droit chemin. Il commença ainsi : « Je suis très étonné de ne pas voir chez vous un crucifix. Je me demande où vous pouvez bien lire votre bréviaire. Et pas une seule image de saints aux murs de votre chambre. Qu'est-ce qui pend là au-dessus de votre lit? »

Katz sourit et dit :

« C'est *Suzanne au bain,* et, cette femme nue que vous voyez au-dessous, c'est mon ancienne connaissance. À droite, vous apercevez une estampe japonaise représentant les amours d'une geisha et d'un vieux samouraï. Très original, n'est-ce pas? Le bréviaire, je l'ai dans la cuisine. Chvéïk, apportez-le et ouvrez-le à la page trois. »

Chvéïk alla à la cuisine et on entendit trois fois de suite le bruit d'une bouteille débouchée.

Le dévot personnage fut littéralement pétrifié, lorsqu'il s'aperçut que Chvéïk mettait sur la table trois bouteilles de vin.

« C'est du vin de messe très léger, cher collègue, dit Katz, du *ryzlink* de qualité supérieure. Il a le goût d'un petit Moselle.

— Je n'en boirai pas, répondit le dévot, je suis venu pour vous parler du salut de votre âme.

— Vous aurez la gorge desséchée, cher collègue, dit Katz d'un ton insinuant; faites-nous l'honneur de trinquer avec nous et je vous écouterai bien sagement. Je suis un homme tolérant, je respecte toutes les opinions. »

L'homme trempa ses lèvres dans le verre, ce qui lui fit sortir les yeux de la tête.

« Epatant, ce vin, n'est-ce pas, cher collègue? Vous ne trouvez pas, bon sang? »

Le fanatique répondit rudement :

« Je m'aperçois que vous jurez.

— C'est l'habitude, riposta Katz; je me surprends souvent même à blasphémer. Chvéïk, versez du vin à M. l'aumônier. Je puis vous assurer également que je dis à chaque instant : *Himmelherrgott, Kruzifix* et « cré Bon Dieu ». Quand vous serez aussi vieux que moi dans le service, vous ferez tout pareil. Ce n'est ni difficile ni compliqué, et toutes ces expressions nous sont déjà familières, à nous autres, aumôniers militaires; n'avons-nous pas sans cesse à la bouche les mots : ciel, Dieu, croix et saint sacrement? Par qui seraient-ils prononcés, sinon par des gens du métier comme nous? Buvez donc, cher collègue. »

Machinalement, l'ancien professeur de religion leva et vida son verre. Il aurait bien voulu dire un mot, mais pas moyen. Il se contenta de rassembler ses idées.

« Mon cher collègue, reprit Katz, je vous en prie, ne prenez pas cet air sinistre de l'homme qui doit être pendu dans cinq minutes. Voyons. J'ai entendu raconter qu'un vendredi, au restaurant, vous aviez mangé une côtelette de porc, croyant qu'on était jeudi, et que quelques minutes plus tard, à la toilette, persuadé que le Bon Dieu allait vous exterminer, vous vous êtes introduit les dix doigts dans la bouche pour pouvoir rendre le morceau. Moi, je ne vois aucun mal à manger de la viande les jours de jeûne. et l'enfer ne m'empêche pas du tout de dormir. Pardon, buvez, je vous en prie, ne faites pas de façons. Voilà. Comme ça? Ça va beaucoup mieux, n'est-ce pas? A propos de l'enfer : votre opinion est-elle d'accord avec l'esprit des temps nouveaux, avec les réformistes? Pour moi, l'enfer est un endroit où, à la place des chaudières démodées, remplies de soufre, on trouve d'énormes marmites de Papin, des chaudières spéciales à grand nombre d'atmosphères; les pêcheurs y rôtissent dans la margarine, y grillent à petit feu électrique, on les lamine pendant des milliers d'années, les dentistes se chargent de leur faire grincer des dents : les gémissements sont enregistrés au gramophone et on envoie les disques au ciel pour réjouir les âmes des bienheureux. Au paradis, il y a de grands vaporisateurs d'eau de Cologne, mais on y joue tellement de Brahms que c'est à vous dégoûter de la musique et qu'on finirait par préférer l'enfer et le purgatoire. Les chérubins ont leur petit postérieur muni d'une hélice d'aéroplane, pour ne pas trop fatiguer leurs ailes. Buvez, cher collègue, et vous, Chvéïk, versez du cognac à M. l'aumônier; vous ne voyez donc pas qu'il n'est pas bien? »

Lorsque le dévot personnage se fut un peu remis, il murmura :

« La religion, c'est une question de raisonnement pur et simple. Celui qui ne croit pas à la Sainte-Trinité...

— Chvéïk, dit Katz en lui coupant la parole, versez encore un cognac à M. l'aumônier pour le retaper. Et dites-lui quelque chose, vous, Chvéïk.

— Je vous déclare avec obéissance, monsieur l'aumônier, commença Chvéïk, que, pas bien loin de Vlachime, il y avait dans le temps un curé doyen qui, après que sa vieille gouvernante a eu décampé en emportant leur gosse et son argent, a pris seulement une femme de ménage. Alors, ce doyen, dans ses vieux jours, s'est mis tout d'un coup à étudier les œuvres de saint Augustin et il y a lu comme ça que celui qui croyait à l'existence des antipodes méritait d'être damné. Comme ça, il fait venir sa femme de ménage et lui dit : « Écoutez-moi bien, « vous m'avez raconté un jour que votre fils était « mécanicien et qu'il était parti pour l'Australie. « C'est donc qu'il se trouverait maintenant aux « antipodes, et saint Augustin dit que celui qui « croit à l'existence des antipodes mérite d'être « damné. — Mais, mon gracieux maître, que lui « répond la femme de ménage, mon fils m'envoie « de là-bas des lettres et de l'argent. — Ce sont « des pièges du démon! lui répond le doyen;

« d'après saint Augustin, il n'y a pas du tout d'Aus-
« tralie, c'est l'Antéchrist qui cherche à vous égarer
« par ses tentations. » Et le dimanche, du haut de
sa chaire, le doyen a maudit le fils et la mère en
criant à perdre haleine que l'Australie n'existait
pas. On l'a conduit directement de l'église dans une
maison de fous. Je ne dis pas qu'il n'y en a pas
d'autres qui devraient y être, il y en a pas mal dans
le même genre qui courent les rues. Dans le couvent
des Ursulines ils gardent un flacon du lait de la
Sainte Vierge du temps qu'elle allaitait le petit
Jésus, et dans un orphelinat près de Benechof on
avait fait venir une fois de l'eau de Lourdes, mais
les orphelins à qui on en avait fait boire ont attrapé
une diarrhée qu'on n'avait jamais rien vu de pareil. »

A ce moment, l'apôtre tourna de l'œil et ne revint
à lui-même qu'après l'absorption d'un verre de cognac; mais celui-ci eut aussi l'effet moins heureux
de lui monter à la tête.

Les yeux appesantis, le théologien demanda à
Katz :

« Vous ne croyez pas à l'Immaculée conception?
Vous ne croyez pas à l'authenticité du pouce de
saint Jean Népomucène qui se trouve chez les Pia-
ristes de Prague? Et, en somme, croyez-vous même
en Dieu? Et, si vous ne croyez pas, pourquoi vous
êtes-vous fait aumônier?

— Cher collègue, lui répondit Katz en lui frap-
pant familièrement sur le dos, aussi longtemps que
l'Etat jugera que les soldats qui s'en vont mourir
sur les champs de bataille ont besoin pour ça de
la bénédiction divine, le métier d'aumônier sera
assez bien rétribué, et il ne fatigue pas trop son
homme. Pour ma part, je le préférerai toujours à
l'obligation de courir les champs d'exercice et d'assister aux manœuvres, par exemple. De ce temps-là,
je dépendais toujours d'un ordre de mes supérieurs,
tandis que maintenant je suis mon propre maître à
moi, je fais ce que bon me semble. Je représente
quelqu'un qui n'existe pas et je suis mon Dieu à
moi tout seul. Quand il me plaît de ne pas pardonner ses péchés à quelqu'un, je ne les lui par-
donne pas, même s'il me supplie à genoux. Du

reste, les types qui seraient assez bêtes pour le faire sont bougrement rares.

— Moi, j'aime beaucoup le Bon Dieu, dit l'autre en hoquetant, je l'aime énormément. Donnez-moi un peu de vin. J'estime beaucoup le Bon Dieu, continua-t-il, je l'honore beaucoup et j'en fais grand cas. Il n'y a même personne que j'honore autant que lui. »

Il frappa si fort du poing sur la table que les bouteilles tressautèrent.

« Le Bon Dieu est d'une nature sublime, quelqu'un de supra-terrestre. Il est très honnête dans ses affaires personnelles. C'est comme une apparition en plein soleil, personne n'est capable de me réfuter. J'honore aussi beaucoup saint Joseph et enfin tous les saints, sauf saint Sérapion, à cause de son nom qui ne me revient pas.

— Il n'a qu'à faire une demande au gouvernement pour pouvoir en porter un autre, suggéra Chvéïk.

— J'aime bien aussi sainte Loudmila et saint Bernard, continua l'enthousiaste, il a sauvé beaucoup de pèlerins sur le Saint-Gothard. Il porte au cou une gourde de cognac, et tout son plaisir est de rechercher des gens ensevelis sous la neige. »

La conversation changea de sujet. L'apôtre s'exprimait avec désordre.

« J'honore les Innocents massacrés, ils ont leur fête le 28 décembre. Hérode, je le déteste. La poule qui dort tout le temps ne peut pas pondre d'œufs frais... »

Il éclata de rire et se mit à chanter un chant d'Eglise.

S'interrompant pour s'adresser à Katz, il lui demanda d'un ton tranchant :

« Vous ne croyez pas que le 15 août c'est la fête de l'Assomption de la Sainte Vierge? »

La soirée battait son plein. Trois bouteilles de vin apparurent encore sur la table et, par moments, s'élevait la voix de Katz :

« Dis que tu ne crois plus en Dieu, ou tu n'auras plus de vin. »

On aurait pu croire revenu l'âge de la persécutioon des premiers chrétiens. L'ancien professeur de religion avait entonné un cantique dont les martyrs remplissaient jadis les arènes de Rome, et criait :

« Je crois en Dieu, je ne le renierai pas. Tu peux garder ton vin. J'ai de l'argent pour en faire acheter. »

Enfin, on le mit au lit. Avant de s'endormir, il jura encore en levant sa main droite vers le ciel :

« Je crois au Père, au Fils et au Saint-Esprit. Apportez-moi mon bréviaire. »

Chvéïk lui mit en main un livre qui traînait sur la table de nuit. Et c'est ainsi que le pieux aumônier s'assoupit en tenant le *Décameron* de Boccace.

XIII

CHVÉÏK PORTE LES DERNIERS SACREMENTS

LE front appuyé sur sa main, le *Feldkurat* Otto Katz était plongé dans la lecture d'une circulaire qu'il venait de rapporter de la caserne. Cette instruction confidentielle du ministère de la Guerre s'exprimait ainsi :

« Le ministère de la Guerre de l'empire supprime, pour la durée de la guerre, les prescriptions concernant l'extrême-onction à donner aux soldats en danger de mort et arrête les règles suivantes à observer par les aumôniers militaires :

« 1° Au front, l'administration de l'extrême-onction est supprimée;

« 2° Il est défendu aux soldats gravement malades ou blessés de se retirer à l'arrière en vue de recevoir l'extrême-onction. Les aumôniers militaires sont tenus de signaler aux autorités militaires supérieures, aux fins de poursuite légale, les soldats qui contreviendraient à ces dispositions;

« 3° Dans les hôpitaux militaires de l'arrière, il est permis d'administrer l'extrême-onction sous forme collective après l'avis favorable des médecins militaires, en tant que cette autorisation ne comporte aucun dérangement pour lesdites autorités militaires;

« 4° Dans des cas exceptionnels, le commandement des hôpitaux militaires de l'arrière peut autoriser l'administration de l'extrême-onction suivant qu'il le jugera nécessaire;

« 5° Sur l'invitation des commandements des hôpitaux militaires, les aumôniers militaires sont tenus à donner l'extrême-onction aux personnes proposées, par ladite autorité, pour recevoir ce sacrement. »

Ce qui intéressait le *Feldkurat* plus que la circulaire, c'était une lettre du commandement de l'hôpital de la place Charles, l'invitant à venir le lendemain pour donner l'extrême-onction aux soldats grièvement blessés.

« Dites donc, Chvéïk, ce n'est pas un sale coup, ça? Comme s'il n'y avait que moi comme aumônier militaire dans tout Prague. Pourquoi, je vous le demande, n'en charge-t-on pas cet aumônier si pieux qui a couché l'autre jour chez nous? Je dois donner l'extrême-onction aux soldats de l'hôpital de la place Charles... Mais, du diable si je sais encore comment on fait.

— Rien de plus facile, monsieur l'aumônier, répondit Chvéïk; nous n'avons qu'à acheter un catéchisme, c'est une sorte de guide-âne pour les pasteurs spirituels qui ont perdu la tramontane. Le couvent d'Emmaüs à Prague employait dans le temps un jardinier qui aspirait à devenir frère lai. On lui a donné une soutane pour épargner son habit civil, et il a fallu qu'il achète un catéchisme pour apprendre comment on faisait le signe de la croix, quelle créature était indemne du péché originel, ce que signifiait avoir la conscience pure, et bien d'autres babioles comme ça. Une fois qu'il a eu appris, il s'est mis à vendre des tomates en cachette, et, après que la moitié de la récolte y avait passé, il a dû quitter honteusement le couvent. Lorsque je l'ai revu, il m'a dit : « J'aurais bien pu « vendre les tomates sans me fouler pour apprendre « le catéchisme, tu sais! »

Chvéïk alla acheter un catéchisme, et le *Feldkurat* le feuilleta.

« Tiens, dit-il, l'extrême-onction ne peut être donnée que par un prêtre qui se sert seulement d'huile bénite par l'évêque. Vous voyez bien, Chvéïk, que, par exemple, vous ne pourriez pas administrer ce sacrement. Lisez comment on s'y prend. »

Chvéïk lut :

« — Le prêtre oint avec l'huile bénite les prin-
« cipaux organes des sens, en faisant cette prière :
« Que par cette Sainte Onction et dans la miséri-
« corde suprême du Seigneur te soient remis les
« péchés que tu as commis par les yeux, les oreilles,
« les narines, la bouche, les mains et les pieds. »

— Je voudrais bien savoir, Chvéïk, comment on peut commettre un péché par les mains. Est-ce que vous pourriez m'éclairer à ce sujet?

— Mais des tas de péchés, monsieur l'aumônier! par exemple, quand on introduit sa main dans une poche étrangère, ou bien, en dansant, car pour les danseurs la défense de toucher n'existe pas.

— Et par les pieds!

— Quand on traîne exprès une patte pour api-toyer les gens.

— Et par les narines?

— Quand on ne peut pas sentir son prochain.

— Par la bouche, Chvéïk?

— Quand on a une si grande faim qu'on man-gerait le nez du voisin, ou bien quand on rase par des bêtises les gens qui sont assez idiots pour vous écouter, ce qui est en même temps un péché à la charge des oreilles. »

Après s'être livré à ces considérations philoso-phiques, le *Feldkurat* se tut. Il n'interrompit le silence qu'après un moment.

« Il nous faut donc de l'huile bénite, dit-il. Voilà dix couronnes, vous en achèterez une petite bou-teille. Evidemment, il vaudrait mieux pouvoir la prendre à l'Intendance militaire, mais je ne crois pas qu'ils tiennent cet article. »

Chvéïk s'en alla à la recherche de l'huile bénite. Il put se rendre compte qu'elle était encore plus difficile à trouver que cette eau vive que poursui-vent à travers tant de difficultés les personnages de Bozena Nemcova.

Tout d'abord, Chvéïk fit quelques droguistes. Mais

á peine ouvrait-il la bouche pour demander si on
avait « de l'huile bénite par l'évêque », les commis
se fichaient à rire ou disparaissaient derrière le
comptoir. C'est en vain que Chvéïk gardait son air
le plus sérieux.

Il décida alors de voir s'il aurait plus de chance
auprès des pharmaciens. Le premier le fit mettre
à la porte par le garçon de laboratoire. Le second
téléphona à un hôpital voisin qu'un cas de folie
subite était survenu dans son établissement. Le
troisième, enfin, conseilla à Chvéïk la firme Polak
dans la Dlouha Trida, maison fournissant spéciale-
ment des huiles, des couleurs et vernis.

Le renseignement était bon. La maison Polak ne
laissait jamais partir un client bredouille. A celui
qui demandait par exemple du baume de copaïva,
on donnait de la térébenthine, et tout était dit.

Lorsque Chvéïk exposa sa demande en stipulant
qu'il lui fallait absolument de l'huile bénite, le
patron enjoignit au commis :

« Donnez-lui dix décagrammes d'huile de chènevis, numéro trois, m'sieu Tauchen. »

En enveloppant la petite bouteille dans du papier
de soie, le commis dit à Chvéïk d'un ton profession-
nellement poli :

« C'est tout ce que nous avons de mieux dans
cet article, première qualité, et, si vous avez plus
tard besoin de pinceaux, de couleurs et vernis,
vous trouverez tout ça chez nous. Vous serez certainement bien servi. »

En attendant sa fidèle ordonnance, le *Feldkurat*
parcourait le catéchisme pour se remettre en tête
ce qu'il avait jadis mal appris au séminaire. Il
s'amusait beaucoup de certaines phrases d'une spirituelle précision, du genre de celle-ci : « Le terme
d'extrême-onction doit son origine au fait que, dans
la plupart des cas, elle est la dernière onction que
les fidèles reçoivent de l'Eglise avant leur mort. »
Ou bien : « L'extrême-onction peut être reçue par
tout catholique qui est dangereusement malade et
jouit de toute sa connaissance. » Ou encore : « Le
malade doit recevoir l'extrême-onction — autant que
possible — au moment où il possède encore toute sa
mémoire. »

Une ordonnance apporta une lettre qui prévenait le *Feldkurat* que l' « Association des dames nobles pour l'éducation religieuse du soldat » assisterait à la cérémonie du lendemain.

Cette « Association » était composée de vieilles personnes hystériques qui parcouraient les hôpitaux en distribuant aux soldats des images de sainteté, des historiettes édifiantes dont le héros était toujours un soldat catholique, heureux de mourir pour l'empereur. Ces brochures étaient illustrées : on y voyait un champ de bataille couvert de cadavres d'hommes et de chevaux, de convois et de fourgons mis en pièces, de canons renversés. L'horizon était occupé par des villages en flammes et des shrapnells qui éclataient dans tous les sens, tandis qu'au tout premier plan un soldat auquel un obus venait de couper la jambe recevait des mains d'un ange une couronne sur le large ruban de laquelle figurait une inscription alléchante : « Ce soir tu seras avec moi au paradis. » Le moribond souriait comme si on lui avait offert un rafraîchissement délectable.

Ayant parcouru le contenu de la lettre, le *Feldkurat* s'écria tout en crachant :

« Elle promet, la journée de demain! »

Il connaissait bien cette « bande de tartufes femelles » comme il l'appelait, pour l'avoir souvent vue dans le temps à ses sermons de Saint-Ignace. C'était encore le temps où il prêchait avec toute la candeur naïve du jeune ecclésiastique; ces dames avaient leur banc derrière celui du colonel. Une fois, deux grandes escogriffes en noir et portant d'énormes chapelets à leur maigre cou, l'avaient attendu à la sortie pour l'entretenir, pendant deux heures, de l'éducation religieuse des soldats. Elles n'auraient jamais eu fini si le *Feldkurat* n'avait rompu en disant : « Excusez-moi, mesdames, mais le capitaine m'attend pour une partie de cartes. »

« Il y a du bon, monsieur l'aumônier, prononça solennellement Chvéïk, revenu de sa course; notre huile bénite, je l'ai trouvée. C'est de l'huile de chènevis, numéro trois, première qualité; avec ça, nous avons pour oindre tout un bataillon. La maison Polak tient les meilleures marchandises de tout

Prague. Elle vend aussi des couleurs, des vernis et des pinceaux. Il ne nous manque plus qu'une sonnette.

— Pour quoi faire, mon petit Chvéïk?

— Comment! Mais il faut sonner le long de la route pour que les gens ôtent leur chapeau en voyant passer le sacrement, c'est-à-dire l'huile numéro trois. Ça se fait toujours, et je connais pas mal de gens qui ont été condamnés parce qu'ils n'avaient pas salué le sacrement au passage. A Zizkov un curé a une fois roué de coups un aveugle qui, dans un cas comme ça, n'avait pas ôté son chapeau, et ce malheureux a attrapé plusieurs mois de prison par-dessus le marché, parce qu'on lui avait prouvé qu'il n'était pas sourd-muet, mais seulement aveugle, qu'à défaut de voir il aurait pu entendre et que sa conduite avait causé beaucoup de scandale autour de lui. C'est comme à la fête-Dieu. Des gens qui autrement ne feraient même pas attention à nous, sont obligés ce coup-ci de se découvrir. Si vous n'y voyez pas d'inconvénient, je vais aller immédiatement à la recherche d'une sonnette. »

Cette permission obtenue, Chvéïk revint une demi-heure après, muni d'une sonnette.

« C'est la sonnette du portier de l'auberge Kriz, dit-il; elle m'a coûté cinq minutes de frousse, mais il m'a fallu attendre assez longtemps, parce qu'il y passait tout le temps du monde.

— Je m'en vais au café, Chvéïk; si quelqu'un vient me demander, dites-lui d'attendre. »

*

Une heure ne s'était pas écoulée que Chvéïk ouvrit la porte à un monsieur entre deux âges, à cheveux grisonnants, droit comme un i, et au regard très sévère.

Tout son extérieur révélait l'opiniâtreté et la méchanceté. Il roulait des yeux féroces comme s'il avait la mission d'anéantir à jamais le globe terrestre pour qu'il n'en restât qu'une pincée de cendres dans l'Univers.

Son langage était cassant et sec, chaque phrase une injonction :

« Pas chez lui? Est allé au café? Je dois l'attendre! Bien, j'ai le temps jusqu'à demain matin. Alors, pour la taverne, il a de l'argent, mais pas un sou pour payer ses dettes. Ça, un prêtre? Fi donc! »

Il cracha sur le sol de la cuisine.

« Dites donc, ne crachez pas comme ça, s'il vous plaît! dit Chvéïk en toisant l'insolent personnage avec un intérêt particulier.

— Et je cracherai tant qu'il me plaira, tenez, comme ça, répliqua le monsieur en joignant le geste à la parole; c'est répugnant à la fin! Un aumônier militaire! Mais c'est tout simplement honteux!

— Puisque vous prétendez avoir de l'instruction, lui fit observer Chvéïk, tâchez de vous débarrasser de la sale habitude de cracher dans un appartement qui n'est pas à vous. Vous croyez peut-être que tout est permis en un temps de guerre comme celui-ci? Vous allez me faire le plaisir de vous tenir comme un homme bien élevé et pas comme un voyou. Il s'agit d'être poli, de parler comme il faut et de ne pas vous conduire comme un saligaud. Est-ce compris, espèce de tourte civile? »

Le monsieur incorrect se leva, agité d'un tremblement nerveux, et cria :

« Comment osez-vous me dire ça, vous, est-ce que je ne suis pas un homme comme il faut?... Et qu'est-ce que je suis alors?

— Un goret mal éduqué, répondit Chvéïk en le regardant bien; vous crachez par terre, comme si vous vous croyiez dans le tram, dans le train ou dans un autre endroit public. Je me suis toujours demandé pourquoi on y mettait des écriteaux « Défense de cracher ». Je le sais maintenant, c'est à votre intention, vous devez être un frère bien connu. »

Tour à tour blême et congestionné le visiteur se répandit en une avalanche d'invectives contre Chvéïk et le *Feldkurat*.

« Avez-vous tout dégoisé? » questionna tranquillement Chvéïk lorsque le visiteur indécent déclara qu'ils « étaient des fripouilles tous les deux : tel maître, tel valet », « ou bien avez-vous encore quelque chose à dire avant de dégringoler l'escalier? »

Comme son adversaire se taisait pour reprendre haleine et aucune insulte ne lui venant plus à l'esprit, Chvéïk prit son silence pour une invitation à passer aux actes.

Il ouvrit la porte, maintint le visiteur encombrant de façon qu'il vît le trajet qu'il fallait parcourir, et lui appliqua un coup de pied au derrière, dont la vigueur aurait fait honneur au meilleur joueur de football du meilleur club international.

Le départ précipité du monsieur fut souligné de cette fine remarque émise par Chvéïk :

« Et la prochaine fois, quand vous irez en visite chez des gens comme il faut, vous tâcherez de vous tenir convenablement. »

Le visiteur éconduit se promenait maintenant dans la rue, guettant le retour du *Feldkurat*.

Chvéïk ouvrit la fenêtre et surveillait le promeneur infatigable.

Enfin, le *Feldkurat* apparut et fit monter son persécuteur dans la chambre. Il lui offrit une chaise et s'assit en face de lui.

Chvéïk s'empressa d'apporter un crachoir qu'il posa devant le visiteur.

« Qu'est-ce que ça veut dire, Chvéïk?

— Je vous déclare avec obéissance, monsieur l'aumônier, que ce monsieur est déjà venu tout à l'heure et que j'ai eu une discussion avec lui, justement au sujet de son habitude de cracher par terre.

— Laissez-nous, Chvéïk; nous avons quelque chose à régler à nous deux. »

Chvéïk salua :

« Je vous déclare avec obéissance, monsieur l'aumônier, que je vous quitte. »

Tandis qu'il s'en allait à la cuisine, une conversation très animée commença entre les deux hommes.

« Vous êtes venu pour votre traite, si je ne me trompe pas? questionna le *Feldkurat*.

— Oui, et j'espère... »

Le *Feldkurat* soupira :

« On se trouve souvent dans des situations où tout ce qu'on peut faire, c'est espérer. Qu'il est beau ce mot d'espoir qui en évoque immédiatement deux autres : la foi et la charité!

— J'espère, monsieur l'aumônier, que cette somme que vous me devez...

— Evidemment, honoré monsieur, interrompit le *Feldkurat*, je ne puis que vous répéter que ce petit mot « espérer » est éminemment propre à nous soutenir dans notre lutte pour l'existence. Ainsi, vous, vous ne perdrez jamais l'espoir d'être payé. Comme c'est beau, d'avoir un idéal inébranlable, d'être un homme de bonne foi, qui prête de l'argent sur une traite et espère qu'elle sera payée à temps! Espérer, et toujours espérer que je vais vous rembourser douze cents couronnes quand j'en ai à peine cent en poche...

— Alors, vous...

— Parfaitement...

— C'est une escroquerie de votre part, monsieur.

— Ne vous agitez pas, cher monsieur.

— C'est une escroquerie, je vous le répète, un abus de confiance.

— Je crois qu'un peu d'air frais vous ferait du bien, proposa le *Feldkurat*. Vraiment, on étouffe ici. »

Et, élevant la voix pour être entendu de la cuisine, il dit :

« Chvéïk, venez ici, ce monsieur désire aller prendre l'air.

— Je vous déclare avec obéissance, monsieur l'aumônier, que j'ai déjà mis ce monsieur à la porte tout à l'heure...

— Remettez-l'y encore une fois », commanda le *Feldkurat*.

Chvéïk ne se fit pas prier pour obtempérer à cet ordre avec une joie maligne.

« Voilà qui est fait, monsieur l'aumônier, dit-il en fermant la porte; heureusement qu'on l'a mis dehors avant qu'il n'ait fait un scandale. Il y avait à Malechice un bistrot qui expulsait toujours les clients trop tapageurs à coups de matraque, en débitant des citations de la Bible. Par exemple :
« Celui qui épargne le fouet n'aime pas son fils, « mais qui aime bien, châtie bien, je t'apprendrai « à te battre chez moi ».

— Vous voyez, Chvéïk, ce qui arrive aux gens qui n'honorent pas les prêtres, plaisanta le *Feld-*

kurat. Saint Jean Bouche d'Or a dit : « Celui qui
« n'honore pas le prêtre n'honore pas Jésus-Christ;
« celui qui offense Jésus-Christ offense le prêtre
« qui en tient la place. » — Mais il faut nous
préparer convenablement pour demain. Faites une
omelette au jambon et du grog. »

Il existe au monde une race obstinée que rien ne
ne décourage. Le monsieur mis deux fois à la porte
de chez le *Feldkurat* en faisait partie. Pendant que
Chvéïk s'occupait du dîner, on sonna. Chvéïk alla
ouvrir et revint dire :

« C'est encore le type de tout à l'heure, monsieur
l'aumônier. Je l'ai enfermé dans la baignoire
pour que nous ayons le temps de dîner tranquillement.

— Vous n'agissez pas bien, Chvéïk; qui reçoit
un hôte reçoit Dieu. Aux temps anciens les seigneurs
admettaient à leur table des bouffons monstrueux
pour les divertir à leur festin. Apportez le type
pour qu'il soit notre bouffon. »

L'individu persévérant apparut.

« Asseyez-vous, fit aimablement le *Feldkurat,*
nous sommes en train d'achever notre dîner. Il y
avait une langouste et du saumon et nous passons
à l'omelette au jambon. Ben oui, on se régale, puisqu'il y a des gens assez bêtes pour nous prêter de
l'argent.

— J'espère que vous ne vous payez pas ma tête,
au moins, dit le convive inattendu. Voilà, trois fois
aujourd'hui que je viens vous voir. Il faut absolument nous entendre.

— Je vous déclare avec obéissance, dit Chvéïk,
que ce monsieur est doué d'une fière persévérance.
Il me rappelle un certain Bouchek de Liben : une
fois, dans une seule soirée, il a été mis dix fois à
la porte de la taverne Exner, et il y est rentré
chaque fois sous prétexte qu'il avait oublié sa pipe.
Il rentrait par la fenêtre, par la porte, par la cuisine, en sautant le mur du jardin, en montant de la
cave au comptoir, et il serait certainement rentré
par la cheminée si les pompiers, appelés en hâte,
ne l'avaient pas fait descendre du toit. Avec tant
d'esprit de suite, il a dû devenir ministre ou député. »

L'intrus faisait semblant de ne rien entendre. Il répétait opiniâtrement :

« Je veux que la situation soit éclaircie et je désire que vous m'écoutiez.

— D'accord, dit le *Feldkurat,* parlez, s'il vous plaît, honoré monsieur. Vous pourrez même parler aussi longtemps qu'il vous plaira; nous autres, en attendant, nous allons continuer notre festin. J'espère que ça ne vous dérangera nullement. Chvéïk, vous pouvez servir.

— Vous savez aussi bien que moi, commença l'obstiné, que nous sommes en temps de guerre. La somme que vous me devez, je vous l'ai prêtée avant la guerre et, sans cette guerre-là, je n'insisterais pas pour le paiement immédiat. Mais j'ai eu récemment de bien tristes expériences. »

Il tira un calepin de sa poche et continua :

« Tout est inscrit là. Le lieutenant Jonata me devait sept cents couronnes, et il a osé tomber sur la Drina. Le sous-lieutenant Prachek s'est fait faire prisonnier au front russe, et il me doit deux mille couronnes. Le capitaine Wichterle, qui me doit la même somme, s'est fait massacrer par ses propres soldats à Rawa Rouska. Le lieutenant Machek, qui est prisonnier des Serbes, me doit quinze cents couronnes. Et j'en ai encore pas mal comme ça. Il y en a un qui tombe dans les Carpathes, un autre se noie en Serbie, un autre encore meurt dans un hôpital en Hongrie, et pas un ne se soucie de ce qu'il me doit. Vous comprenez maintenant mes raisons, vous voyez bien que je sortirai ruiné de cette guerre si je ne me décide pas à devenir énergique et impitoyable. Vous allez faire valoir peut-être qu'avec vous il n'y a pas péril en la demeure, parce que vous êtes à l'arrière. Mais tenez... »

Il mit son calepin sous le nez du *Feldkurat* :

« Lisez vous-même. L'aumônier militaire Matyas, décédé le... dans le pavillon des cholériques. Il y a de quoi devenir fou, quelqu'un qui me doit dix-huit cents couronnes et qui s'en va tranquillement donner l'extrême-onction au premier venu atteint de choléra.

— C'était son devoir, cher monsieur, fit le *Feldkurat;* demain, moi aussi, je vais administrer.

— Et dans une baraque à choléra la même chose, ajouta Chvéïk. Vous n'avez qu'à nous accompagner, et vous verrez ce qu'on appelle des gens qui se sacrifient.

— Monsieur l'aumônier, insista l'autre, croyez-le, je suis dans une situation plus que précaire. On dirait vraiment que cette guerre est faite exprès pour supprimer de la face du monde tous mes débiteurs.

— Quand vous serez soldat — vous savez qu'on prend maintenant les civils, — et quand vous irez au front, nous dirons avec M. l'aumônier une messe pour que le Bon Dieu daigne se souvenir de vous et régler votre compte avec le premier shrapnell parti des lignes ennemies.

— Monsieur l'aumônier, c'est très sérieux, dit l'entêté, je vous prierai d'enjoindre à votre ordonnance de ne pas se mêler de nos affaires; je voudrais bien que nous puissions nous entendre.

— Excusez mon indiscrétion, monsieur l'aumônier, déclara Chvéïk, mais il faudrait en ce cas me donner alors l'ordre formel de ne pas me mêler de vos affaires; sans cela je ne cesserai pas de défendre vos intérêts, comme doit le faire, du reste, tout soldat qui se respecte. Ce monsieur a raison de vouloir sortir d'ici de sa propre volonté. J'aime autant ça, parce que dans ces choses-là j'agis toujours en homme bien élevé.

— Mon petit Chvéïk, dit le *Feldkurat* feignant de ne pas s'apercevoir de la présence de son créancier, ça commence à m'ennuyer : j'avais cru que cet homme pourrait nous amuser, qu'il nous raconterait des petites histoires assez drôles, et voilà qu'il me demande de vous empêcher de vous mêler de mes affaires, quoiqu'il ait dû bien comprendre que rien ne se faisait sans vous dans cette maison. En une soirée comme celle-ci, à la veille d'une cérémonie religieuse si grave, qui exige de ma part un entier recueillement et une complète élévation vers Dieu, il vient me déranger avec une misérable histoire de quelques centaines de couronnes. il me distrait de sonder ma conscience, il me détourne de Dieu et m'oblige à lui déclarer une dernière fois qu'il n'aura rien de moi aujourd'hui. J'entends ne plus lui adresser un seul mot; cette soirée qui doit être sainte pour nous, pourrait se gâter. Dites-lui vous-même, Chvéïk : « M. l'aumônier ne vous « donnera rien rien du tout! »

Chvéïk hurla ces paroles dans l'oreille du créancier, sans que celui-ci bougeât d'une ligne.

« Chvéïk, reprit le *Feldkurat,* demandez-lui combien de temps il compte encore rester ici.

— Tant que je ne serai pas payé. »

Le *Feldkurat* se leva, alla à la fenêtre et dit :

« Dans ce cas-là, je le remets entre vos mains, Chvéïk; faites-en tout ce que vous voulez.

— Suivez-moi, monsieur, s'il vous plaît, ordonna Chvéïk, en empoignant le créancier par l'épaule; il faut que je vous expulse encore une fois, toutes les bonnes choses sont au nombre de trois. »

D'un geste rapide et élégant, il répéta son tour de force de tout à l'heure, tandis que le *Feldkurat* tambourinait de ses doigts sur la vitre une marche funèbre.

La soirée, consacrée aux méditations, comprit des péripéties diverses. Le *Feldkurat* s'éleva vers Dieu avec tant d'énergie et de ferveur que passé minuit on entendait encore la chanson suivante s'échapper de l'appartement :

Quand nous autres soldats quittons le village,
Toutes les belles filles pleurent sur not' passage.

Le brave soldat Chvéïk soutenait de sa voix celle de son maître.

*

Deux militaires désiraient recevoir l'extrême-onction : un vieux lieutenant-colonel et un employé de banque, officier de réserve. Tous les deux avaient le ventre troué d'une balle reçue dans les Carpathes, et leurs lits étaient voisins. L'officier de réserve croyait de son devoir d'imiter son supérieur qui, lui, avait fait appel aux derniers sacrements par un adroit calcul, car il espérait que les prières d'un prêtre l'aideraient à recouvrer la santé. Mais ils moururent la nuit qui précéda l'arrivée du *Feld-kurat.*

« On a fait tant de chambard, monsieur l'aumô-nier, et tout ça pour rien! ces malheureux nous ont tout gâté », dit Chvéïk, outré, lorsqu'on lui apprit au bureau de l'hôpital que « ces deux-là n'avaient plus besoin de rien ».

Quant au « chambard », Chvéïk n'exagérait pas. Ils avaient pris un fiacre ouvert. Tout le long du trajet, Chvéïk agitait la sonnette, et le *Feldkurat,* qui tenait en main la bouteille d'huile, enveloppée dans une serviette blanche, bénissait au passage les gens respectueusement arrêtés et nu-tête.

Ils n'étaient pas trop nombreux malgré le bruit infernal fait par Chvéïk avec sa sonnette. Quelques gamins couraient derrière le fiacre et, lorsque l'un d'eux s'accrochait à l'arrière-train, les autres signa-laient au cocher cette charge supplémentaire.

Aux cris de ces garnements se mêlait le tintement de la sonnette, et le bruit du fouet que le cocher ne cessait de faire claquer. Dans la rue Vodickova, une concierge ayant rattrapé enfin la voiture qu'elle suivait au trot, et ayant récolté trois bénédictions, donna libre cours à son indignation, après avoir fait un signe de croix et craché par terre :

« Ils galopent leur Bon Dieu comme tous les diables! On attraperait facilement une fluxion de poitrine en leur courant après. »

Le bruit de la sonnette irritait le cheval. Il devait susciter certainement chez cette bête de lointaines réminiscences, car elle rejetait à chaque instant la tête en arrière et faisait mine d'exécuter des pas de danse, au rythme du tintement.

Au bureau, le *Feldkurat* se borna à régler le côté financier de son dérangement : il signifia au ser-gent-major que l'Intendance militaire lui devait cent cinquante couronnes pour le déplacement et pour l'huile bénite par l'évêque.

La réclamation du *Feldkurat* donna lieu à une discussion très animée entre lui et le commande-ment de l'hôpital. A plusieurs reprises, le *Feldkurat* frappa du poing sur la table, en criant : « Il ne faut pas vous imaginer, capitaine, que l'extrême-onction se donne *gratis pro Deo!* Quand un officier de cavalerie est commandé par un service dans les haras, il a droit à son indemnité et ce n'est que juste. Je regrette que vos deux blessés n'aient pas pu attendre leur extrême-onction. Mais ça vous aurait coûté cinquante couronnes en plus. »

Pendant ce temps-là, Chvéïk attendait son maître dans la salle du corps de garde, où la bouteille d'huile bénite excitait un vif intérêt.

Un soldat opina que cette huile lui conviendrait épatamment pour nettoyer les fusils et les baïonnettes.

Un jeune conscrit originaire d'un pays du plateau tchéco-morave supplia ses camarades de changer de conversation et de laisser tranquilles les mystères de la religion. « Le devoir d'un bon chrétien est d'espérer », proclama-t-il.

Un vieux réserviste jeta un regard sournois sur le bleu et déclara :

« Espérer, oui, qu'un shrapnell te coupe la tête. Tout ce qu'ils nous ont débité, c'étaient des menteries. Dans notre patelin, il est venu une fois un député du parti clérical, et ce coco-là a parlé d'une paix divine planant au-dessus de la terre entière, et raconté que le Bon Dieu réprouvait la guerre et ne voulait que voir les hommes éternellement vivre en paix et s'aimer comme frères. C'te bonne blague! Nous voilà en pleine guerre, et qu'est-ce qu'on voit? Dans toutes les églises de tous les pays les prêtres prient pour le « succès des armes », ils traitent le Bon Dieu comme le chef d'un état-major universel qui combinerait les opérations sur tous les fronts à la fois. Dans cet hôpital-là, ce que j'en ai vu des enterrements militaires, des fourgons pleins de jambes et de bras coupés!

— Et on enterre les soldats tout nus, dit un autre; les uniformes, on les garde pour les servir aux vivants.

— Tout ça, c'est en attendant la victoire, fit remarquer Chvéïk.

— Un tampon comme toi, tu parles de gagner la guerre? dit un caporal de son lit. Si ça dépendait de moi, je vous enverrais tous au front, dans les tranchées, je vous ferais galoper comme on nous a fait à nous autres, contre les baïonnettes de l'ennemi, contre les mitrailleuses, je vous ferais tomber dans des trous à loups et danser sur du terrain miné. Tous ces gens sont d'accord pour se la couler douce à l'arrière, et personne ne veut se faire tuer sur le champ de bataille. Ils sont plus malins que nous.

— Pour moi, je crois qu'il n'y a rien de plus beau que de se faire perforer par une baïonnette, dit Chvéïk, et ce n'est pas si mauvais que ça non plus de recevoir une balle dans le ventre, ou bien de se faire mettre en pièces par un shrapnell. On doit être plutôt étonné de voir ses jambes et son ventre fausser compagnie au reste du corps. On a le temps d'être mort avant d'avoir compris ce qui vous arrive. »

Le jeune conscrit poussa un soupir. Il regrettait d'être si jeune et se demandait pourquoi il était justement né dans un siècle où on conduisait les jeunes gens à la boucherie comme un bétail aux abattoirs. Quel était le sens de tout cela?

Un soldat, instituteur dans le civil, fit observer, comme s'il lisait les idées du bleu :

« Certains savants expliquent les guerres par l'apparition des taches solaires. Une tache solaire annonce toujours un grand malheur pour l'humanité. La prise de Carthage...

— Tu ferais bien de garder toute cette science pour toi, interrompit le caporal, et il vaut mieux que tu voies à balayer proprement la chambre, c'est ton tour aujourd'hui. Ces blagues de taches solaires, on s'en fout, c'est pas encore elles qui nous feront sortir de ce fourbi-là. Tu peux être tranquille.

— C'est pas une blague, ces taches solaires, déclara Chvéïk; une fois j'ai vu une tache comme ça, et le soir même j'ai été rossé chez le bistrot Banzett à Nusle. Depuis ce temps-là, chaque fois que j'ai eu l'intention d'aller quelque part, j'ai consulté le soleil pour voir s'il n'avait pas de taches. Et quand il en avait, alors, adieu les gars! je suis toujours resté chez moi. C'est grâce à ça que je vis encore. Vous vous rappelez aussi ce volcan le Mont-Pelé qui a complètement détruit l'île de la Martinique. Eh bien, il y a eu un professeur qui avant l'éruption de ce volcan avait écrit un article dans *La Politique nationale* où il annonçait qu'il y avait une grosse tache au soleil et qu'un malheur allait se produire bientôt. Mais voilà, *La Politique nationale* n'est pas arrivée à temps dans cette île, les gens n'ont pas été prévenus et ils ont dû trinquer parce que, la poste c'est une pétaudière. »

Au bureau, où il discutait encore les frais de son déplacement le *Feldkurat* rencontra une déléguée de l' « Association des dames nobles pour l'éducation religieuse du soldat », vieux tableau hideux et repoussant, qui tous les matins venait distribuer aux malades et aux blessés des images de sainteté que ceux-ci s'empressaient de jeter aussitôt dans les crachoirs.

Elle exhortait les soldats à se repentir sincèrement de leurs péchés et à devenir meilleurs, pour que le bon Dieu leur accorde, après la mort, son salut éternel.

Pâle et émue, elle s'entretint longuement avec le *Feldkurat,* lui disant que la guerre exerçait une influence déplorable sur les âmes des soldats. Au lieu de les élever à un niveau spirituel supérieur, elle en faisait de véritables brutes. Dans la salle du bas, les patients lui tiraient la langue, osant traiter leur bienfaitrice de vieille scie et de souris d'église. *Das ist wirklich schrecklich, Herr Feldkurat, das Volk ist verdorben* [1].

Et elle se mit à expliquer comment elle comprenait l'éducation religieuse du soldat. C'est le soldat qui croit en Dieu et qui possède une foi profonde qui se battra vaillamment pour son empereur et ne craindra pas la mort, puisqu'il sait que le paradis l'attend.

L'infatigable discoureuse n'aurait peut-être jamais fini si le *Feldkurat* ne s'était pas résolu à prendre congé d'elle, au défi de toute galanterie.

« Chvéïk, nous allons partir », cria-t-il dans le corps de garde. Quelques minutes après, la voiture les ramenait au logis, sans « chambard » cette fois.

« Plus jamais ils ne m'auront à aller administrer, prononça le *Feldkurat;* ils feront bien de s'adresser

---

1. « C'est vraiment effrayant, monsieur l'aumônier, le peuple est corrompu. »

à quelqu'un d'autre. Pour chaque âme, à laquelle je suis prêt à apporter le salut, je suis obligé de marchander avec eux comme à la foire. Ils ne voient que leur comptabilité, bande de voleurs! »

Apercevant la petite bouteille d'huile « bénite » que Chvéïk tenait à la main, il se rembrunit et proposa :

« On pourra s'en servir pour graisser nos chaussures; ça vaudra encore mieux.

— Je tâcherai d'en mettre aussi à la serrure; elle fait un vacarme du diable quand vous rentrez la nuit. »

C'est ainsi que se termina une extrême-onction qui ne fut pas administrée.

XIV

CHVÉÏK ORDONNANCE DU LIEUTENANT LUCAS

I

LE bonheur de Chvéïk dura peu. La fatalité cruelle mit une brusque fin à son amical commerce avec le *Feldkurat*. Si ce dernier jusqu'ici a pu mériter notre sympathie, le fait que nous allons relater est de nature à le faire bien déchoir à nos yeux.

En effet, le *Feldkurat* vendit Chvéïk au lieutenant Lucas, ou, pour mieux dire, le perdit aux cartes — tout comme naguère encore, en Russie, on faisait les serfs. Cet accident survint d'une façon tout à fait inattendue. Ce fut lors d'une réunion d'officiers chez le lieutenant Lucas, où on jouait au vingt-et-un.

Le souverain maître des destinées de Chvéïk avait tout perdu et ne sachant plus avec quoi continuer le jeu, il s'enquit :

« Combien seriez-vous disposé à me prêter sur mon ordonnance Chvéïk. Un imbécile épique, un type très intéressant, le *nec plus ultra* du genre. Jamais personne n'a eu une ordonnance pareille.

— Je veux bien te prêter cent couronnes, répondit le lieutenant Lucas. Si tu ne me les rends pas après-demain au plus tard, tu n'auras qu'à me passer ton as de tampon. Le mien est insupportable. Il ne fait que se lamenter, il écrit toute la journée des lettres chez lui et, avec ça, il vole tout ce qui lui tombe sous la main. J'ai eu beau le battre, rien n'y a fait. Chaque fois que je le vois, je le gifle, mais ça ne m'avance pas. Je lui ai cassé comme ça deux dents de devant, ça ne lui a fait aucun effet.

— Entendu, alors, dit le *Feldkurat* avec insouciance, va pour cent couronnes ou mon Chvéïk après-demain. »

Ayant perdu les cent couronnes, il prit tristement la direction de son logis, car il savait bien qu'il lui serait impossible de payer sa dette et qu'il avait bassement vendu son fidèle serviteur pour une misérable somme.

« J'aurais bien pu lui demander le double », méditait-il en changeant de tramway; mais les remords l'emportaient sur les regrets.

« C'est dégoûtant tout de même, ce que j'ai fait là, pensa-t-il en ouvrant la porte de son appartement; comment oserai-je supporter son regard de bête innocente? »

« Mon cher Chvéïk, dit-il quand il se trouva face à face avec son ordonnance, il est arrivé aujourd'hui un événement extraordinaire. J'ai eu une déveine fantastique aux cartes. Je faisais tout sauter. Une fois j'ai eu sous la main un as, une autre fois un dix, et le banquier, qui n'avait chaque fois tiré qu'un valet, a fini quand même par avoir le vingt-et-un. Et ça a continué de même jusqu'à ce que je sois ratissé. »

Le *Feldkurat* hésita.

« A la fin, dit-il après un intervalle, c'est vous que j'ai perdu, mon petit. J'ai emprunté cent couronnes sur vous, et il faut les rendre après-demain, sans cela vous ne serez plus à moi, mais au lieutenant Lucas. Je suis vraiment peiné...

— J'ai encore cent couronnes, fit Chvéïk, je peux vous les prêter.

— Donnez-les-moi, dit vivement le *Feldkurat*, je vais les lui porter tout de suite. Je regretterais trop de me séparer de vous. »

« Je viens payer ma dette, annonça triomphalement le *Feldkurat* aux joueurs encore attablés,
donnez-moi une carte.

« Je fais banco, ajouta-t-il lorsqu'on lui passa
la carte.

— C'est malheureux, proféra-t-il, je dépasse. A
un point seulement! »

Au second tour, il voulait encore faire sauter la
banque.

« Vingt ramasse! fit le banquier.

— J'ai dix-neuf », avoua tristement le *Feldkurat,*
en « remisant » ses quarante dernières couronnes.

De retour chez lui, il était déjà convaincu qu'aucune puissance humaine ne pouvait sauver Chvéïk
et que celui-ci était fatalement destiné à devenir
le tampon du lieutenant Lucas.

« Il n'y avait rien à faire, mon pauvre Chvéïk.
On ne lutte pas contre la fatalité. J'ai perdu et
vos cent couronnes, et vous-même. Le destin a été
plus fort que moi. Je vous ai livré aux griffes du
lieutenant Lucas, et le jour est proche où nous
devons nous séparer.

— Est-ce que la banque était grosse? demanda
Chvéïk tranquillement, ou est-ce que vous aviez
peu souvent la main. Quand les cartes ne tombent
pas, c'est mauvais, mais souvent c'est encore pire,
c'est même un malheur quand ça va trop bien.
A Zderaz il y avait un ferblantier qui s'appelait
Voyvoda, et il avait l'habitude de faire une manille
chez un bistrot derrière le *Café du Siècle*. Une fois
le diable s'en mêlant, il proposa à ses copains :
« Si on se mettait à jouer le vingt-et-un, à deux
« sous? » Alors, on a commencé et lui, il tenait la
banque. Les autres étaient tous morts et il y avait
déjà vingt couronnes en banque. Comme le vieux
Voyvoda souhaitait la veine aux autres aussi, il a
dit : « Si je tire un roi ou le huit, je passe la
« banque. » Vous ne pouvez pas vous imaginer la
déveine qu'ils ont tous eue. Ni le roi ni le huit ne
voulaient sortir, la banque montait et elle comptait
déjà cent balles. Aucun des joueurs n'avait assez de
pognon pour la faire sauter et le vieux Voyvoda
suait à grosses gouttes. Il se tuait à répéter : « Si
« je tire un roi ou un huit, je passe la banque! »

A chaque tour, ils misaient dix couronnes qui y restaient régulièrement. Un patron ramoneur qui
voyait déjà cent cinquante balles en caisse, s'est
mis en colère, et est allé chez lui prendre de l'argent
pour faire sauter la banque. Le père Voyvoda qui
en avait déjà plein le dos, voulait même tirer jusqu'à trente pour perdre dans tous les cas, mais au
lieu de ça, voilà qu'il lève deux as. Il n'a fait semblant de rien et a dit : « Seize ramasse! » Va te
faire foutre, le ramoneur n'avait que quinze. Est-ce
que ça ne s'appelle pas une déveine, ça? Le vieux
Voyvoda était tout pâle et embêté comme une poule
qui trouve un couteau, les autres commençaient à
chuchoter que c'était un vieux tricheur qui faisait
sauter la coupe; ils disaient aussi qu'il avait déjà
ramassé une volée à cause de ça, et pensez que
c'était lui le plus honnête d'eux tous. Et il y avait
déjà cinq cents balles à la banque. Le bistrot n'y
tenait plus. Il avait justement préparé de l'argent
pour payer la brasserie, il l'a pris, il s'est assis et
s'est mis à miser d'abord deux cents balles, après,
il a retourné sa chaise en fermant les yeux pour
attirer la veine et il a dit : « Messieurs, je fais
« banco! » Et encore : « Jouons cartes sur table! »
Le vieux Voyvoda aurait donné tout ce qu'il avait
pour perdre à ce coup-là. Il a étonné tout le monde
en gardant le sept qu'il venait de tourner. Le bistrot rigolait dans sa barbe, parce qu'il avait déjà
vingt-et-un en main. Le vieux Voyvoda lève encore
un sept, il le garde. « Maintenant vous allez lever
« un as ou un dix, lui dit le bistrot : et je vous
« parie ma tête à couper que vous êtes mort! » On
aurait entendu voler une mouche, le vieux Voyvoda
tourne et figurez-vous qu'il tire le troisième sept.
Le patron est devenu vert, il était complètement dé-
cavé; il s'en va à la cuisine et cinq minutes après,
son commis vient chercher les gars pour couper la
corde du patron qui se balançait pendu à l'espa-
gnolette de la fenêtre. On l'a décroché, on l'a fait
revenir à lui et on a continué à jouer. Personne
n'avait plus de pèze, tous les sous dans la banque
étaient entassés devant Voyvoda qui ne faisait que
dire : « Un roi ou un huit, et je passe la main! » et
qui aurait voulu à tout prix être mort; mais comme

il était obligé de jouer à cartes ouvertes, il lui était impossible, même en le faisant exprès, de dépasser le vingt-et-un. En voyant ça, ils devenaient tous idiots et, faute de pognon, ils se sont mis d'accord pour signer des bons. Ça a duré plusieurs heures et les mille balles s'accumulaient toujours devant Voyvoda. Le patron ramoneur devait déjà un million et demi, le charbonnier du coin, près d'un million, le concierge du *Café du Siècle* y était pour 800 000, un carabin pour deux millions. Rien que dans la cagnotte, il y avait 300 000 balles, en bons, bien entendu. Le vieux faisait des efforts désespérés pour perdre. A chaque instant il s'en allait quelque part et laissait sa place à un autre; mais quand il revenait, on lui annonçait qu'il avait encore gagné. Ils ont pris un jeu de cartes tout neuf, mais c'était toujours la même chose. Quand, par exemple, le vieux Voyvoda s'arrêtait à quinze, l'autre n'avait que quatorze. Tout le monde le regardait de travers et celui qui grognait le plus, c'était un paveur qui n'avait risqué que huit couronnes. Il disait qu'un type comme le vieux Voyvoda, la terre ne devrait pas le porter, qu'on devrait l'éventrer à coups de pieds, le foutre dehors et le noyer comme un chien. Vous n'avez aucune idée de l'état où était le vieux Voyvoda. Enfin, il lui est venu une idée. « Je vais « sortir, qu'il dit au ramoneur, tenez mes cartes. » Et sans chapeau, il court dans la rue Myslikova pour trouver les agents. Par hasard, il est tombé le nez dessus et leur a tout de suite dit que chez un tel bistrot on jouait à un jeu de hasard. Les agents lui ont dit d'aller devant, qu'ils le suivaient. A peine rentré dans la salle, on lui apprenait que le carabin avait perdu entre-temps plus de deux millions, et le concierge plus de trois; que dans la cagnotte il y avait déjà plus de cinq cent mille en bons. Mais à l'instant même les agents ont rappliqué dans le local. Le paveur criait « Sauve qui peut! » inutilement, du reste, car les agents faisaient main basse sur la banque et la cagnotte, avant de fourrer au poste toute la compagnie. Le charbonnier résistant des pieds et des mains, on a été obligé de l'introduire dans le petit panier à salade du service de nuit. Dans la banque, les agents ont trouvé plus

d'un milliard et demi en bons et quinze cents couronnes en espèces. « Non elle est raide, celle-là »,
a dit l'inspecteur de police en apprenant le montant des enjeux, « on se croirait à Monte-Carlo. »
Tout le monde est resté au poste jusqu'au lendemain,
sauf le vieux Voyvoda. Il avait été relâché en récompense pour avoir dénoncé la chose, et on lui
avait promis un tiers de la somme saisie. Ça faisait
juste cent soixante millions, et ça l'a rendu louf-
tingue : le matin, de très bonne heure, il est allé
commander une douzaine de coffre-forts. Voilà ce
qu'on appelle avoir de la chance aux cartes... »

Mais le *Feldkurat* demeurait inconsolable, et
Chvéïk se résigna à faire des grogs. Vers minuit
pendant qu'il mettait coucher son maître, non pas
sans beaucoup de tirage, le joueur malheureux sanglotait encore :

« Je t'ai vendu, camarade, salement vendu.
Maudis-moi, frappe-moi autant que tu veux, je t'en
donne la permission. Je t'ai livré en proie à la fureur du sort. Je n'ose pas te regarder en face. Pié-
tine-moi, mords-moi, tue-moi, je ne mérite que ça...
Sais-tu quel homme je suis? »

En enfonçant dans l'oreiller son visage baigné de
larmes, il ajouta d'une voix faible et douce :

« Je suis un lâche, un infâme! »

Et il s'endormit sur-le-champ.

Le lendemain, ayant soin d'éviter le regard de
Chvéïk, il sortit très matin et ne rentra que tard
dans la nuit flanqué d'un nabot, sa nouvelle ordonnance.

« Mettez-le au courant du service, dit-il, fuyant
toujours le regard de Chvéïk, et apprenez-lui bien
à faire les grogs... Demain, vous irez vous annoncer
au lieutenant Lucas... »

Chvéïk et son successeur passèrent agréablement
la nuit à se chauffer des grogs. Au réveil, le nabot
qui se tenait à peine sur ses jambes, éprouva le
besoin de chanter un original pot pourri d'airs
populaires.

« Pour toi, je peux être tranquille, c'est réglé,
déclara Chvéïk à son élève; avec des dispositions
comme tu en as, tu peux être sûr de faire l'affaire
de M. l'aumônier. »

Le matin même le brave soldat Chvéïk montra pour la première fois sa face pleine de franchise et de probité à son nouveau maître, le lieutenant Lucas.

« Je vous déclare avec obéissance, mon lieutenant, annonça-t-il, que c'est moi le Chvéïk que M. l'aumônier Katz a perdu aux cartes. »

II

Les officiers emploient des ordonnances depuis l'âge le plus reculé. Il est probable qu'Alexandre le Grand avait déjà son tampon. Ce qui est certain, c'est qu'à l'époque féodale ce rôle était tenu par des soldats mercenaires, au service des chevaliers. Sancho Pança, le fidèle serviteur de don Quichotte, qu'était-il d'autre, en somme? Je me suis toujours étonné qu'aucun savant n'ait pensé à écrire l'histoire des ordonnances à travers les siècles. Elle nous apprendrait que le duc d'Almaviva mangea son ordonnance au siège de Tolède. Comme ce gentilhomme nous le dit dans ses mémoires, il avait si grand-faim qu'il ne pensa même pas à saler sa victime; elle avait la chair tendre, fondante comme du beurre et d'un goût entre la poule et l'âne.

Dans un vieux livre bavarois sur l'art militaire, on trouve aussi des instructions à l'usage des ordonnances. D'après ce livre, les qualités requises pour celui qui se destinait à cette carrière, étaient : la piété, la vertu, l'horreur du mensonge, la modestie, la vaillance, l'audace, l'honnêteté et l'amour du travail. En un mot, l'ordonnance devait réaliser l'idéal du temps. Notre âge moderne a apporté au type de l'ordonnance une modification assez sensible. Le « tampon » d'aujourd'hui n'est plus ni pieux, ni vertueux, ni véridique. Il ment, il escroque son maître dont la vie, grâce à lui, devient souvent un enfer. C'est un astucieux esclave qui invente toutes sortes de machinations pour empoisonner l'existence de son maître.

La nouvelle génération des tampons est loin d'offrir des serviteurs dévoués jusqu'à se laisser manger sans sel comme le magnanime Fernando du duc d'Almaviva. D'autre part, nous voyons que les maîtres d'aujourd'hui, en livrant à leurs ordonnances une lutte acharnée pour sauvegarder leur autorité, ne reculent devant aucun moyen. C'est, en quelque sorte, le règne de la terreur. En 1912, à Gratz en Styrie, un procès sensationnel apporta des documents précieux sur le sujet qui nous préoccupe : Un capitaine tua son ordonnance à coups de pied, comme il avait l'habitude de lui en administrer systématiquement. Le conseil de guerre l'acquitta sous prétexte que l'officier n'en était qu'à son deuxième cas. La vie individuelle du tampon n'a donc aucune valeur; ce n'est qu'un souffre-douleur, un esclave et, par-dessus le marché, une bonne à tout faire. Dans ces conditions, rien d'étonnant qu'il se défende par la ruse.

Il y a des cas où le « tampon » est élevé au rang de « favori »; alors, il fait la pluie et le beau temps dans la compagnie et le bataillon. Tous les sous-officiers veulent s'attirer ses bonnes grâces. C'est lui qui décide des permissions, c'est lui qui intervient au rapport pour que tout marche bien.

Pendant la guerre, ces favoris méritaient force médailles d'argent, grandes et petites, digne récompense de leur courage et de leur valeur.

Le 91ᵉ de ligne comptait plusieurs de ces héros ainsi honorés. Un tampon reçut la grande médaille d'argent seulement parce qu'il était expert à voler et à cuisiner des oies. Un autre eut la petite médaille d'argent parce qu'il n'était jamais à court de savoureuses denrées alimentaires qu'on lui envoyait de chez lui, et qu'il en ravitaillait son maître en telle quantité que celui-ci s'en flanquait tous les jours une bosse.

C'est en ces termes que sa décoration fut proposée par son maître à qui de droit :

« Pour avoir fait preuve, au cours de plusieurs combats, d'un courage et d'une valeur exceptionnels au mépris de la mort et en restant fidèlement aux côtés de son officier sous le feu de l'ennemi qui préparait une attaque. »

Ses seuls exploits guerriers consistaient à saccager, loin du front et sans coup férir, les poulaillers du voisinage.

La guerre eut pour effet non seulement de modifier la position du tampon envers son maître, mais aussi d'en faire l'individu le plus honni de tous les hommes sans distinction. A la distribution des boîtes de conserves — une pour cinq hommes —, le tampon s'en appliquait une à lui tout seul. Sa gourde était toujours remplie de rhum ou de cognac. Toute la journée, il ne faisait que mastiquer du chocolat, boulotter des biscuits d'officiers, fumer les cigarettes de son patron, fricoter, pendant des heures entières, de petits plats et des gourmandises, et se promener en veste de parade.

Le tampon vivait toujours en d'intimes rapports avec l'ordonnance de la compagnie; il l'approvisionnait en reliefs de la table de son officier et de la sienne, et l'admettait aux avantages dont il jouissait lui-même. Avec le sergent-major de la comptabilité, ces deux hommes formaient un trio pour lequel l'existence de l'officier n'avait pas de secret, ainsi, du reste, que tous les plans d'opérations et tous les ordres de bataille.

La section la mieux informée était toujours celle dont le caporal était le plus lié avec le tampon.

Quand celui-ci avait dit, par exemple : « A deux heures trente-cinq on foutra le camp », c'est à deux heures trente-cinq précises que les soldats autrichiens « se détachaient de l'ennemi ».

Le tampon cultivait aussi des relations avec le cuisinier. Il errait toute la sainte journée autour des marmites et commandait son menu comme au restaurant.

« Donne-moi une bonne tranche bien entrelardée, disait-il; hier, tu m'as foutu rien que des os. Mets-y aussi un bout de foie dans ma soupe, tu sais bien que je ne bouffe pas de rate. »

La spécialité du tampon était de semer la panique. Au bombardement des tranchées, il lâchait son courage dans son pantalon. A ces moments-là, il se terrait avec ses bagages et ceux de son officier dans un refuge préparé à l'avance, et se faisait encore un bouclier d'une des couvertures. Il souhaitait alors ardemment que son officier fût blessé, ce qui lui permettrait de se retirer à l'arrière, bien loin à l'intérieur.

Pour provoquer la panique, il s'entourait toujours de quelque mystère. « Il me semble qu'ils sont en train de replier le téléphone », confiait-il au passage en allant de section à section. Et il n'était jamais si content que quand il pouvait affirmer : « Ça y est, le téléphone est bouclé! »

Personne ne goûtait autant que lui les joies de la retraite. Alors, il en arrivait à oublier que les balles et les shrapnells sifflaient au-dessus de sa tête; il se frayait énergiquement un chemin, toujours avec ses bagages, jusqu'au siège de l'état-major où stationnait le train. Il aimait beaucoup le train de l'armée autrichienne et profitait largement de sa qualité de tampon pour le charger de sa personne et de ses bagages. Le cas échéant, il ne dédaignait pas d'avoir recours pour ce service aux chariots sanitaires. Quand il était obligé d'aller à pied, il marchait en homme abattu et recru de fatigue. Dans des circonstances pareilles, il laissait en plan les bagages de son maître, et ne sauvait que son bien à lui.

S'il lui arrivait d'être fait prisonnier dans la tranchée sans son officier, le tampon ne manquait jamais de s'approprier les effets de son ancien maître, et il les traînait partout.

J'ai vu un tampon qui marchait, en compagnie des soldats faits prisonniers en Russie, de Dubno à Darnice, en passant par Kiev. En plus de son havresac à lui, il avait celui de son ancien maître, cinq petites valises, deux couvertures et un oreiller, et portait un gros paquet sur la tête. Il se plaignait que les cosaques lui eussent dérobé deux autres valises.

Je n'oublierai jamais la silhouette de cet homme, vivant fourgon de déménagement qui avait traversé avec ce fardeau presque toute l'Ukraine. Je ne saurai jamais comment il a eu la force de faire ainsi des centaines de kilomètres, avant d'être enfin délesté par la mort à Tachkent. Il y périt de fièvre typhoïde et ses bagages lui servirent au moins de lit de mort.

Aujourd'hui, aux endroits les plus reculés de la République tchécoslovaque, on trouve des anciens tampons toujours prêts à se vanter de leur conduite héroïque dans la grande guerre. Chacun d'eux a pris d'assaut les positions de Sokol, de Dubno, de Nich, de la Piave et, à l'en croire, chacun d'eux était un Napoléon.

« Alors, j'ai dit à notre colonel de téléphoner à l'état-major qu'on pouvait y aller... »

La plupart du temps, ils étaient de convictions réactionnaires, et détestés des soldats. Il y avait parmi eux des dénonciateurs dont tout le plaisir était de voir les soldats suspendus aux arbres, les poignets croisés au creux des reins de façon à toucher juste le sol du bout du pied.

Enfin, les tampons constituaient une caste à l'égoïsme sans bornes.

III

D'origine tchèque, le lieutenant Lucas était le type achevé de l'officier de carrière dans la monarchie austro-hongroise, à la veille de la débâcle. L'école des cadets avait fait du lieutenant un être à deux visages, une sorte d'amphibie. Dans le monde, il parlait allemand, langue dans laquelle il écrivait aussi, mais il lisait de préférence des livres écrits en langue tchèque et, au cours qu'il était chargé de donner aux candidats du « volontariat d'un an », futurs officiers de réserve, qui, du reste, étaient tous Tchèques, il disait souvent à ses élèves sur un ton de confidence : « Nous savons que nous sommes Tchèques, mais il est inutile de le crier sur les toits. Moi aussi, je suis Tchèque, vous savez. »

Il considérait la qualité de Tchèque comme une sorte de société secrète où il serait dangereux d'être impliqué.

En dehors de ce point, ce n'était pas un méchant homme ; il ne craignait pas ses supérieurs et, aux manœuvres, s'occupait avec sollicitude de sa compagnie. Il s'arrangeait toujours pour la loger confortablement dans des greniers, et souvent payait, de sa poche, à boire aux hommes.

Il était content d'entendre chanter les soldats en marche. Il voulait aussi qu'ils chantent en allant

à la plaine d'exercice et au retour. Marchant à côté
de sa compagnie, il chantait avec elle :

> *Et voilà qu'à minuit*
> *L'avoine du sac s'enfuit,*
> *Trala ria boum.*

Il était bien vu par les soldats qui l'aimaient pour
son esprit de justice et parce qu'il ne tyrannisait
personne.

Les sous-officiers tremblaient devant lui, il lui
suffisait d'un mois pour changer en agneau pacifique le plus brutal sergent-major.

Il criait souvent, c'est vrai, mais sans jamais in-
jurier grossièrement, car il choisissait toujours ses
mots avec soin.

« C'est à contrecœur, voyez-vous, disait-il, que
je vous punis, mon garçon; mais qu'y puis-je faire?
la discipline avant tout. C'est d'elle que dépend le
moral et l'efficacité de l'armée; sans elle les soldats
ne sont que des roseaux pliant à tous les vents. Si
vous ne tenez pas votre uniforme en bon état, s'il
vous manque des boutons ou s'ils sont mal cousus,
c'est un signe certain que vous oubliez vos devoirs
envers l'armée. Vous avez peut-être peine à comprendre que vous méritez d'aller en prison parce
que, hier à la revue, il y avait un bouton manquant
à votre veste, une bagatelle, un rien que dans le
civil on ne remarquerait même pas. Et pourtant,
voyez-vous, une petite négligence pareille de votre
part vous expose nécessairement à une punition.
Pourquoi? Ce qui est en jeu, ce n'est pas un malheureux bouton, mais bien l'obligation pour vous
de prendre des habitudes d'ordre. Aujourd'hui, vous
ne recousez pas votre bouton, et c'est le commencement du désordre. Demain, vous trouverez déjà in-
commode de démonter votre fusil pour le nettoyer,
vous oublierez votre baïonnette chez le bistrot et, à
la fin, vous vous endormirez étant en faction et de
tout cela le germe aura été ce malheureux bouton.
Voilà, mon garçon, pourquoi je vous punis, c'est
dans votre intérêt, pour vous éviter la punition plus
grave que vous ne tarderiez pas à récolter en continuant à négliger vos devoirs. Vous me ferez cinq

jours et je vous souhaite de profiter de ces loisirs au pain sec et à l'eau, pour réfléchir un brin, pour comprendre que la punition n'est nullement une vengeance de notre part, mais un simple moyen d'éducation, employé dans le seul but de faire du soldat puni un meilleur soldat. »

Depuis longtemps déjà, le lieutenant Lucas aurait dû passer capitaine; mais sa prudence concernant la nationalité tchèque, ne lui servit de rien : son avancement s'ajournait à cause de la franchise dont il ne se départait jamais dans ses relations avec ses supérieurs, car il avait la flatterie en horreur.

Son caractère avait gardé quelque chose de celui du paysan tchèque du midi de la Bohême : il était né dans un village de cette contrée pleine de sombres forêts et d'étangs glauques.

S'il était juste envers les soldats en général, il détestait les ordonnances, parce qu'il avait toujours eu le malheur de tomber sur des tampons ignobles.

Il les giflait et essayait de les redresser par des remontrances continuelles et en leur donnant des exemples. d'une conduite irréprochable; mais ses efforts restèrent vains. Pendant des années entières, il luttait désespérément avec les ordonnances, en changeant sans cesse, mais chaque fois il finissait par soupirer : « Encore un abruti pire que le dernier! » En désespoir de cause, il les considérait comme une espèce inférieure du règne animal.

D'ailleurs, il aimait les animaux. Il avait un serin du Harz, un chat angora et un griffon d'écurie. Tous les tampons qu'il avait eus successivement à son service, maltraitaient ces animaux bien plus que le lieutenant Lucas ne les maltraitait eux-mêmes quand ils avaient commis la plus grande saleté.

Ils laissaient tous, comme un seul homme, mourir de faim le serin; l'un d'eux creva un œil au chat et l'infortuné griffon était rossé jusqu'au sang par eux tous indistinctement. L'un des prédécesseurs de Chvéïk s'était même avisé de conduire la pauvre bête à la fourrière à Pankrace, pour la faire exécuter, et paya joyeusement de sa poche les dix couronnes, prix de cette opération. Il annonça tout simplement au lieutenant que le chien s'était égaré à la promenade. Mais le cruel tampon fut bien puni, car on l'envoya d'urgence rejoindre sa compagnie.

Lorsque Chvéïk se présenta chez le lieutenant Lucas pour lui annoncer qu'il passait à son service, son nouveau maître le fit entrer dans sa chambre et lui dit :

« Vous m'êtes recommandé par M. l'aumônier Katz et j'espère que vous serez digne de sa recommandation. J'ai déjà eu pas mal d'ordonnances et ils n'ont pas vieilli à mon service. Je tiens à vous faire remarquer que je suis très exigeant et que j'ai pour principe de punir avec une extrême sévérité le moindre micmac et le moindre mensonge. Chez moi, il s'agit toujours de dire la vérité et d'exécuter tous mes ordres sans rouspétance. Quand je vous dirai : « Sautez dans le feu », il faudra obéir, même si ça ne vous amuse pas. Qu'est-ce que vous regardez comme ça, voyons? »

Pendant l'exhortation du lieutenant, Chvéïk n'avait pu s'empêcher de regarder la cage du serin suspendue au mur. Obligé de répondre à la question de l'officier, il prononça de sa voix suave :

« Je vous déclare avec obéissance, mon lieutenant, que je vois là un canari du Harz. »

Sans regret de troubler l'éloquence du lieutenant, Chvéïk gardait scrupuleusement la position militaire et le fixait sans broncher.

Lucas allait l'interpeller brutalement, quand il s'aperçut de l'expression d'innocence dont rayonnait le visage de Chvéïk :

« Dans sa recommandation, M. l'aumônier m'a dit que vous étiez un imbécile épique et je crois qu'il ne s'est pas trompé.

— Je vous déclare avec obéissance, mon lieutenant, que M. l'aumônier ne s'est pas trompé du tout. Quand je servais dans mon régiment, j'ai été réformé pour idiotie, et pour idiotie notoire encore! Nous étions deux : moi et puis un capitaine qui s'appelait von Kaunitz. Celui-là, sauf votre respect, mon lieutenant, quand il se promenait dans la rue, il avait toujours un doigt de la main gauche fourré dans le trou de nez gauche et le pouce de la main droite dans le droit, et quand il allait avec nous au champ de manœuvres, il nous faisait toujours mettre en rang comme pour un défilé et disait :

« Soldats, eh! n'oubliez pas, eh! qu'on est mer-
« credi aujourd'hui, eh! parce que demain, eh! on
« sera jeudi, eh! »

Le lieutenant Lucas haussa les épaules comme
un homme qui ne sait que penser ou qui ne veut
pas comprendre.

Il se contenta donc de marcher entre la porte et
la fenêtre, passant et repassant devant Chvéïk qui,
selon le règlement, le suivait des yeux pour être
prêt à lire dans les siens. Le regard de Chvéïk exprimait tant de candeur que le lieutenant Lucas reprit, sans faire semblant d'avoir entendu l'histoire
du capitaine idiot :

« Oui, chez moi il faut de l'ordre, de la propreté,
et surtout jamais de mensonge. Le mensonge est
quelque chose que je déteste et que je punis sans
merci. Est-ce que vous me comprenez?

— Je vous déclare avec obéissance, mon lieutenant, que je vous comprends très bien. Rien de plus
mauvais que quand on ment. Dès qu'on commence
à s'embrouiller, on est fichu. Dans un village près
de Pelhrimov, il y avait un instituteur qui s'appelait Vanek, et il courtisait la fille du garde forestier
Spera. Cet homme-là a fait savoir à l'instituteur
que s'il l'attrapait jamais dans le bois derrière les
jupes de sa fille, il lui expédierait dans le derrière
du crin coupé, mélangé avec du sel. L'instituteur
lui a fait répondre qu'il n'allait jamais au bois avec
la fille; mais une fois qu'il attendait la gosse, le
garde lui est arrivé le nez dessus et allait déjà le
soumettre à la petite opération promise : alors l'instituteur a juré qu'il était seulement venu pour
cueillir une fleur qui manquait dans son herbier,
et le garde a bien voulu le croire. Un second coup,
l'instituteur a prétendu qu'il cherchait dans le bois
un insecte très rare; et le pauvre type bafouillait
tellement qu'il a fini par raconter qu'il était venu
poser des collets à lièvres. Le garde lui a fait jurer
que c'était la vérité et l'a conduit ensuite à la gendarmerie; de là, l'instituteur a passé au tribunal, et
il a bien failli aller en prison. Et pourtant, c'était
bien simple : s'il avait dit la vérité, il n'aurait eu
qu'un peu de crin coupé, mélangé avec du sel. Moi,
je suis d'avis, que dans tous les cas on a raison

d'avouer; vaut toujours mieux être franc; et quand
il m'arrive de faire quelque chose qui ne convient
pas, j'aime mieux me présenter et dire : « Je vous
« déclare avec obéissance que j'ai fait ceci et
« cela. » Quant à l'honnêteté, c'est aussi une très
belle chose; avec elle on est toujours sûr d'aller
loin. Prenons par exemple les courses à pied. Celui
qui triche est tout de suite disqualifié. C'est ce qui
est arrivé justement à mon cousin. Un homme honnête est estimé de tout le monde, on le respecte partout, il passe son temps à être content de lui-même
et il se sent renaître tous les jours quand il se met
au lit et qu'il peut se dire : « Encore une journée
où j'ai été honnête. »

Pour écouter Chvéïk, son nouveau maître s'était
assis et, le discours se prolongeant, il regardait les
chaussures de son tampon.

« Mon Dieu, pensait-il, tout ce qu'il dit, c'est des
boniments idiots, mais moi-même, est-ce que je ne
dis pas souvent des bêtises du même genre? Il n'y
a que la façon de les dire qui varie. »

Pour se donner une contenance et préserver son
autorité, il dit, quand Chvéïk eut fini :

« Chez moi, il faut avoir des chaussures toujours
bien cirées, l'uniforme en bon état, tous les boutons
bien cousus, et il faut toujours avoir l'air d'un soldat et pas d'un voyou de civil. C'est curieux qu'on
n'arrive jamais à avoir une ordonnance qui ait un
peu de tenue militaire. Je n'en ai eu qu'un seul qui
avait une tournure martiale, mais celui-là m'a volé
mon uniforme de parade et l'a vendu dans le quartier juif. »

Il se tut un instant. Puis, il se mit de nouveau à
expliquer à Chvéïk toutes les tâches qui lui incom-
beraient, en insistant toujours sur la nécessité d'être
un fidèle serviteur et de ne raconter à personne
ce qui se passait.

« Je reçois souvent des dames, dit-il, et quelquefois elles passent la nuit ici, quand je ne suis pas
de service le lendemain. Dans ce cas, vous nous
apporterez notre café au lit, mais seulement quand
j'aurai sonné, vous comprenez?

— Je vous déclare avec obéissance, mon lieutenant, que je comprends très bien, parce que, si j'en-

trais tout à coup, sans prévenir, ça pourrait être
des fois très désagréable pour la dame. Une fois j'ai
ramené chez moi une jeune fille et le lendemain, la
logeuse nous a apporté notre café juste au moment
où on n'était pas très sage. La brave femme a eu
peur, elle m'a échaudé le dos avec son café et elle
a eu encore le toupet de me dire : « Bonjour, m'sieur
« le patron! » C'est pour vous dire, mon lieutenant,
que je sais parfaitement comment on doit se tenir,
quand il y a une dame en visite.

— C'est bien, Chvéïk; pour les dames il faut toujours être excessivement poli », fit le lieutenant
dont l'humeur mausade se dissipait, la conversation
roulant sur un sujet qui occupait les loisirs que lui
laissaient la caserne, le champ de manœuvres et les
cartes.

L'éternel féminin était l'âme de son logis. Ce sont
ses amies qui lui avaient créé un foyer paisible.
Elles s'y étaient mises à plusieurs douzaines, et
certaines d'entre elles s'étaient complu, durant le
temps de leur séjour, à enrichir l'abri de leurs
amours éphémères de mille objets utiles et agréables.

La tenancière d'un café, qui avait passé chez
Lucas quinze jours au bout desquels son mari était
venu la chercher, lui avait brodé un tapis de table;
elle avait aussi orné de gracieux monogrammes le
linge de son hôte et elle était sur le point de commencer une tenture murale, quand son époux était
venu mettre fin à l'idylle et à son activité.

Une demoiselle que les parents n'avaient repérée
qu'après trois semaines, voulait changer en véritable boudoir la chambre à coucher du lieutenant,
en disposant partout des vases et des bibelots et
en installant un ange gardien à la tête du lit.

Dans tous les coins de la chambre à coucher et
de la salle à manger, on pouvait remarquer la trace
d'une main féminine, dont la cuisine se ressentait
aussi. On y voyait toute une batterie resplendissante,
de la vaisselle plate, de l'argenterie, don d'une généreuse épouse de fabricant, qui avait prodigué au
lieutenant ses faveurs, ainsi que des machines à
couper les légumes, des appareils à fabriquer du
pâté de foie gras, des casseroles, des grils, des poêles,
un moulin à café et bien d'autres choses encore.

La femme du fabricant est partie au bout d'une semaine, parce qu'elle ne pouvait pas accepter cette idée que le lieutenant avait en dehors d'elle une vingtaine d'amies, multiplicité qui ne laissait pas d'affaiblir l'ardeur avec laquelle ce costaud lui témoignait ses sentiments.

Le lieutenant Lucas entretenait aussi des relations épistolaires très suivies avec des amies absentes dont les photographies ornaient son album. Depuis quelque temps il tendait au fétichisme et collectionnait des reliques. Sa collection se composait de quelques jarretières, de quatre pantalons de dames, richement brodés, trois chemises entièrement à jour, du plus fin creton de soie, de mouchoirs de batiste, d'un corsage et de plusieurs bas dépareillés.

« Je suis de service aujourd'hui, dit Lucas, et je ne rentrerai que très tard. Gardez bien l'appartement et tâchez de mettre tout en ordre. L'ordonnance dont je me suis débarrassé à cause de sa feignantise, part aujourd'hui pour le front : attention à vous, hein! »

Il donna encore des ordres sur l'entretien du serin et du chat, et sortit, non sans ajouter, en tenant la porte, quelques conseils sur l'honnêteté et sur la correction.

Chvéïk fit de son mieux pour remettre l'appartement en bon état. Lorsque son maître rentra après minuit, la nouvelle ordonnance résuma ainsi son travail du jour.

« Je vous déclare avec obéissance, mon lieutenant, que tout est en bon ordre, sauf pour le chat qui a fait un sale coup et a boulotté votre canari.

— Comment ça? tonna Lucas.

— Je vous déclare avec obéissance, mon lieutenant, que je vais vous l'expliquer en trois mots. Je savais que les chats n'aiment pas les canaris et qu'ils leur font des misères. Alors, j'ai voulu les mettre ensemble pour qu'ils fassent connaissance tous les deux et je m'étais dit que dans le cas où le chat ne se conduirait pas gentiment, je lui passerais quelque chose pour lui apprendre à vivre, parce que moi, j'aime beaucoup les animaux. Dans notre maison, il y avait une fois un chapelier qui pour dres-

ser son chat, a perdu trois canaris, mais le résultat
a été si bon que le chat laissait même un canari se
poser sur son dos. Alors, j'ai voulu faire comme le
chapelier, j'ai sorti le canari de sa cage et je l'ai
fait flairer au chat. Oui, mais cette rosse de chat,
bien avant que je n'aie pu l'en empêcher, a donné
un coup de dents au canari et le pauvre oiseau est
resté sans tête. Moi, je ne croyais pas votre chat
capable d'une brutalité pareille. Si ç'avait été un
moineau, passe encore, mais un canari du Harz! Si
vous l'aviez vu, ce chat, comme il bouffait de bon
cœur les plumes et tout, et comme il ronronnait de
plaisir! On dit que les chats n'ont pas de culture
musicale et que par conséquent ils n'aiment pas le
chant du canari, parce qu'ils n'y comprennent rien.
Je l'ai engueulé comme du poisson pourri, mais je
vous jure, mon lieutenant, que je ne lui ai rien fait
de mal; je vous ai attendu pour que vous décidiez
quelle punition il méritait, ce gredin de chat. »

Chvéïk en disant cela avait un regard si franc
que le lieutenant, qui s'était élancé d'abord vers son
ordonnance avec l'intention de le battre, recula, prit
une chaise et demanda :

« Ecoutez, vous, est-ce que vous êtes réellement
un agneau du Bon Dieu comme ça?

— Je vous déclare avec obéissance, mon lieutenant, que je suis vraiment ce que vous venez de
dire. C'est bien ma déveine, elle me poursuit depuis
mon enfance. Je pense toujours à arranger les
choses pour le mieux, je ne veux que le bien de
tout le monde et, à la fin des fins, je ne fais que
mon malheur et celui de tout le monde autour de
moi. J'ai voulu sérieusement que le chat fasse
connaissance avec le canari et c'est pas ma faute si
cette bête l'a dévoré et la connaissance n'a pas
eu le temps de se faire. Il y a quelques années, dans
la maison Stupart, un chat s'est envoyé même un
perroquet, parce que l'oiseau se moquait de lui en
imitant son miaulement. Mais les chats ont la vie
dure. Si vous m'ordonnez, mon lieutenant, de le
tuer, il faudra que je l'écrase contre la porte, autrement, il n'y aura pas moyen d'en venir à bout. »

Sans quitter son air le plus innocent et son sourire de bonté désarmante, il initia le lieutenant à

l'art de tuer les chats. Ce discours aurait certainement rendu fous de rage tous les membres de la
Société protectrice des animaux.

Il se montra si compétent sur ce chapitre que le
lieutenant Lucas, oubliant sa colère, lui demanda :

« Vous avez l'air de vous y connaître, en animaux. Est-ce que vous les comprenez et est-ce que
vous les aimez?

— J'aime surtout les chiens, déclara Chvéïk,
parce que c'est un commerce qui rapporte beaucoup à celui qui sait se débrouiller. Moi, au commencement, ça ne marchait pas, parce que j'étais
trop honnête, et encore il y avait des particuliers
qui me reprochaient de leur avoir vendu une bête
à moitié crevée à la place d'un chien de sang. Et
tout le monde me demandait des *pedigrees;* j'ai dû
en faire imprimer, et donner des pauvres toutous
de faubourg, qui étaient nés dans une tuilerie, pour
des chiens sortant du chenil de l'éleveur bavarois
Armin von Barnheim. Il fallait ça pour contenter
les clients : ils s'étonnaient parce qu'un chien si
précieux, venant de si loin, d'Allemagne, était poilu
et n'avait pas les pattes torses. Des trucs comme ça,
on en pratique dans tous les grands chenils, et les
chiens qui peuvent se vanter d'être de race, ils sont
plutôt rares. Il y en a dont la mère ou la grandmère s'est oubliée avec un monstre quelconque, il y
en a aussi qui ont eu plusieurs pères et ont hérité
quelque chose de chacun; ils ont les oreilles de
l'un, la queue d'un autre, le poil sur le museau d'un
troisième, le chanfrein d'un quatrième, l'influence
du cinquième les fait boiter, ils ont la taille du
sixième; et comme il y en a qui ont une douzaine
d'auteurs, vous pouvez vous imaginer, mon lieutenant, quel type de cabot ça donne. Une fois, j'ai
acheté par pitié un chien comme ça, Balaban, qui
avait honte même de sortir et se tenait tout le temps
dans son petit coin. J'ai dû le vendre à un client
en Moravie et le faire passer pour un griffon
d'écurie. Ce qui m'a coûté le plus de travail, c'était
de le teindre en poivre et sel. »

Le lieutenant prêtant une oreille attentive à ses
explications cynologiques, Chvéïk put continuer :

« Les chiens ne peuvent pas se teindre eux-

mêmes leurs poils comme les dames leurs cheveux,
c'est à celui qui les vend de s'en charger. Si un
chien est si vieux qu'il est tout gris, et que vous
vouliez le vendre comme un chiot d'un an, ou encore le faire passer, lui qui est grand-père, pour
un chiot de neuf mois, vous n'avez qu'à acheter de
l'argent fulminant; vous le faites fondre et avec ça,
vous badigeonnez la bête, en noir, qu'elle paraît
toute neuve. Pour lui donner de la force, vous lui
faites manger de l'arsenic, et vous lui nettoyez les
dents avec du papier à l'émeri, celui dont on se
sert pour nettoyer les couteaux rouillés. Avant
d'aller le vendre, vous lui fourrez dans la gueule un
peu d'eau-de-vie pour le soûler, ça le rendra tout
de suite vif et folâtre; il aboie vigoureusement et
fait des amitiés aux gens dans la rue, comme un
conseiller municipal en goguette. Mais ce qu'il faut
surtout, c'est raconter des boniments à l'acheteur
pour lui bourrer complètement le crâne. Si quelqu'un veut acheter un ratier et si vous n'avez sous
la main qu'un chien de chasse, il faut savoir retourner l'acheteur de façon qu'il prenne le chien de
chasse à la place du ratier. Maintenant, un bon-
homme vient pour acheter un dogue d'Ulm et si
vous n'avez qu'un ratier, il faut tellement lui en
raconter qu'il emporte, tout guilleret, le ratier nain
dans sa poche à la place du molosse. Quand je tenais mon commerce de chiens, une vieille dame est
venue un jour me voir; elle m'a dit que son perroquet s'était envolé dans un jardin où il y avait des
mauvais garnements qui jouaient aux Indiens, que
ces gosses avaient arraché la queue du perroquet et
qu'ils s'en étaient coiffés comme des agents de police autrichiens. Ce pauvre perroquet, qu'elle m'a
dit, a fini par crever, d'abord de honte d'être sans
queue et ensuite d'un médicament que lui avait
donné un vétérinaire. Elle voulait acheter un nouveau perroquet bien élevé, qui ne serait pas insolent et qui ne jurerait pas tout le temps. Que devais-
je faire? Je n'avais pas ce perroquet et je ne savais
pas où en trouver, mais j'avais un vieux bouledogue
aveugle et plein de vice. Et alors, mon lieutenant,
j'ai dû jaboter pendant trois heures pour lui coller
le bouledogue à la place du perroquet. C'était plus

difficile que résoudre une question diplomatique; quand elle a ouvert la porte pour s'en aller, je lui ai dit : « Eh bien, maintenant, vous verrez si les « gosses sauront arracher la queue à celui-là! » Depuis, j'ai jamais revu la vieille, mais j'ai appris qu'elle avait dû quitter Prague, parce que son bull avait mordu tous les gens de la maison qu'elle habitait. Croyez-moi, mon lieutenant, il est très difficile de se procurer une bête convenable.

— J'aime beaucoup les chiens, répondit Lucas. Mes camarades qui avaient pris leurs chiens avec eux au front m'ont écrit que la guerre en compagnie d'un brave chien, était bien plus supportable, parce qu'on avait de quoi tuer le temps. À ce que je vois, vous connaissez toutes les espèces de chiens, et je crois que si j'en avais un, vous le soigneriez bien. Quelle espèce, d'après vous, est préférable? Je voudrais un chien qui puisse me tenir compagnie. J'ai eu déjà un griffon d'écurie, mais je ne sais pas...

— Je suis d'avis, mon lieutenant, que le griffon d'écurie est une espèce très recommandable. Il ne plaît pas à tout le monde, c'est vrai, parce qu'il a les poils hérissés et la moustache très dure, de sorte qu'on dirait un forçat échappé de la prison. Il est si moche qu'il en devient beau, et très intelligent avec ça. Ne me parlez pas, à côté de ça, d'une andouille de Saint-Bernard. Et le griffon est plus intelligent que le fox-terrier. J'en ai connu un... »

Le lieutenant Lucas regarda sa montre et interrompit la faconde de Chvéïk.

« Il est tard, il faut que j'aille me coucher. Je suis encore de service demain, ainsi vous aurez toute une journée pour vous enquérir d'un griffon d'écurie. »

Chvéïk se coucha sur le canapé de la cuisine et se mit à feuilleter les journaux que le lieutenant avait apportés de la caserne.

« Tiens, se dit-il en parcourant les nouvelles aux en-têtes à gros caractères, le Sultan vient de décerner la médaille de guerre à l'empereur Guillaume, et, moi, je n'ai encore rien du tout, pas même la petite médaille d'argent. »

Tout à coup il sauta à bas du canapé.

« Je n'y pensais plus, Bon Dieu... »

Il entra brusquement dans la chambre à coucher, réveilla le lieutenant qui dormait déjà profondément, et lui dit :

« Je vous déclare avec obéissance, mon lieutenant, que je n'ai reçu aucun ordre quant au chat. » Lucas, à moitié endormi, se tourna sur l'autre flanc en murmurant :

« Trois jours de chambrée. »

Et il se rendormit.

Chvéïk retourna sans bruit à la cuisine, tira le malheureux chat de dessous le canapé et lui signifia :

« Tu as trois jours de chambrée. *Abtreten!* »

Insoucieux, le chat angora réintégra sa « chambrée » sous le canapé.

IV

Chvéïk s'apprêtait pour aller dénicher un griffon d'écurie, lorsque, la sonnette ayant retenti avec frénésie dans l'appartement silencieux, il ouvrit la porte et se trouva face à face avec une dame qui voulait parler d'urgence au lieutenant Lucas. A ses pieds se trouvaient deux grosses malles déposées par un commissionnaire. Chvéïk entrevit encore sa casquette rouge disparaissant dans l'escalier.

« Il n'est pas chez lui », fit sèchement Chvéïk. Mais la jeune femme, sans se laisser décourager par cet accueil peu aimable, se faufila dans l'antichambre et ordonna catégoriquement à Chvéïk :

« Portez les malles dans la chambre à coucher.

— Sans ordre formel de mon lieutenant, c'est impossible; il m'a ordonné une fois pour toutes que je ne devais rien faire autrement.

— Vous êtes fou, s'écria la jeune femme, je viens en visite, moi.

— Mais moi, je l'ignore complètement, répondit Chvéïk; mon lieutenant est de service aujourd'hui et il ne rentrera que tard dans la nuit. Le seul ordre que j'ai reçu, c'est de chercher un griffon d'écurie. C'est tout. Il n'a pas parlé de malles ni d'une dame. Je vais maintenant fermer à clef notre appartement et vous seriez bien aimable de vous en aller. Le lieutenant ne m'a pas annoncé votre visite et je ne peux pas confier l'appartement à une personne étrangère que je n'ai jamais vue. Une fois, le confiseur Belcicky, dans notre rue, avait laissé un homme tout seul dans l'arrière-boutique; le type a cambriolé une armoire et s'est sauvé par la fenêtre. »

Comme la visiteuse se mettait à pleurer, Chvéïk changea de ton :

« Je ne pense pas de mal de vous, ma petite dame, mais vous ne pouvez pas rester ici. Vous allez me donner raison vous-même, puisque vous voyez que le lieutenant m'a confié l'appartement à moi, qui suis responsable de tout. Je vous demande donc encore une fois et très poliment, de bien vouloir vous retirer. Tant que je n'aurai pas l'ordre formel du lieutenant, je ne vous connais pas. Ça me fait de la peine de vous parler comme ça, mais chez nous autres militaires, il faut de l'ordre avant tout. »

Un peu rassérénée, la jeune femme tira une carte de visite, y traça quelques lignes et la mettant dans une coquette enveloppe, dit avec embarras :

« Portez ça à votre lieutenant, j'attendrai la réponse ici. Voici cinq couronnes comme pourboire.

— Il n'y a rien à faire, répondit Chvéïk froissé par l'obstination de la visiteuse inattendue; gardez vos cinq couronnes, les voilà, je les mets sur la chaise. Si vous voulez, venez avec moi à la caserne et attendez-moi là, que je remette votre lettre au lieutenant. Alors, vous aurez la réponse, mais ne vous entêtez pas à rester ici, vous attendriez quinze ans. C'est pas la peine. »

Sur ce, il poussa les deux malles du corridor dans l'antichambre et, faisant grincer la serrure, il cria, tel le gardien d'un vieux château ou d'un musée :

« On ferme! »

Désespérée, la jeune femme sortit de l'appartement, Chvéïk ferma la porte à double tour et descendit l'escalier. L'inconnue le suivait comme un petit chien et ne put le rejoindre qu'au moment où Chvéïk sortait du bureau de tabac.

Elle marchait maintenant à côté de lui et s'efforçait de lier conversation avec lui.

« Vous remettrez bien ma carte sans faute?

— Puisque je vous l'ai dit.

— Et vous êtes sûr de trouver le lieutenant?

— Je n'en sais rien. »

Ces paroles furent suivies d'un long silence. C'était encore l'infortunée visiteuse qui essayait de faire parler l'ordonnance trop scrupuleuse :

« Ainsi vous croyez que vous ne trouverez pas le lieutenant.

— Je ne dis pas ça.

— Et où pensez-vous le trouver?

— Ça, je n'en sais rien. »

De nouveau, le silence régna. Enfin, la jeune femme hasarda encore une question :

« Vous n'avez pas perdu ma lettre?

— Pas pour le moment.

— Vous allez la remettre au lieutenant?

— Oui.

— Et vous êtes sûr de le trouver?

— Puisque je vous ai dit que je n'en savais rien. C'est étonnant comme il y a des gens curieux, ils vous demandent cinquante fois la même chose. C'est comme si je m'amusais à arrêter un passant après l'autre dans la rue pour lui demander quel jour du mois on est. »

Toutes les ressources de la conversation étant ainsi épuisées, ils marchèrent sans s'occuper l'un de l'autre, jusqu'à la caserne. Devant la porte, Chvéïk invita la jeune femme à l'attendre et entama une discussion sur la guerre avec un des factionnaires. La dame épiait Chvéïk de l'autre côté du trottoir et manifestait son impatience par des mouvements nerveux, cependant que Chvéïk n'arrêtait pas de discourir et arborait une expression aussi stupide que celle de l'archiduc Charles sur une photographie récemment parue dans la *Chronique de la grande guerre,* « Le successeur du trône autrichien causant avec deux aviateurs qui viennent d'abattre un avion russe ».

Chvéïk s'assit sur le banc et continua à renseigner les soldats sur la situation stratégique. Dans les Carpathes, les attaques de l'armée autrichienne avaient, paraît-il, remporté un échec complet; mais d'autre part le général Kouzmanek, commandant de

Przemysl, se serait avancé jusqu'à Kiev [1]. En Serbie, nous aurions prudemment laissé onze solides points d'appui et les Serbes seraient bientôt exténués de courir après nos soldats.

Ensuite, Chvéïk passa à une critique serrée les derniers combats et fit une découverte : il constata qu'un détachement de soldats cerné de partout par l'ennemi devait forcément capituler.

Enfin, jugeant qu'il avait assez parlé, il quitta son banc pour dire à la jeune femme de patienter encore un peu. Sur ce, il monta au bureau où il trouva le lieutenant Lucas en train de corriger le projet d'une tranchée fait par un sous-lieutenant, en lui signifiant qu'il ne savait même pas dessiner et ne comprenait rien à la géométrie.

« C'est comme ça qu'il faut vous y prendre, voyez-vous, disait-il. S'il s'agit d'élever une verticale sur une horizontale, il faut la dessiner de sorte qu'elle forme angle droit avec l'horizontale. Comprenez-vous? C'est seulement comme ça que vous arriverez à avoir à peu près juste la ligne de votre tranchée-là, et à rester à six mètres de l'ennemi. Mais telle que vous l'aviez dessinée, vous auriez enfoncé notre position dans celle de l'ennemi et votre tranchée monterait verticalement au-dessus de la tranchée ennemie, tandis que ce qu'il vous faut, c'est un angle obtus. C'est pourtant bien simple, n'est-ce pas? »

Le sous-lieutenant de réserve, employé de banque dans le civil, contemplait avec désespoir le plan auquel il ne comprenait absolument rien, et soupira de soulagement lorsque Chvéïk entra et se mit en position militaire devant le lieutenant.

« Je vous déclare avec obéissance, mon lieutenant, qu'il y a en bas une dame qui vous envoie cette lettre et attend la réponse », dit Chvéïk. Et il cligna familièrement de l'œil.

Le contenu de la lettre ne sembla point ravir le lieutenant. Il lut :

« Lieber Heinrich! Mein Mann verfolgt mich.

1. On sait que le général Kouzmanek avait dû livrer la forteresse de Przemysl aux Russes et avait été transporté à Kiev comme prisonnier de guerre. (Note du traducteur.)

*Ich muss unbedingt bei Dir ein paar Tage gastieren.
Dein Bursch ist ein grosses Mistvieh. Ich bin un-
gluecklich. Deine Katy* [1]. »

Le lieutenant Lucas souffla bruyamment, fit entrer Chvéïk dans une pièce vide à côté du bureau,
ferma la porte et se mit à faire les cent pas. Enfin,
il s'arrêta devant Chvéïk et dit :

« Cette dame m'écrit que vous êtes une sale bête.
Qu'est-ce que vous avez pu lui faire, dites?

— Je vous déclare avec obéissance, mon lieutenant, que je ne lui ai pas fait de mal; au contraire,
j'ai été tout à fait comme il faut. C'est plutôt elle...,
elle a voulu emménager chez nous. Comme vous ne
m'aviez donné aucun ordre, je l'ai empêchée d'entrer
dans notre appartement. Figurez-vous, mon lieutenant, qu'elle s'est amenée avec deux grosses malles,
comme pour une installation. »

Le lieutenant souffla encore avec agacement, et
Chvéïk imita son maître.

« Quoi? s'écria tout à coup le lieutenant perce-
vant seulement alors la remarque au sujet de deux
malles.

— Je vous déclare avec obéissance, mon lieutenant, que ce sera une dure affaire. Il y a deux ans,
dans la rue Vojtesskà, une jeune fille s'est installée
chez un tapissier de ma connaissance; il n'arrivait
pas à la mettre dehors et a dû, pour la faire sortir,
s'asphyxier avec elle au gaz. Avec les femmes on a
du chiendent. Ce que je les connais!

— Une dure affaire », répéta le lieutenant; et il
ne croyait pas si bien dire. La situation du cher
Henri n'était vraiment pas réjouissante. Une dame,
poursuivie par son mari, voulait absolument habiter
chez lui au moment même où il se préparait à recevoir Mme Micka de Trebon, qui le comblait régulièrement de ses faveurs deux jours par trimestre,
quand elle venait à Prague pour faire ses achats. Le
surlendemain il attendait aussi une nouvelle amie.
Cette vierge forte, après avoir réfléchi pendant huit
jours, car elle devait un mois plus tard se marier

[1]. « Mon cher Henri, mon mari me persécute. Il faut absolument que tu me reçoives pour quelques jours. Ton ordonnance est une sale bête. Je suis bien malheureuse. Ta Katy. »
(Note du traducteur.)

avec un ingénieur, avait enfin promis au lieutenant
de couronner sa flamme.

Le lieutenant restait assis tête basse, plongé dans
un silence méditatif; mais ne s'avisant de rien, il
finit par s'asseoir à la table et écrire sur une feuille
de papier ministre :

Chère Katy, je suis de service jusqu'à neuf heures du
soir, je reviendrai à dix. Je te prie de considérer mon
appartement comme le tien. Quant à Chvéïk, mon ordonnance, je lui ai donné l'ordre de t'obéir en tout.

Ton HENRI.

« Vous donnerez, dit le lieutenant, cette lettre
à la dame. Je vous commande de vous comporter
envers elle avec tact et respect, et de satisfaire tous
ses désirs qui doivent être des ordres pour vous.
Je veux que vous vous conduisiez avec galanterie
et que vous la serviez exactement. Voici cent couronnes dont vous me ferez le compte. Elle vous
enverra probablement chercher quelque chose; en
tout cas il faut la faire déjeuner, dîner et ainsi de
suite. Achetez aussi trois bouteilles de vin et une
boîte de cigarettes *Memphis*. C'est tout pour le moment. Vous pouvez aller, mais je vous recommande
encore une fois de faire tout ce qu'elle voudra,
sans même qu'elle ait besoin de vous le demander. »

La jeune femme qui avait déjà perdu tout espoir
de revoir Chvéïk, eut la suprise de le voir sortir de
la caserne et se diriger vers elle, une lettre à la
main.

Chvéïk salua, lui tendit la lettre et déclara :

« Selon l'ordre de mon lieutenant, madame, je
dois me comporter envers vous avec tact et respect,
satisfaire tous vos désirs et faire tout ce que vous
voudrez, sans même que vous ayez besoin de me
le demander. Je dois vous donner à manger et
ainsi de suite. Le lieutenant m'a remis cent couronnes pour cela, mais sur ces cent couronnes, il
faut que j'achète trois bouteilles de vin et une
boîte de *Memphis*. »

Après avoir parcouru la lettre, la jeune femme
qui avait retrouvé sa décision, ordonna à Chvéïk

de héler un fiacre et de retourner avec elle à la maison. Chvéïk dut se mettre à côté du cocher.

Arrivée, elle entra tout à fait dans le rôle de la maîtresse de maison. Elle commença par faire porter ses malles dans la chambre à coucher. Chvéïk dut battre les tapis et enlever la poussière; une petite toile d'araignée excita la fureur de la ménagère.

Toute cette activité trahissait bien son intention de « se retrancher » pour longtemps dans la position stratégique que lui offrait la chambre à coucher du lieutenant.

Chvéïk suait sang et eau. Quand il eut fini de battre les tapis, elle lui enjoignit d'enlever les rideaux pour les épousseter et ensuite de laver les fenêtres de la chambre à coucher. Quand cela fut fait, elle lui commanda de changer les meubles de place, ce qui lui permit de donner libre cours à ses nerfs. Chvéïk poussait les meubles d'un endroit à l'autre, sans qu'elle fût jamais contente. Elle inventait à chaque instant un arrangement nouveau.

Bientôt l'appartement fut sens dessus dessous, et la visiteuse sentit faiblir son énergie organisatrice.

Elle prit alors de la literie fraîche dans la commode et garnit amoureusement les oreillers et l'édredon. Elle apportait à cette occupation mille tendres soins et, en se penchant sur le lit, ses narines palpitaient de convoitise.

Ensuite, elle envoya Chvéïk chercher le déjeuner et le vin. Pendant son absence, elle passa un peignoir de soie transparente, qui la rendait irrésistiblement séduisante.

Au déjeuner, elle but toute une bouteille de vin et fuma quantité de cigarettes. Le repas fini, elle s'allongea sur le lit, tandis que Chvéïk savourait avec délices un quignon de pain de régiment, trempé dans un verre de liqueur sucrée.

Tout à coup il entendit qu'elle l'appelait.

« Chvéïk! Chvéïk! »

Chvéïk ouvrit la porte de la chambre à coucher et aperçut la jeune femme étendue sur le lit dans une attitude languissante.

« Entrez! »

Chvéïk s'approcha du lit. Son occupante mesurait du regard, avec un singulier sourire, les épaules trapues et les fortes cuisses de l'ordonnance.

Rejetant l'aérien tissu qui voilait et projetait ses charmes, elle commanda d'un ton sévère :

« Otez vos souliers et votre pantalon! Venez... »

C'est ainsi que le brave soldat Chvéïk put annoncer au lieutenant, à son retour de la caserne :

« Je vous déclare avec obéissance, mon lieutenant, que, selon votre ordre, j'ai servi exactement madame et que j'ai satisfait tous ses désirs.

— Je vous remercie, Chvéïk. Est-ce qu'elle a eu beaucoup de désirs?

— Six environ, mon lieutenant, répondit Chvéïk. Madame dort à poings fermés, le trajet l'aura fatiguée. Rassurez-vous, mon lieutenant, j'ai fait tout ce qu'elle a voulu, sans même qu'elle ait eu besoin de me le demander. »

V

Tandis que des masses d'hommes armés, enfoncés dans les forêts qui bordent le Dunajetz et le Raab, demeuraient sous une grêle d'obus et que les pièces de gros calibre déchiraient des compagnies entières qu'engloutissaient aussitôt le sol des Carpathes et qu'à tous les coins de l'horizon flambaient villes et villages, le lieutenant Lucas et son fidèle Chvéïk jouaient d'assez mauvais gré leur rôle dans l'idylle imposée par la dame qui avait fui son mari pour tenir le ménage du lieutenant.

La dame sortant tous les jours pour ses petites emplettes, le lieutenant profitait pour délibérer avec Chvéïk des mesures à prendre.

« Ce qui me semble préférable à tout, mon lieutenant, serait d'annoncer qu'elle est ici à son mari qu'elle a quitté et qui la cherche, paraît-il d'après la lettre que je vous ai apportée. Il faudrait lui envoyer une dépêche disant qu'elle est chez vous et qu'il n'a qu'à venir la chercher. On m'a parlé d'un cas du même genre qui s'est produit l'an dernier dans une villa près de Vsenory. Cette fois-là c'est la femme qui avait alerté son mari qui s'est

empressé d'accourir et de les gifler tous les deux.
C'étaient deux civils, mais dans les mêmes conditions, on n'osera rien faire à un officier. Du reste,
vous n'êtes absolument responsable de rien, puisque
vous n'avez invité personne et que cette dame est
partie de son propre mouvement. Vous verrez qu'un
télégramme comme ça aura un effet merveilleux. Et
s'il y a des voies de fait...

— C'est un homme très instruit, observa le lieutenant Lucas; je le connais bien, c'est un négociant
de houblon en gros. Evidemment il faut que je lui
parle... Envoyons le télégramme. »

Celui-ci était rédigé en ces termes : « L'adresse
actuelle de votre épouse est... », et il indiquait le
logis du lieutenant.

C'est ainsi que Mme Katy eut un beau jour la
désagréable surprise de voir entrer en coup de
vent le marchand de houblon. Pendant que
Mme Katy, conservant toute sa présence d'esprit,
faisait les présentations : « Mon mari — le lieutenant Lucas », le visage du nouveau venu exprimait la bonne humeur et un empressement respec-
tueux.

Le lieutenant ne voulut pas être en reste de politesse, en disant :

« Veuillez vous asseoir, monsieur Wendler. »

Et tirant de sa poche un étui à cigarettes, il lui
en offrit une.

Le distingué négociant en houblon prit correcte-
ment une cigarette et, bientôt entouré d'un nuage
de fumée, dit posément :

« Comptez-vous aller au front sous peu, mon lieutenant?

— J'ai demandé à être transféré au 91ᵉ de ligne
à Boudéïovice et je le rejoindrai dès que j'aurai
fini mon cours à l'Ecole des volontaires d'un an.
Nous avons un grand besoin d'officiers de réserve
et nous constatons avec peine que peu de jeunes
gens aujourd'hui se prévalent de leur droit au volontariat d'un an. Appelés sous les drapeaux, ils
préfèrent faire leur service comme simples fantassins qu'acquérir l'honneur d'être officiers.

— Le commerce du houblon a énormément souffert du fait de la guerre, mais je crois qu'elle ne

durera plus longtemps, dit le marchand en considérant tour à tour sa femme et le lieutenant.

— La situation de nos armées est très bonne,
répondit le lieutenant Lucas, personne ne doute
aujourd'hui que la guerre ne doive finir par la
victoire des Puissances Centrales. La France, la
Grande-Bretagne et la Russie ne pourront tenir
contre le bloc de granit austro-turco-allemand. Il
est vrai que nous avons essuyé quelques insuccès
locaux. Mais aussitôt que nous aurons brisé le front
russe entre les Carpathes et le Dunajetz moyen, la
fin des hostilités sera assurée à bref délai. Les Français sont sur le point de perdre tout leur Est et les
armées allemandes entreront bientôt dans Paris. Il
n'y a aucun doute. En dehors de ça, nos opérations
en Serbie continuent à se développer à notre grande
satisfaction : on s'explique généralement mal le
repliement de nos régiments, qui n'est en somme
qu'un changement de position, fruit d'une habile
stratégie. Du reste, nous en verrons bientôt la
preuve. Veuillez suivre sur cette carte... »

Le lieutenant Lucas prit doucement le marchand
de houblon par le bras et le conduisit devant
une grande carte du front russe, qui pendait au
mur.

« Les Beskides de l'est nous donnent une excellente ligne d'appui, de même que les divers secteurs
des Carpathes, comme vous voyez. Il nous suffit de
frapper un grand coup contre le front russe en cet
endroit et nous ne nous arrêterons qu'à Moscou. La
fin de la guerre est plus proche que nous ne le
pensons.

— Et la Turquie? fit le marchand qui se demandait comment amener la conversation sur l'objet
de sa visite.

— Les Turcs tiennent ferme, répondit le lieutenant, en invitant son hôte à se rasseoir; Hali bey,
le président de la Chambre des députés, est arrivé à
Vienne avec Ali bey. Le maréchal Liman von San-
ders est nommé commandant en chef de l'armée
turque des Dardanelles. Von der Goltz pacha a quitté
Constantinople et se trouve à Berlin. Enver pacha,
le contre-amiral Usedom pacha et le général Djevad
pacha ont été décorés par notre empereur. Ce grand

nombre de décorations en si peu de temps est un très bon signe. »

Ils restaient assis en silence. Enfin, le lieutenant jugea bon de reprendre la parole :

« Quand êtes-vous arrivé à Prague, monsieur Wendler?

— Ce matin.

— Je suis content que vous m'ayez trouvé chez moi, parce que, l'après-midi, j'ai mon cours à la caserne, et toutes les nuits je suis de service. Ainsi mon appartement est pour ainsi dire inhabité, ce qui m'a permis d'offrir l'hospitalité à Mme Wendler. Ici personne ne la dérange, elle sort et elle rentre à son gré. Entre vieux camarades que nous sommes... »

Le marchand de houblon toussa.

« Katy est évidemment une femme bizarre, monsieur, dit-il, et je vous remercie mille fois de tout ce que vous avez fait pour elle. Tout à coup l'envie la prend de venir à Prague, elle saute dans le premier train, en disant simplement aux domestiques qu'elle va soigner ses nerfs. J'étais en voyage, je suis rentré, la maison était vide et Katy envolée. »

Et s'efforçant de prendre une expression de franchise, il menaça du doigt sa femme et lui demanda avec un sourire un peu forcé :

« Tu t'étais dit sans doute : puisque mon mari voyage, j'ai bien le droit d'en faire autant. Bien sûr, tu n'avais pas pensé... »

Craignant que la conversation ne prît une tournure désagréable, le lieutenant mena encore une fois son rival devant la carte géographique et lui signala certains endroits marqués au crayon de couleur :

« Tout à l'heure, j'ai oublié de vous faire observer un curieux détail. Vous voyez cette grande ligne, recourbée en arc vers le sud-est, qui forme ici une sorte de tête de pont, constituée par ce groupe de montagnes. Toute l'offensive des Alliés porte sur ce point stratégique d'une extrême importance. Notre tâche à nous est de nous emparer du chemin de fer qui lie ce pont avec la principale ligne de défense de l'ennemi, pour occuper la communication entre l'aile droite de l'armée du nord sur les bords de la Vistule. Est-ce que je m'exprime assez clairement? »

Le marchand de houblon s'empressa d'affirmer qu'il avait tout très bien compris. Mais il avait compris surtout que le lieutenant voyait dans le reproche fait à sa fantasque épouse une allusion à leurs amours adultères. Il ne se départit donc point de son calme et de sa politesse, et reprit sa place devant la table.

« Cette guerre, ajouta-t-il, nous a fait perdre tous les débouchés de notre houblon à l'étranger. La France, la Grande-Bretagne, la Russie et les Balkans, autant de pays perdus pour notre exportation. Il ne nous reste que l'Italie, mais je crains qu'elle n'entre dans la danse elle aussi. Ce qui me console un peu, c'est que quand nous aurons gagné la guerre nous pourrons dicter les prix dans le monde entier.

— L'Italie gardera strictement sa neutralité, dit le lieutenant pour le tranquilliser, c'est...

— Pourquoi alors », interrompit le marchand, pris d'une colère subite, car tout : le houblon, l'épouse et la guerre s'embrouillait dans sa tête, « ne proclame-t-elle pas loyalement qu'elle est liée à l'Autriche-Hongrie et l'Allemagne par les traités de la Triple alliance? J'avais cru que l'Italie allait attaquer la Serbie. Alors la guerre serait finie depuis longtemps. Mais aujourd'hui mon houblon pourrit en magasin, les commandes à l'intérieur sont insignifiantes, l'exportation est nulle, et l'Italie reste neutre. Alors, pourquoi l'Italie, je vous le demande un peu, avait-elle encore renouvelé en 1912 la Triple Alliance? Et le ministre italien des Affaires étrangères, M. le marquis di San Giuliano? Que fait-il, ce monsieur? Est-ce qu'il dort ou quoi? Savez-vous ce que je gagnais par an avant la guerre, et ce que je gagne maintenant? »

Il s'interrompit, puis, fixant toujours son regard furieux sur le lieutenant qui s'amusait placidement à souffler des anneaux de fumée qui se rompaient les uns contre les autres, il reprit :

« Ne vous imaginez pas que je ne suive pas les événements. Pourquoi les Allemands ont-ils reculé à la frontière quand ils étaient déjà devant Paris? Et pourquoi ce duel d'artillerie acharné dans les régions entre la Meuse et la Moselle? Savez-vous qu'à Combes et à Woewre près de Marche trois brasseries sont brûlées, trois brasseries qui nous commandaient cinq cents sacs de houblon par an? Dans les Vosges, une brasserie aussi est détruite, celle de Hartmansweiler, et une autre encore à Niederspach près de Mulhouse. Ça fait, en tout, douze cents sacs en moins par an. La brasserie de Klosterhoek a été six fois le théâtre de violents combats entre les Allemands et les Belges, trois cent cinquante sacs par an. »

Son agitation augmentait tellement qu'il n'était plus en état de parler. Il se leva, s'approcha de sa femme et lui dit :

« Katy, tu vas t'en aller avec moi chez nous. Habille-toi.

« Vous ne pouvez pas vous imaginer combien tous ces événements m'énervent, ajouta-t-il pour s'excuser; dans le temps j'étais beaucoup plus calme. »

Mme Wendler partit dans la chambre à coucher pour se vêtir, et son époux dit encore au lieutenant :

« Ce n'est pas la première fois qu'elle me plaque comme ça. L'année dernière, elle est partie avec un professeur et je ne les ai retrouvés qu'à Zagreb. J'ai profité de l'occasion pour vendre à la brasserie municipale de Zagreb six cents sacs de houblon. En général, nous exportions des quantités de houblon dans l'Europe méridionale. Nous faisions des affaires d'or même à Constantinople. Aujourd'hui, nous voilà à moitié ruinés. Si notre gouvernement — comme on le dit — prend des mesures pour restreindre la fabrication de la bière à l'intérieur de la monarchie, il nous achèvera. »

Allumant une cigarette que le lieutenant lui offrit, il dit :

« J'ai encore de la chance de n'avoir pas d'enfants. C'est désolant, tous ces soucis de famille. »

Il se tut. Déjà, Mme Katy, prête au voyage, apparut sur le seuil.

« Comment ferons-nous pour mes malles? dit-elle.

— On viendra les chercher tout à l'heure, j'ai

déjà fait le nécessaire, répondit le marchand de houblon, soulagé que tout se fût passé sans orage; si tu veux encore faire quelques emplettes, il est grand temps de nous mettre en route. Le train part à deux heures vingt. »

M. et Mme Wendler prirent amicalement congé.

Le mari surtout était heureux de s'en aller. Il manifesta sa joie au moment de sortir :

« Si jamais — ce que je ne vous souhaite pas — vous êtes blessé, venez passer votre convalescence chez nous. Nous vous guérirons de notre mieux... »

Revenu à la chambre à coucher où Mme Katy s'était habillée pour le voyage, le lieutenant trouva sur le lavabo quatre coupures de cent couronnes et le mot suivant :

Monsieur,

Vous n'avez pas pris mon parti devant mon mari, ce triple idiot. Vous lui avez permis de m'enlever de chez vous comme on enlève un objet oublié. Vous ne vous êtes pas gêné pour faire observer à mon crétin de mari que vous m'avez offert *l'hospitalité* dans votre agréable foyer. J'espère que les frais que je vous ai occasionnés ne dépassent pas les quatre cents couronnes ci-jointes, et que je vous prie de partager avec votre ordonnance.

Le lieutenant Lucas réfléchit un moment et prit ensuite le parti de déchirer le poulet en petits morceaux. Il considéra en souriant l'argent qui traînait sur le lavabo et, constatant que l'amoureuse frustrée avait oublié son peigne, prit cet objet et le joignit à sa collection des reliques.

Chvéïk ne rentra que dans l'après-midi, ayant passé son temps à chercher le griffon d'écurie.

« Vous avez de la chance, Chvéïk, vous savez, lui dit le lieutenant. Cette dame qui a logé chez nous, est déjà partie. Son mari l'a emmenée. Et en récompense de tous les services que vous lui avez rendus, elle a laissé quatre cents couronnes pour vous sur le lavabo. Il est nécessaire de la remercier ou plutôt son mari, parce que cet argent est naturellement à lui, elle le lui avait flibusté pour pouvoir se mettre en route. Je vais vous dicter la lettre. »

Et il dicta :

Très honoré monsieur,

Je vous prierais de bien vouloir exprimer à madame votre épouse mes plus sincères remerciements pour les quatre cents couronnes dont elle a bien voulu récompenser les faibles services que j'ai pu lui rendre lors de son séjour à Prague. Mais comme tout ce que j'ai fait pour elle a été fait de bon cœur, il m'est impossible d'accepter cette somme et je vous la...

— Eh bien, écrivez donc, Chvéïk, qu'est-ce que vous avez? Nous disions?

— « ... et je vous la... » répéta Chvéïk d'une voix tremblante et sombre.

— Ah! oui, continuez donc :

... et je vous la renvoie donc, très honoré monsieur, en y joignant l'expression de ma plus profonde considération. Baisez pour moi la main de madame votre épouse.

Jospeh CHVÉÏK,
ordonnance du lieutenant Lucas.

— C'est tout, fit le lieutenant.

— Je vous déclare avec obéissance qu'il manque encore la date.

— Mettez : « Prague, le 20 décembre 1914. » Maintenant prenez cette enveloppe, écrivez l'adresse que voici et allez porter la lettre et l'argent à la poste. »

Et le lieutenant se mit à siffler un air de l'opérette *La Divorcée.*

« Attendez un peu, Chvéïk, demanda-t-il comme l'autre s'en allait, avez-vous des nouvelles de notre griffon?

— J'en ai déniché un, mon lieutenant, une bête superbe. Mais il sera très difficile de l'avoir. Peutêtre que vous l'aurez déjà demain. C'est un chien qui mord. »

VI

Le lieutenant Lucas n'avait pas entendu les dernières paroles de Chvéïk, très importantes pourtant. « C'est un chien qui pour mordre ne craint per-

sonne », aurait voulu ajouter Chvéïk, mais, à la
fin, il s'était dit que cela ne regardait en rien son
maître.

« Puisqu'il veut son chien, il l'aura », conclut-il.

Il est évidemment facile de dire : « Trouvez-moi
un chien! » Les propriétaires des chiens surveillent
leurs bêtes de très près, même si ce ne sont que
des cabots. Un pauvre toutou sans aspect, bon
tout au plus à chauffer les pieds d'une petite vieille,
lui aussi, est, tout comme un autre, aimé et protégé
par sa maîtresse.

De plus, un chien digne de ce nom est doué d'une
intuition qui le met en garde et le prévient qu'un
beau jour on essaiera de le voler à son maître. Un
chien qui se respecte vit sans cesse sous la menace
d'être volé, et est toujours prêt à parer à cette éventualité qu'il sait imminente. A la promenade, quand
il s'éloigne un peu trop de son maître, il est gai
et joueur — au commencement. La vie lui paraît
belle comme à un jeune homme sage qui jouit de
ses vacances après avoir passé son baccalauréat.

Mais, tout à coup, sa bonne humeur s'assombrit;
il se rend compte qu'il a perdu son chemin. Alors,
il se désespère. Effrayé, il court dans tous les sens,
il flaire, il hurle, et serre la queue entre ses
jambes, couche ses oreilles en arrière et galope dans
l'inconnu.

S'il pouvait parler, il crierait certainement :
« Jesus Maria, je sens qu'on va me voler! »

Etes-vous allé quelquefois visiter un chenil et y
avez-vous vu de ces chiens en peine? Ce sont tous
des chiens volés. Dans toutes les grandes villes il
y a des gens qui font du vol des chiens leur unique
métier. Il existe une race de chiens nains, des
amours de ratiers qui tiennent facilement dans un
manchon ou une poche de pardessus, mais cet abri
que l'on croirait inexpugnable, ne défend pas ces
pauvres petits des voleurs. Les dogues allemands
tachetés qui gardent les villas de la banlieue se
volent la nuit. Un chien policier sera volé d'habitude à la barbe des détectives. Vous vous prome-
nez avec votre toutou à la corde, tout d'un coup,
celle-ci est coupée et vous contemplez avec abrutissement la laisse veuve de son chien. Sur le nombre

total des chiens que vous rencontrez dans la rue il y en a cinquante pour cent qui ont changé plusieurs fois de maître, et il peut arriver à quelqu'un de rachefer son propre chien volé quelques années auparavant, si petit qu'ensuite vous ne le reconnaissez plus. Le moment le plus dangereux est celui où vous sortez l'animal pour ses petits et ses grands besoins; les grands surtout sont périlleux. Voilà pourquoi le chien surpris à cette occupation est toujours plein de méfiance et jette autour de lui des regards craintifs.

Il existe encore bien d'autres procédés pour chiper les chiens : le vol pur et simple, le vol à l'esbroufe et le moyen qui consiste à attirer la pauvre bête dans un guet-apens. Le chien est un animal très fidèle — disent les livres de lecture pour les écoliers, et les traités d'histoire naturelle. Mais faites sentir à un chien, même le plus attaché à son maître, un bout de saucisson de cheval, et il est perdu. Il oublie immédiatement la présence du maître qui marche à côté de lui, se retourne délibérément vers le saucisson tentateur. Il en bave, pas à la mettre dehors et a dû, pour la faire sortir, remue la queue en attendant qu'on lui jette sa proie.

A Mala Strana, au bas de l'escalier qui monte au château du Hradcany, se trouve une petite taverne populaire. Ce jour-là, deux hommes étaient assis au fond de la salle, dans un coin sombre : un militaire et un civil. Mystérieux, les têtes penchées, ils se parlaient tout bas, semblables à des conspirateurs de la république vénitienne.

« Tous les jours, vers huit heures, disait le civil, la bonniche le promène au coin de la place Havlicek, en face du parc. Tu sais que c'est une bête qui mord à droite et à gauche. Rien à faire pour le caresser. »

Et se penchant encore davantage vers le soldat, le civil lui souffla à l'oreille :

« Il n'aime même pas la saucisse.

— Et la saucisse grillée?

— Non plus. »

Les deux hommes crachèrent.

« Et qu'est-ce qu'il bouffe alors, ce fils de garce?

— J'sais pas, moi. Il y a des clebs qui sont gâtés et gavés comme un archevêque. »

Le soldat et le civil trinquèrent et le civil continua :

« Une fois, j'avais besoin d'un loulou de Poméranie, et j'ai appris qu'il y avait moyen d'en faire un aux environs de la Klamovka. C'était encore une fine gueule qui ne voulait pas de saucisse. Je me suis esquinté les pattes après lui pendant trois jours. A la fin, j'ai demandé carrément, à la bonne femme qui se baladait avec le clebs, ce qu'il mangeait pour être si bath. La bourgeoise flattée, m'a confié qu'il aimait surtout des côtelettes de porc. Moi, n'est-ce pas, je me suis dit qu'il aimerait encore mieux quelque chose de plus tendre, et je lui ai acheté une escalope de veau. Eh bien, mon vieux, c'est comme je te le dis, ce salaud-là n'y a pas touché. Il a fallu que j'achète une côtelette et alors il s'est décidé. Je me suis encouru, le chien sur mes talons. La vieille hurlait comme si on lui coupait la tête, mais il ne voulait rien savoir, il ne voyait que la côtelette. Le lendemain, il était déjà au chenil de Klamovka, je lui ai fait un brin de toilette et après trois coups de pinceau sur le museau, il était à ne plus reconnaître. Avec tous les autres clebs, la saucisse de cheval m'a toujours bien réussi. Je crois que tu ferais bien de t'informer d'abord auprès de la bonniche. Tu es soldat et un beau garçon, elle ne pensera pas à se méfier. Moi, il n'y a rien eu à faire. Quand je lui ai demandé ce que le clebs bouffait, elle m'a dit : « Ça ne vous regarde pas! » Et elle m'a jeté un coup d'œil comme un poignard. Elle n'est pas très jolie; pour jeune, elle le paraît plutôt, et avec toi, ça ira certainement.

— Ecoute voir, c'est bien un griffon d'écurie. Je voudrais ne pas faire de gaffe, parce que le lieutenant ne veut que cette race-là.

— Je te dis que c'est un chien épatant, tout à fait ton affaire. Et c'est un griffon d'écurie, aussi vrai que toi tu es Chvéïk et moi Blahnik. Tâche moyen de savoir ce qu'il bouffe et tu l'auras sans faute. »

Les deux amis trinquèrent encore une fois. Ils

se connaissaient depuis longtemps. En temps de paix, quand Chvéïk gagnait sa vie en vendant des chiens, Blahnik était son fournisseur attitré. Ce collectionneur de chiens à bon marché était vraiment un spécialiste. On racontait qu'il achetait, sous main, à la fourrière de Pankrace, des chiens soupçonnés d'avoir la rage, et qu'ils les revendait après les avoir habilement camouflés, sinon guéris. On disait aussi qu'il lui était souvent arrivé de présenter les symptômes de la rage et que tout le monde le connaissait à l'Institut Pasteur de Vienne. Aujourd'hui, il considérait comme un devoir d'amitié de rendre ce service à Chvéïk, sans en tirer aucun profit. Il savait le nom de tous les chiens de Prague. Sa longue conversation avec Chvéïk avait lieu à voix basse : quelques mois auparavant, Blahnik avait emporté sous son paletot le ratier du patron de la taverne, et craignait de se faire remarquer. Le ratier qui était alors tout petit, s'était laissé prendre à un biberon que Blahnik lui avait discrètement tendu sous la table. La pauvre petite bête s'étant cru au sein de sa mère, n'avait fait aucun bruit pendant qu'on l'emportait.

Par principe, Blahnik ne volait que des chiens de race. et ses connaissances approfondies lui auraient mérité un poste d'expert-juré auprès du tribunal de Prague. Tous les éleveurs renommés se fournissaient chez lui, sans parler de sa clientèle privée qui était aussi très nombreuse. Il arrivait souvent que les chiens qui devaient à ses soins d'avoir changé de maîtres, le poursuivaient dans la rue. Pour se venger, ils se frottaient contre lui et traitaient son pantalon comme une borne.

*

Le lendemain de la conversation secrète des deux hommes, on put voir Chvéïk se promener au coin de la place Havlicek, à l'endroit indiqué par son camarade. Il attendait la servante au griffon d'écurie.

Ce fut le chien qui apparut le premier; il passa, la moustache et le poil en bataille, le regard éveillé. Il était gai comme tous les chiens qui jouissent d'un

moment de liberté après avoir fait leurs petits
besoins. Il s'amusait à troubler des moineaux qui se
préparaient à déguster leur petit déjeuner de fiente
de cheval.

Puis, Chvéïk vit venir la servante. C'était une
fille d'un certain âge, dont les cheveux formaient
une chaste couronne autour de sa tête. Elle sifflait
pour rappeler le chien. Elle faisait tourner en l'air
la chaîne du chien et une élégante petite cravache.

Chvéïk lui adressa la parole.

« Pourriez-vous me dire, mademoiselle, par où
on va à Zikzov, s'il vous plaît? »

La servante s'arrêta et l'examina curieusement
pour voir s'il ne se moquait pas d'elle. Mais, vite
rassurée par le regard loyal de Chvéïk, elle ne douta
plus que le petit soldat n'eût demandé son chemin
pour de bon. Ses yeux s'adoucirent, et elle expliqua
à Chvéïk avec empressement la direction qu'il avait
à prendre.

« Je viens d'être transféré à Prague avec mon
régiment, dit Chvéïk, je ne suis pas d'ici, je suis
de la campagne, moi. Et vous, vous n'êtes pas non
plus de Prague, n'est-ce pas?

— Je suis de Vodnany.

— On est des pays, répondit Chvéïk, je suis
presque du même patelin, je suis de Protivine. »

Les connaissances que Chvéïk possédait sur la
topographie de la Bohême du sud — connaissances
acquises par hasard lors des manœuvres auxquelles
il avait participé au temps de son service militaire
à Boudéïovice — réjouirent le cœur de la servante.

« Alors vous connaissez, dit-elle, à Protivine le
boucher Peychar qui a sa boutique sur la place?

— Bien sûr, c'est même mon frère. Tout le monde
l'aime chez nous, vous savez, insista Chvéïk, parce
qu'il est très gentil, très poli; il a de la bonne
marchandise et vend bon poids.

— Ecoutez, est-ce que vous n'êtes pas le fils de
Yarèche, demande la servante se prenant de sympathie pour ce soldat inconnu.

— Si.

— Et de quel Yarèche, celui de Protivine ou celui
de Ragice?

— Celui de Ragice.

— Est-ce qu'il vend encore de la bière en bouteilles?

— Mais oui.

— Il doit avoir soixante ans bien sonnés, hein?

— Cette année, au printemps, il a eu soixante-
huit ans passés, répondit Chvéïk avec une calme
assurance. Il continue à livrer ses bouteilles avec
une petite voiture, mais il vient d'acheter un chien
qui lui sert bien dans son commerce. Le chien
ne quitte pas la voiture, et ils sont bien contents
tous les deux. C'est un chien tout juste comme celui
qui poursuit les moineaux là-bas. Jolie bête aussi,
ne trouvez-vous pas?

— Il est à nous, expliqua la nouvelle connaissance de Chvéïk. Je suis servante chez un colonel.
Vous ne connaissez pas notre colonel?

— Si je le connais, c'est même un type peu ordinaire, dit Chvéïk; à mon régiment à Boudéïovice
nous en avions aussi un comme ça.

— Il est très sévère, vous savez, notre colonel.
La dernière fois que nos soldats ont été battus en
Serbie, il est rentré fou de colère et il a cassé
toute la vaisselle à la cuisine. Il m'a menacée de
me donner mes huit jours.

— Alors il est à vous, ce petit beau chien, interrompit Chvéïk; c'est dommage que mon lieutenant
ne supporte pas de chiens à la maison, moi, je les
aime beaucoup. »

Il se tut. Et tout d'un coup :

« Un chien comme ça ne mange pas n'importe
quoi, pour sûr.

— Je vous crois. Notre « Lux » est très gour-
mand. Pendant un certain temps, la viande ne lui
disait rien du tout, il ne voulait pas en manger.
Maintenant, il a changé de goût.

— Et qu'est-ce qu'il aime le mieux comme
viande?

— Du foie, du foie cuit.

— Du foie de veau ou de porc?

— Ah! ça lui est bien égal », fit la « payse »
de Chvéïk en souriant, parce qu'elle croyait qu'il
avait essayé de plaisanter.

Ils se promenèrent encore un bon moment. Enfin,

le chien vint les rejoindre. La servante l'attacha à
la chaîne. Il devint tout de suite très familier avec
Chvéïk, voulant déchirer au moins le bas de son
pantalon. Mais la muselière l'en empêchait. Soudain,
comme s'il eût flairé les intentions de Chvéïk, il
s'assombrit et se mit à marcher l'oreille basse à
côté de lui. De temps en temps il levait sur Chvéïk
un regard torve, comme s'il voulait exprimer : « Je
sais ce qui m'attend. Ce n'est pas gai du tout! »

Chvéïk apprit encore que la servante sortait aussi
le chien tous les soirs vers six heures au même
endroit; qu'elle avait retiré sa confiance à la population mâle de Prague, parce que, ayant mis une
fois une annonce dans un journal pour trouver un
mari, un serrurier de Prague lui avait répondu en
lui promettant de l'épouser et avait fini par disparaître avec huit cents couronnes, le petit pécule
de la fiancée. Elle lui dit aussi qu'à la campagne
les gens étaient plus honnêtes; que, si elle devait
se marier, elle prendrait pour mari un paysan,
mais qu'elle n'y penserait qu'après la guerre seulement, parce que les mariages de guerre étaient une
bêtise, les femmes de soldats devenaient veuves
pour la plupart.

Chvéïk lui donna le ferme espoir qu'elle le re-
verrait vers six heures, et s'en alla informer son
ami Blahnik que le chien mangeait toutes les sortes
de foie.

« Je vais le régaler de foie de bœuf, décida
Blahnik; c'est comme ça que j'ai déjà eu le Saint-
Bernard au fabricant Vydra, un clebs qui ne
connaissait que son maître. Demain, tu auras ton
griffon sans faute. »

Blahnik tint parole. Le lendemain matin Chvéïk
avait à peine terminé la chambre qu'il entendit la
voix d'un chien à la porte, et son camarade pénétra
dans l'antichambre, en traînant par le collier le
griffon dont la peur hérissait le poil plus que ne
l'avait fait la nature. Il roulait des yeux sauvages,
aussi effrayant qu'un tigre affamé qui, de l'intérieur
de sa cage, fixe avidement un visiteur bien nourri
du jardin zoologique. Il grinçait des dents et grognait comme pour déchirer et tout dévorer.

Les deux amis attachèrent le griffon à un pied

de la table de la cuisine, et Blahnik raconta son entreprise :

« J'ai passé à côté de lui avec mon paquet de foie à la main. Il l'a flairé tout de suite et a sauté sur moi. Je ne lui ai rien donné et j'ai suivi mon chemin, le clebs à mes trousses. Au coin du parc, j'ai tourné dans la rue Bredovska et je lui ai jeté un premier morceau. Il l'a bouffé en marchant, sans cesser de me tenir à l'œil. J'ai pris ensuite la rue Jindrisska, où je lui ai encore donné quelque chose. Puis, quand il a eu tout bouffé, je l'ai attaché à ma chaîne et je l'ai traîné à travers toute la place Venceslas et la colline de Vinohrady jusqu'à Vercho-vice. Ne me demande pas ce qu'il a fait en route. A un moment donné, pendant que nous traversions la voie du tramway électrique, il s'est couché sur les rails et n'a pas voulu bouger. Probable qu'il voulait se suicider. Tiens, j'ai apporté aussi un *pedigree* en blanc que j'ai acheté à la papeterie Fuchs. Il s'agit de le remplir et comme tu t'y connais, mon vieux Chvéïk...

— Il faut que ça soit écrit de ta main. Mets-y qu'il est originaire du chenil von Bülov. Comme père inscris « Arnheim von Kahlenberg », comme mère « Emmina von Trautensdorf, par « Siegfried von Busenthal ». Le père a eu le premier prix à l'exposition des griffons d'écurie à Berlin, en 1912; la mère, la médaille d'or, décernée par la « Société pour l'élevage des chiens de race de Nuremberg ». Quel âge qu'il a, à ton avis?

— D'après ses dents, il doit avoir deux ans.

— Marque un an et demi.

— Il est mal coupé, Chvéïk, tu sais! Regarde voir ses oreilles.

— Bah! on aura toujours le temps de réparer ça, quand il sera habitué ici. Pour le moment, on va le laisser bien tranquille; sans ça il nous embête-rait encore davantage. »

Le captif s'essoufflait à grogner, tournait en rond et enfin se coucha, la langue pendante, et attendit, fatigué, la suite des événements.

Petit à petit il se calma, tout en gémissant par moments.

Chvéïk lui tendit le reste du foie qui avait servi

d'appât. Mais le griffon n'y prit pas garde. Il boudait et narguait les deux hommes comme s'il voulait dire : « Vous m'avez eu une fois déjà, vous pouvez bouffer votre foie vous-mêmes. »

Résigné, il faisait semblant de somnoler. Tout à coup, une idée lui ayant passé par la tête, on le vit faire le beau et demander quelque chose avec les pattes de devant. Dans cette posture il s'éloignait jusqu'au bout de sa chaîne.

Chvéïk resta invincible.

« Veux-tu bien te coucher! » cria-t-il.

Le pauvre prisonnier se rallongea en marmottant plaintivement.

« Quel nom allons-nous lui donner dans son *pedigree*? questionna Blahnik. Il s'appelle « Lux », il faudra lui donner un nom à peu près pareil pour qu'il y réponde vite.

— Eh bien! on l'appellera « Max » si tu veux. Regarde comme il dresse ses oreilles. Debout, Max! »

L'infortuné griffon, dépouillé et de son foyer et de son nom, se leva et attendit.

« Détachons-le pour voir ce qu'il va faire », décida Chvéïk.

Libre, il marcha vers la porte où il fit trois courts aboiements, se fiant, sans doute, pour être délivré, à la générosité de ses persécuteurs. Mais comme ils restaient inexorables, il s'avisa de faire une petite mare près de la porte, persuadé qu'elle allait enfin s'ouvrir. Il se rappelait que, quand il était tout petit, le colonel, féru de discipline, lui inculquait des notions élémentaires de propreté en l'expulsant de la chambre après chaque oubli.

Chvéïk observa simplement :

« Tu vois ce qu'il est malin, ce petit bout de jésuite. »

Et il lui donna un coup avec sa ceinture, en lui fourrant si bien le museau dans la mare, que, pendant un quart d'heure, il dut se lécher pour se nettoyer.

Humilié, l'ex-« Lux » pleurnichait et courait à travers la cuisine, reniflant avec désespoir ses propres traces. Tout à coup, il revint vers la table, dévora sombrement le foie qui traînait par terre, se coucha près du fourneau et s'assoupit enfin.

« Qu'est-ce que je te dois? demanda Chvéïk à Blahnik quand celui-ci voulut s'en aller.

— C'est pas la peine d'en parler, Chvéïk, dit gentiment Blahnik; je ferais tout pour un vieux camarade comme toi, surtout que tu fais ton service militaire. Je te dis au revoir, mais fais attention de ne pas passer avec le clebs par la place Havlicek. Ça pourrait mal tourner. Au cas où tu aurais encore besoin d'un clebs, tu as mon adresse. »

Chvéïk ne dérangea pas Max dans son sommeil. Il descendit acheter un quart de foie, le fit bouillir et, en plaçant un morceau près du museau de Max, attendit son réveil.

Chvéïk avait bien prévu. En se réveillant, Max se pourlécha les babines, s'étira, flaira le foie et l'avala goulûment. Ensuite, il s'approcha de la porte et aboya de nouveau trois fois.

Chvéïk l'appela :

« Max, veux-tu venir ici! »

Le chien obéit. Chvéïk le prit, l'assit sur ses genoux et le caressa. En signe d'amitié, Max frétilla d'abord de sa queue coupée, puis happa délicatement la main de Chvéïk, la tint dans sa gueule et considéra d'un regard intelligent l'auteur de ses maux, ayant l'air de penser : « Il n'y a rien à faire, je ne sais que trop que je suis fichu. »

Chvéïk continuait à le caresser, en lui racontant d'une voix tendre un « conte de fées » comme à un petit enfant :

« Il y avait une fois un petit chien qui s'appelait Lux et vivait chez un colonel. Le colonel avait une servante qui, tous les jours, conduisait Lux promener. Une fois, il est venu un monsieur qui a volé Lux dans la rue. Lux a eu un nouveau maître, un lieutenant. On lui a donné aussi un autre nom et on l'a appelé Max. »

Chvéïk ajouta :

« Max, donne la patte. Tu vois, grosse bête, qu'on sera bons camarades, si tu es toujours gentil et obéissant. Autrement, tu verras que le service militaire n'est pas une rigolade. »

Max sauta à terre et tourna joyeusement autour de Chvéïk. Le soir, lorsque le lieutenant Lucas rentra chez lui, Chvéïk et Max étaient de vieux. amis.

Méditant sur le sort de Max, Chvéïk émit cette idée philosophique :

« En somme, un soldat est seulement un homme volé à son foyer. »

Le lieutenant Lucas eut une agréable surprise en voyant Max qui, de son côté, manifesta une grande joie devant un porte-sabre.

Comme le lieutenant voulait savoir d'où venait le chien et ce qu'il coûtait, Chvéïk répondit que c'était un cadeau d'un de ses amis mobilisé.

« Tout va bien, Chvéïk. dit le lieutenant en jouant avec Max, le premier du mois prochain, je vous donnerai cinquante couronnes pour le chien.

— Je ne peux pas accepter ça, mon lieutenant.

— Ecoutez, Chvéïk, prononça sévèrement le lieutenant, quand vous êtes entré à mon service, je vous ai bien expliqué qu'il fallait m'obéir dans tous les cas, exactement. Je vous dis aujourd'hui que vous toucherez cinquante couronnes au premier du mois et que vous serez tenu de les boire? Que ferez-vous donc, Chvéïk, de ces cinquante couronnes?

— Je vous déclare avec obéissance, mon lieutenant, que je les boirai selon votre ordre.

— Retenez encore ceci : en cas d'oubli de ma part, je vous ordonne de me rappeler que je vous dois cinquante couronnes. Est-ce compris? A-t-il des puces, ce chien? Tâchez de lui donner un bain. Demain je suis de service, mais après-demain j'irai me promener avec lui. »

Tandis que Chvéïk lavait Max, son ancien maître, le colonel tempêtait effroyablement, promettant au voleur du chien de le traduire au conseil de guerre, de le faire fusiller, pendre, enfermer en prison pour vingt ans et couper en morceaux.

« *Der Teufel soll den Kerl buserieren!* criait-il que les fenêtres en tremblaient, *mit solchen Meuchl-mördern bin ich bald fertig* [1].

Une catastrophique menace planait sur les têtes de Chvéïk et du lieutenant Lucas.

---

1. « Que le diable l'enc... Des assassins pareils, je leur ferais bientôt leur affaire. » (Note du traducteur.)

XV

CATASTROPHE

Le colonel Frédéric Kraus qui portait le titre de
« von Zillergut », faisant précéder de la particule
le nom d'un village de la province de Salzbourg
(village que ses ancêtres avaient « boulotté » déjà
au xviii° siècle), se distinguait par une stupidité
congénitale et respectable. Lorsqu'il racontait
quelque chose, il ne disait que des choses exactes,
craignant toujours de ne pas être compris. « Eh
bien, une fenêtre, messieurs! savez-vous ce que c'est
qu'une fenêtre? » Ou bien encore : « Un chemin
bordé de deux côtés par des fossés s'appelle chaussée. Eh bien, messieurs! savez-vous ce que c'est
qu'un fossé? Un fossé est un trou allongé auquel
travaillent un certain nombre d'ouvriers. C'est une
excavation. Oui. On y travaille avec des pioches.
Savez-vous ce que c'est qu'une pioche? »

Il était atteint de la manie de la définition et s'y
adonnait avec l'exaltation d'un inventeur qui explique ses œuvres.

« Un livre, messieurs, c'est un assemblage de
feuilles de papier, qui, coupées de façon différente
et ayant des dimensions différentes suivant le cas,
sont couvertes de caractère d'imprimerie, réunies
ensemble, reliées et collées. Savez-vous ce que c'est
que la colle? C'est une matière gluante. »

Sa stupidité était si énorme que les autres officiers évitaient de loin sa rencontre, de peur de
lui entendre dire que le trottoir se détache de la
chaussée et forme une bande asphaltée le long du
bloc des façades de maisons, et que la façade est
cette partie de la maison que l'on voit de la rue,
tandis que le derrière de la maison est invisible pour
celui qui la regarde du trottoir, ce que l'on peut
constater en se plaçant sur la chaussée.

Il était toujours prêt à démontrer l'exactitude

de ses dires. Une fois, il faillit se faire écraser et depuis lors sa bêtise n'avait fait que croître. Il accostait les officiers dans la rue et entamait d'interminables discours sur les omelettes, le soleil, les thermomètres, les beignets, les fenêtres et les timbres-poste.

Et il était vraiment extraordinaire qu'un imbécile de cet acabit pût avoir un avancement relativement assez rapide et être soutenu par des personnalités influentes, tel que le général-commandant en chef qui couvrait ainsi de sa haute protection l'incapacité notoire de sa créature.

C'était merveille de voir ce que le colonel faisait, aux manœuvres, à son malheureux régiment. Il n'était jamais à temps, il se lançait en colonnes contre les mitrailleuses, et une fois même, à l'occasion des manœuvres « impériales » dans le sud de la Bohême le colonel réussit à s'égarer avec ses hommes dans un coin de la Moravie où il erra encore plusieurs jours après la fin des opérations. Mais on ne lui fit pas d'histoires.

Les relations amicales du colonel avec le commandement en chef et avec d'autres hautes personnalités militaires, également abruties, de la vieille Autriche lui avait valu diverses décorations et distinctions dont il était extrêmement fier et à cause desquelles il se considérait comme un excellent soldat et comme un des meilleurs théoriciens de la stratégie et de toutes les sciences militaires.

Aux revues, il aimait à adresser la parole aux soldats pour leur poser une même et unique question :

« Pour quelle raison appelle-t-on « manlicher » le fusil qui est en usage dans notre armée? »

Aussi le régiment l'avait surnommé « le crétin au manlicher ». Il était particulièrement vindicatif, entravait la carrière des officiers qui étaient sous ses ordres, quand ils lui déplaisaient, et quand l'un d'eux voulait se marier, il transmettait leur demande en haut lieu avec un commentaire très défavorable. La moitié de l'oreille gauche lui manquait, ayant été coupée, en sa jeunesse, dans un duel avec un officier qui s'était borné à constater la bêtise incommensurable de Frédéric Kraus.

Si nous analysons ses facultés intellectuelles, nous acquerrons la conviction qu'elles étaient de même degré que celles qui ont valu à François-Joseph Iᵉʳ, le bouffi de Habsbourg, la réputation méritée d'un idiot notoire. Il en avait la façon de s'exprimer et la considérable provision de candeur. Lors d'un banquet au casino militaire, tandis qu'on parlait du poète Schiller, le colonel Kraus von Zillergut s'avisa de dire tout à coup : « Figurez-vous, messieurs, que j'ai vu hier une charrue à vapeur, tirée par une locomotive. Et pas par une locomotive seulement, mais par deux. Je vois la fumée, je me rapproche et voilà une locomotive d'un côté et une de l'autre. Voyons, messieurs, n'y a-t-il pas de quoi rire deux locomotives, alors qu'une seule suffirait simplement? »

Il garda le silence un moment, puis conclut :

« Une fois que vous n'avez plus de benzine, l'automobile s'arrête. C'est ce que j'ai vu hier encore. Et il y a des imbéciles qui vous parlent de la force d'inertie, messieurs. Pas de benzine, pas de mouvement. Voyons, messieurs, n'y a-t-il pas de quoi rire? »

Sa bêtise ne l'empêchait pas d'être pieux. Il avait un autel domestique dans son appartement. Il allait souvent se confesser et communier à Saint-Ignace, et depuis la déclaration de guerre, il priait quotidiennement pour la victoire des armes autrichiennes et allemandes. Il mêlait sa foi chrétienne avec les chimères de l'hégémonie germanique. Dans son esprit, Dieu avait l'obligation d'aider les Empires centraux à conquérir les biens et les territoires de leurs ennemis.

Il devenait fou de colère chaque fois qu'il lisait dans les journaux que les Autrichiens avaient fait des prisonniers et que ceux-ci avaient été transportés à l'intérieur de l'empire.

« On se donne un mal inutile en faisant des prisonniers. Il vaudrait mieux les fusiller tous sur place. Pas de quartier. Dansons au milieu des cadavres! Brûlons jusqu'au dernier tous les civils serbes! Les enfants, on les passera à la baïonnette. »

Il n'était pas moins sanguinaire que le poète

allemand Vierordt qui publia pendant la guerre
des vers où il exhortait l'Allemagne à haïr et à tuer,
d'un cœur ferme, les diables français jusqu'au dernier :

*Que jusqu'aux cieux, plus haut que les montagnes
S'entassent les squelettes humains et la chair
                                        [fumante...*

Ayant terminé son cours à l'Ecole des volontaires d'un an, le lieutenant Lucas sortit avec Max
pour faire un bout de promenade.

« Je me permets de vous faire remarquer, mon
lieutenant, dit Chvéïk soucieux, qu'il faudrait être
très prudent avec ce chien-là. Il pourrait facilement
se sauver. Par exemple, il pourrait se souvenir de
son ancien maître et foutre le camp, si vous ne le
teniez pas toujours en laisse. Je vous signale également que la place Havlicek est très dangereuse pour
les chiens. Il circule par là un chien de boucher,
une bête très méchante qui mord dans tout. Quand
il voit dans son rayon un chien étranger, il est tout
de suite jaloux, parce qu'il s'imagine que lui n'aura
plus rien à manger. Il est dans le genre de ce men-
diant qui défend comme un enragé sa place près de
l'église de Saint-Castule. »

Max sautait gaiement et se faufilait entre les
jambes du lieutenant, entortillant sa corde autour
du sabre de son maître.

Dans la rue, le lieutenant prit la direction de Pri-
kopy [1], car il avait rendez-vous avec une dame au
coin de la rue Panska [2]. Il marchait en pensant à
ses occupations du lendemain. Quoi raconter demain, à son cours, aux candidats du volontariat
d'un an? Comment indique-t-on la hauteur d'une
colline? Pourquoi l'indique-t-on en partant du niveau de la mer? Comment, en prenant la hauteur
d'une montagne, mesurée d'après le niveau de la
mer, calcule-t-on la hauteur réelle de cette montagne, du bas au sommet? Et pourquoi, Bon Dieu, le
ministère de la Guerre tient-il tant à mettre des
choses pareilles au programme des cours pour l'in-

1. Avenue avoisinante de la place Havlicek. (Note du traducteur.)
2. Rue menant à la place Havlicek. (Note du traducteur.)

fanterie, puisqu'elles intéressent plutôt l'artillerie?
De plus, il existe des cartes d'état-major. Quand
l'ennemi occupe par exemple la cote 312, à quoi ça
sert-il de savoir, de combien cette cote domine le
niveau de la mer et à quoi bon calculer sa hauteur
réelle? Il suffit de consulter la carte.

Juste au moment où il approchait du coin de la
rue Panska, il fut dérangé dans ses pensées par un
halt! rauque et tranchant.

En même temps que retentissait ce *halt*, le chien
qui essayait de s'arracher de sa corde, se jeta en
aboyant joyeusement vers le personnage qui l'avait
poussé.

Ce n'était autre que le colonel Kraus von Zillergut, que le lieutenant salua en s'excusant de ne pas
l'avoir vu.

Le colonel Kraus était connu de tous les officiers
pour sa manie de rappeler à l'ordre les militaires
négligents.

Il considérait le salut militaire comme une chose
dont dépendait la victoire de la guerre et sur laquelle reposait toute la force de l'armée.

« Dans son geste de salut, le soldat doit mettre
toute son âme », proclamait-il avec un mysticisme
de caporal.

Il se faisait un devoir d'obliger ses inférieurs à le
saluer avec rigueur, selon les plus petits détails du
règlement, avec correction et dignité.

Il épiait tous les soldats au passage depuis le
simple fantassin jusqu'au lieutenant-colonel. Pauvres
fantassins qui se bornaient à toucher négligemment
le bord de leur képi comme s'ils voulaient dire :
« Salut, toi! » Ceux-là se voyaient arrêtés en pleine
rue par le colonel Kraus qui les conduisait lui-
même à la caserne, pour leur infliger la punition.

Dans aucun cas il n'acceptait l'excuse balbutiée :
« Je ne vous ai pas vu, mon colonel. »

« Le soldat, disait-il encore, doit chercher des
yeux son supérieur dans la foule la plus pressée et
penser constamment à la meilleure manière de remplir tous ses devoirs qui lui sont prescrits par le
règlement de service. Quand il lui arrive de tomber
sur le champ de bataille, il doit, en mourant, faire
le salut militaire. Le soldat qui ne sait pas saluer,

qui feint de ne pas voir son supérieur, ou qui salue par-dessus la jambe, à mon avis, celui-là n'est pas un soldat, mais un sauvage. »

« Les inférieurs, lieutenant, dit-il d'une voix tonnante, doivent saluer leurs supérieurs. C'est une prescription qui n'est pas encore supprimée que je sache. Second point : Depuis quand les officiers ont-ils l'habitude d'aller à la promenade avec des chiens volés? Oui, avec des chiens volés. Un chien qui appartient à une personne étrangère, est un chien volé.

— Ce chien, mon colonel..., tenta de riposter le lieutenant Lucas.

— ... m'appartient, lieutenant, acheva le colonel. C'est mon Lux! »

Ici Lux, alias Max, pour faire voir qu'il n'avait pas oublié son ancien maître et que son nouveau maître ne tenait plus aucune place dans son cœur s'échappa et se mit à bondir autour du colonel, joyeux comme un collégien amoureux qui se voit exaucé par sa belle.

« Promener des chiens volés, lieutenant, n'est pas compatible avec l'honneur militaire. Saviez pas? Un officier n'a pas le droit d'acheter un chien sans s'être assuré que cet achat est sans danger pour lui. »

Le colonel Kraus caressait Lux-Max qui marquait sa rancune envers son possesseur éphémère en grondant et en montrant ses dents, comme si son maître lui avait désigné le lieutenant avec l'ordre : « Mords-le! »

« Dites, lieutenant, est-ce que vous croiriez correct de monter un cheval volé? Non, n'est-ce pas? Alors vous n'avez pas lu mes annonces de la *Bohemia* et du *Prager Tagblatt,* par lesquelles j'ai recherché mon griffon d'écurie? Vous n'avez pas lu l'annonce que votre supérieur a fait paraître dans le journal? »

Il leva les bras au ciel :

« Ils sont inouïs, ces jeunes officiers... Et la discipline, qu'en faites-vous, dites? Le colonel met des annonces et le lieutenant s'abstient de les lire tout simplement! »

« Si je pouvais, vieux tableau, je te ficherais volontiers une paire de gifles », pensa le lieutenant Lucas en contemplant les côtelettes qui faisaient ressembler le colonel à un orang-outang.

« Faites un bout de chemin avec moi, lieutenant », proposa le colonel.

Marchant l'un à côté de l'autre, ils eurent l'agréable conversation suivante :

« Au front, lieutenant, impossible qu'une chose pareille vous arrive encore une fois. Oh! oui, à l'arrière, c'est certainement très agréable de se promener avec des chiens volés. Oui. Se promener avec le chien d'un supérieur. Et à un moment où nous perdons des officiers par centaines sur les champs de bataille. Ici, les officiers ne lisent pas même les annonces. Comme ça, j'aurais pu continuer à mettre mes annonces pendant cent ans. Pendant deux cents ans, trois cents ans... »

Le colonel se moucha avec bruit, ce qui, chez lui, était toujours le signe d'une grande excitation nerveuse.

« Vous pouvez continuer votre promenade tout seul maintenant », dit-il au lieutenant.

Il tourna sur ses talons et s'en alla en fouettant avec sa cravache le bas de son manteau.

Le lieutenant Lucas passa sur l'autre trottoir, mais il entendit le *halt!* du colonel. Celui-ci venait d'interpeller un réserviste qui, pensant à sa femme et ses enfants, avait omis de saluer.

Le colonel Kraus l'emmenait à la caserne, en le traitant de « cochon maritime ».

« Qu'est-ce que je pourrais bien faire à ce crétin de Chvéïk? se demanda le lieutenant Lucas. Je lui casserai la gueule, bien entendu, mais ça ne suffira pas. Même si je découpais sa peau en minces lanières, ce serait trop indulgent. Quel voyou, Bon Dieu! »

Sans plus se soucier de son rendez-vous, il monta dans le tramway pour retourner chez lui.

« Je te tuerai, animal », hurla-t-il.

·

Pendant ce temps-là, le brave soldat était plongé dans une discussion enflammée avec une ordonnance venue de la caserne pour faire signer au lieutenant quelques documents, et qui attendait son retour.

Chvéïk régalait son collègue de café, et ils cherchaient à se persuader mutuellement que « l'Autriche serait bientôt foutue, elle et sa guerre ».

Ils étaient, du reste, complètement d'accord et la défaite pour eux allait de soi. Les avis qu'ils émettaient constituaient toute une série d'opinions très nettes où le procureur n'aurait pas hésité à voir des crimes, dont le plus bénin la haute trahison. Et la moindre peine qu'il aurait requise pour eux eût été la pendaison.

« L'empereur doit en être devenu totalement idiot, déclarait Chvéïk, il n'a jamais inventé la poudre, mais cette guerre-là va l'achever.

— Tu parles s'il est idiot, soutint l'autre, idiot comme une souche, mon vieux, tu n'en as aucune idée. Probable qu'il ne sait même pas qu'il y a une guerre. Tu comprends, ils ont honte de le lui dire. Ah! quelle belle blague, sa signature de la proclamation aux nations d'Autriche-Hongrie! Tu peux être certain qu'on l'a imprimée sans la lui faire voir. Il a la tête fatiguée, le vieux.

— Lui? Mais il est foutu. Il fait sous lui et on lui donne à manger comme à un bébé. L'autre jour, un monsieur racontait au restaurant que l'empereur avait deux nourrices qui lui donnaient le sein trois fois par jour.

— Il est grand temps, vieux, qu'on nous mette en compote pour que l'Autriche attrape la fessée qu'elle mérite, et se tienne enfin à sa place. »

Les deux soldats conversaient ainsi, et Chvéïk résuma le verdict sur l'Autriche par ces paroles :

« Une monarchie si bête que ça ne devrait même pas exister. »

L'autre, pour compléter ce jugement un peu général, ajouta :

« Au front, à la première occasion, je les mets pour passer à l'ennemi. »

L'entretien qui exprimait bien l'opinion générale des Tchèques sur la guerre où s'était aventuré l'empire prit une autre tournure.

Le collègue de Chvéïk lui confia qu'on racontait

à Prague qu'à Nachod [1] on entendait le canon et que le tsar ferait bientôt son entrée à Cracovie.

Ils parlèrent des blés tchèques livrés à l'Allemagne, et de la profusion de cigarettes et chocolat, dont jouissaient les soldats allemands.

Ils évoquèrent ensuite les mœurs guerrières des temps anciens, et Chvéïk entreprit de prouver qu'à l'époque où l'ennemi lançait sur un château assiégé des pots de m... en guise d'obus, ses défenseurs ne devaient pas être plus à la noce que les soldats d'aujourd'hui. Il avait lu quelque part qu'un certain château ayant résisté pendant trois ans, les assiégeants n'avaient pas passé un seul jour sans vider ainsi leurs fosses d'aisance en l'air.

Il n'aurait pas manqué de dire encore quelque chose d'intéressant et d'instructif, si le retour du lieutenant ne les avait brusquement interrompus.

Ecrasant Chvéïk d'un coup d'œil furieux, il signa les documents d'un trait de plume et congédia leur porteur. Puis, il intima à Chvéïk de le suivre dans la chambre.

Les yeux du lieutenant jetaient des éclairs effroyables. Tombé sur une chaise, il tenait son regard braqué sur Chvéïk, en se demandant par où commencer le massacre.

« Je vais d'abord lui flanquer une paire de gifles, puis je lui démolirai le nez et lui arracherai les oreilles, pour le reste on verra. »

Tandis qu'il se préparait à exécuter son projet, le regard innocent et candide de Chvéïk se posait sur lui, tout pénétré de bonté et de franchise...

Chvéïk interrompit ce calme gros de tempête :

« Je vous annonce avec obéissance, mon lieutenant, que vous voilà privé de votre chat. Il a boulotté la crème pour les chaussures et s'est permis de crever. J'ai jeté son cadavre non dans notre cave, mais dans celle du voisin. Vous trouverez difficilement un angora joli et bien élevé comme cette bête-là. »

« Qu'est-ce que je vais bien faire de lui? se demanda de nouveau le lieutenant. Quelle figure d'imbécile, Bon Dieu! »

1. Ville située au nord-ouest de la Bohême, près de l'ancienne frontière austro-allemande. (Note du traducteur.)

Les yeux innocents et candides de Chvéïk ne désarmaient pas de leur douceur et de leur tendresse et reflétaient la sérénité de l'homme qui estimait que tout était pour le mieux, que rien d'extraordinaire ne s'était passé et que tout ce qui avait pu se passer était d'ailleurs pour le mieux, car il faut tout de même bien qu'il se passe quelque chose de temps en temps.

Le lieutenant Lucas sauta sur ses pieds. Il ne toucha pas son ordonnance, mais agita un poing devant son nez et éclata :

« Chvéïk, vous êtes un voleur de chien!

— Je vous déclare avec obéissance, mon lieutenant, qu'aucune affaire de ce genre-là ne m'est arrivée dans les derniers temps. Je me permets également de vous faire remarquer, mon lieutenant, que je n'ai pas pu voler Max, puisque vous êtes sorti avec lui cet après-midi. Je me suis bien dit qu'il avait dû arriver quelque chose au chien, quand je vous ai vu, tout à l'heure, rentrer sans lui. C'est ce qu'on appelle une complication. Dans la rue Spalena, il y a un corroyeur qui s'appelle Kounèche. Ce type-là n'a jamais pu faire une promenade avec un chien sans le perdre. Ou bien il l'oubliait dans une taverne ou bien on le lui empruntait sans le rendre, ou bien il était volé...

— Chvéïk, espèce de bourrique, fermez ça, nom de Dieu. Vous êtes un rusé gredin qui l'a fait à l'idiot, ou un chameau, un dodo! Vous avez toujours des exemples en réserve pour toute chose, mais avec moi, ça ne prendra plus, vous m'entendez! D'où avez-vous amené ce chien? Comment l'avez-vous eu? C'est le chien de notre colonel qui me l'a repris en plein centre de Prague. Je vous dis que c'est un scandale épouvantable! Avouez la vérité, est-ce que vous l'avez volé, oui ou non?

— Je vous déclare avec obéissance, mon lieutenant, que je ne l'ai pas volé.

— Est-ce que vous saviez que c'était un chien volé?

— Je vous déclare avec obéissance, mon lieutenant, que je savais que c'était un chien volé.

— Chvéïk, Bon Dieu de Bon Dieu, je ne sais pas ce qui me retient de prendre mon revolver, triple

abruti, andouille, âne bâté, espèce de fumier! Est-
ce que vous êtes réellement si idiot que ça?

— Je vous déclare avec obéissance, mon lieutenant, que je suis réellement si idiot que ça.

— Pourquoi m'avez-vous amené un chien volé,
pourquoi avez-vous installé chez moi cette sale
bête?

— Pour vous faire plaisir, mon lieutenant. »

Et les yeux innocents et candides caressaient de
nouveau le visage du lieutenant qui se laissa retom-
ber sur la chaise en gémissant :

« Qu'ai-je fait pour que le Bon Dieu me punisse
en me donnant un imbécile pareil? »

Résigné, le lieutenant restait assis sur la chaise,
sentant la force lui faire défaut pour gifler Chvéïk
et même pour rouler une cigarette. Absolument à
bout de ressources, il envoya Chvéïk acheter la
Bohemia et le *Prager Tagblatt* pour lui mettre sous
le nez les annonces du colonel.

Chvéïk revint en tenant le journal ouvert à la
page d'annonces. Il déclara en rayonnant de plaisir :

« C'est bien là-dedans, mon lieutenant. C'est épatant comme le colonel décrit son griffon, et il offre
cent couronnes à qui le lui rapportera. C'est une
belle récompense. D'habitude, on ne donne que
cinquante couronnes. Un certain Bogetiech de Ko-
sire gagnait sa vie rien qu'avec les récompenses. Il
volait au hasard des chiens de bonne famille et re-
cherchait ensuite leurs propriétaires dans les annonces. Une fois, il avait volé un loulou de Poméranie, mais pas moyen de retrouver le propriétaire.
Il a mis alors une annonce à son tour. Il en a mis
une deuxième, une troisième, tant qu'il lui en a
coûté dix couronnes, et il en a été quitte pour son
argent. A la fin, arriva une lettre du propriétaire de
l'animal, disant qu'il s'agissait bien de son chien,
mais qu'il ne s'en était plus occupé, parce qu'il
croyait que toutes les recherches seraient inutiles.
Il ne croyait pas qu'il existait encore des gens honnêtes, mais qu'il changeait d'avis maintenant qu'on
allait lui rendre son loulou. Il disait aussi dans sa
lettre que, par principe, il n'était pas partisan de
récompenser l'honnêteté, mais qu'il était disposé à

faire hommage à Bogetiech d'un livre écrit par lui
sur *La culture des plantes vertes dans les apparte-
ments et les jardinets de villas.* La-dessus Bogetiech
a empoigné le loulou par les pattes de derrière et a
astiqué avec lui la tête du monsieur, en jurant
qu'on ne le prendrait plus à mettre des annonces,
il aimerait mieux vendre les chiens trouvés à des
chenils.

— Allez vous coucher, Chvéïk, ordonna le lieutenant, vous êtes capable de m'abrutir avec vos histoires jusqu'à demain matin. »

Il se mit au lit lui aussi et toute la nuit, il rêva
de Chvéïk. Il rêva que Chvéïk lui amenait un cheval
qu'il avait volé à l'héritier du trône, de sorte que
celui-ci reconnaissait sa monture au milieu d'une
revue, au moment où le malheureux Lucas chevau-
chait à la tête de sa compagnie.

Le lendemain le lieutenant était rompu de fatigue,
comme au sortir d'une noce terminée par des coups
de poings. Il n'arrivait pas à se débarrasser de son
cauchemar. Exténué par son rêve, il s'assoupit un
peu vers le matin, quand Chvéïk frappa pour demander à quelle heure le lieutenant désirait être
réveillé.

« A la porte, abruti, c'est abominable! »

Il se leva enfin et Chvéïk lui apporta son café
en l'interloquant d'une nouvelle question :

« Vous ne voudrez pas des fois, mon lieutenant,
que je vous procure un autre chien? Je vous déclare avec obéissance...

— Ecoutez, Chvéïk, j'avais envie de vous déférer
devant le conseil de guerre, mais je vois bien que
vous seriez acquitté, parce que ces messieurs n'ont
encore jamais eu affaire à un crétin de votre enver-
gure. Regardez-vous bien là dans la glace, n'êtes-
vous pas dégoûté de vous-même devant un visage
aussi stupide que ça? Vous êtes le phénomène naturel le plus renversant que j'aie jamais vu. Allons,
Chvéïk, mais dites la vérité : est-ce que votre tête,
elle vous plaît?

— Je vous déclare avec obéissance, mon lieutenant, qu'elle ne me plaît pas du tout : elle a l'air
dans cette glace d'une boule pointue. Ça ne doit pas
être une glace biseautée. Une fois, ils avaient mis

dans la devanture du marchand de thé Stanek une glace convexe et quand on s'y regardait on avait envie de vomir. On y avait la bouche de travers, la tête ressemblait à une poubelle, on avait le ventre d'un chanoine après une beuverie en règle. bref on se voyait défiguré à se suicider sur place. Une fois, le gouverneur est passé par cette rue, s'est regardé dans cette glace et le magasin a été obligé d'enlever la glace. »

Le lieutenant qui gémissait tout bas ne l'écoutait pas, préférant s'occuper de son café.

Chvéïk retourna dans la cuisine et le lieutenant l'entendit entonner l'air :

Le général Grenevil passe par la Tour des Poudres
[en ville,
On voit au soleil flamber les armes, et les belles
[filles fondent en larmes...

Hardiment, il continuait à élever la voix :

Nous autres soldats, on est de grands seigneurs,
De nous aimer, les jolies filles n'ont pas peur,
On ne manque de rien, partout on se porte bien...

« En effet, abruti. tu te portes très bien », pensa le lieutenant et il cracha.

Naturellement, la tête de Chvéïk ne tarda pas à faire son apparition dans la porte.

Radieux, Chvéïk annonça :

« Je vous déclare avec obéissance, mon lieutenant, qu'il y a là quelqu'un de la caserne, une ordonnance, de la part du colonel qui demande que vous alliez le voir d'urgence. »

Heureux aussi d'être bien renseigné, il ajouta avec mystère :

« Oh! rien de grave, je crois, c'est certainement à cause de notre petit chien. »

Retenant mal l'angoisse qui l'opprimait, le lieutenant interrompit brutalement l'ordonnance qui lui annonçait que c'était « pour le rapport du colonel ».

En arrivant à la caserne, il vit que ce qui se préparait était encore pis qu'un rapport. Le colonel l'attendait commodément installé dans le bureau.

« Je constate. mon cher lieutenant, qu'il y a deux ans, vous avez demandé à être transféré au 91ᵉ de ligne à Boudéïovice. Savez-vous où se trouve Boudéïovice? Sur la Veltava, oui, sur la Veltava qui a pour affluent l'Oder ou un autre fleuve. La ville est grande, je dirai même avenante et, si je ne me trompe pas, il y a un quai. Savez-vous ce que c'est qu'un quai? C'est un gros mur bâti sur le bord de l'eau. Du reste, ça n'a pas de rapport. On y a été aux manœuvres.

« Savez-vous que mon chien s'est complètement gâté chez vous, continua-t-il après une pause sans toutefois détourner ses yeux de l'encrier. Il ne veut plus rien manger. Tiens, il y a une mouche dans l'encrier. C'est malheureux, même en hiver de voir les mouches dans les encriers. Quel manque d'ordre! »

Irrité par les détours de la conversation, le lieutenant pensait :

« Fiche-moi la paix, à la fin, vieille barbe! Qu'est-ce que tu attends, Bon Dieu. Je sais très bien où tu veux en venir. »

« Eh bien, lieutenant, dit enfin le colonel après s'être promené de long en large, j'ai longtemps réfléchi quelle mesure j'avais à prendre pour que cette histoire ne puisse pas se répéter et je me suis souvenu de votre demande de transfert au 91ᵉ. Et comme, d'autre part, le haut commandement se plaint du manque d'officiers, les Serbes les ayant tués tous, j'ai pensé à vous. Je vous donne ma parole d'honneur que d'ici trois jours vous aurez rejoint votre 91ᵉ à Boudéïovice où on est justement en train de former des bataillons de marche. Pas la peine de remercier. L'armée a besoin d'officiers qui...

« C'est l'heure de passer au rapport, ajouta-t-il en consultant sa montre. Onze heures et demie... »

Il salua en signe que l'agréable conversation était terminée.

Tête basse, mais respirant à pleins poumons le lieutenant Lucas se dirigea vers l'Ecole des volontaires d'un an où il annonça qu'il partait prochainement pour le front et qu'il offrait aux candidats un lunch d'adieu dans la salle du restaurant de Nekazanka.

Rentré, il alerta Chvéïk.

« Vous savez ce que c'est qu'un bataillon de marche, Chvéïk?

— Je vous déclare avec obéissance, mon lieutenant, qu'un bataillon de marche est un *batmarche* et une compagnie de marche, une *compmarche* : nous autres, on raccourcit les mots.

— Je vous annonce alors, Chvéïk, dit le lieutenant d'un ton solennel, que dans très peu de temps, vous ferez partie de ma *compmarche,* puisque vous aimez les abréviations dans ce genre-là. Mais ne vous imaginez pas qu'au front vous pourrez faire des bêtises comme ici. Etes-vous content?

— Je vous déclare avec obéissance, mon lieutenant, que je suis excessivement content, répondit le brave soldat Chvéïk; ce sera quelque chose de magnifique quand nous tomberons ensemble sur le champ de bataille pour Sa Majesté l'empereur et son auguste famille impériale et royale... »

TABLE

BRODARD ET TAUPIN — IMPRIMEUR - RELIEUR
Paris-Coulommiers. — France.
05.753-II-2-677 - Dépôt légal n° 3570, 1er trimestre 1964.
LE LIVRE DE POCHE - 4, rue de Galliéra, Paris.

CLASSIQUES
DE POCHE RELIÉS

Les œuvres des grands auteurs classiques, dans le texte intégral et présentés par les meilleurs écrivains contemporains.
Une présentation particulièrement soignée, format 17,5×11,5, reliure de luxe pleine toile, titre or, fers spéciaux, tranchefile, gardes illustrées, sous rodhoïd transparent.

BALZAC
S. Une ténébreuse affaire.
D. Le cousin Pons.
D. La cousine Bette.
D. Le père Goriot.
D. La Rabouilleuse.
D. Les Chouans.

BAUDELAIRE
S. Les Fleurs du Mal.

CHODERLOS DE LACLOS
D. Les liaisons dangereuses.

DOSTOIEVSKI
S. L'éternel mari.
D. L'idiot, *tome I.*
D. L'idiot, *tome II.*
S. Le joueur.

FLAUBERT
D. Madame Bovary.

GOGOL
D. Les âmes mortes.

HOMÈRE
D. Odyssée.

MACHIAVEL
S. Le prince.

NIETZSCHE
D. Ainsi parlait Zarathoustra.

OVIDE
S. L'art d'aimer.

PASCAL
D. Pensées.

POE
D. Histoires extraordinaires.
S. Nouvelles histoires extraordinaires.

RIMBAUD
S. Poésies complètes.

STENDHAL
D. La chartreuse de Parme.
D. Le rouge et le noir.

SUÉTONE
D. Vies des douze Césars.

TACITE
D. Histoires.

TOLSTOI
D. Anna Karénine, *tome I.*
D. Anna Karénine, *tome II.*
D. La sonate à Kreutzer.

VOLUMES PARUS ET A PARAITRE
DANS LE 1er SEMESTRE 1964

BAUDELAIRE
S. Le Spleen de Paris.

BALZAC
S. La duchesse de Langeais.
S. Le Colonel Chabert.

DUCASSE (Lautréamont)
D. Œuvres complètes (Les Chants de Maldoror).

VICTOR HUGO
D. Les misérables, *tome I.*
D. Les misérables, *tome II.*
D. Les misérables, *tome III.*

LA FONTAINE
D. Fables.

MÉRIMÉE
D. Colomba.

MOLIÈRE

- D. Théâtre, tome *I.*
- D. Théâtre, tome *II.*
- D. Théâtre, tome *III.*
- D. Théâtre, tome *IV.*

ABBÉ PRÉVOST

- S. Manon Lescaut.

RACINE

- D. Théâtre, tome *I.*
- D. Théâtre, tome *II.*

VERLAINE

- S. Poèmes Saturniens
- S. Jadis et Naguere. Parallèlement.

VILLON S. Poésies complètes.

S : (Volume simple) **3f,90** *taxe locale incluse.*
D : (Volume double) **4f,90** *taxe locale incluse.*

LE LIVRE DE POCHE
ENCYCLOPÉDIQUE

PARUS ET A PARAITRE DANS LE 1er SEMESTRE 1964

LE LIVRE DE POCHE
HISTORIQUE

JACQUES BAINVILLE
427-428 Napoléon.
513-514 Histoire de France.

MARIA BELLONCI
679-680 Lucrèce Borgia.

BENOIST-MÉCHIN
890-891 Ibn-Séoud.

LOUIS BERTRAND
728-729 Louis XIV.

DANIEL-ROPS
606-07-08 L'église des Apôtres et
des Martyrs.
624-625 Histoire sainte.
626-627 Jésus en son temps.

PHILIPPE ERLANGER
342-343 Diane de Poitiers.

GÉNÉRAL DE GAULLE
Mémoires de Guerre.
389-390 L'Appel (1940-1942) tome I.
391-392 L'Unité (1942-1944) tome
II.
612-613 Le Salut (1944-1946) tome III.

PIERRE GAXOTTE
461-462 La Révolution française.
702-703 Le Siècle de Louis XV.

RENÉ GROUSSET
883-884 L'Épopée des croisades.

ANDRÉ MAUROIS
455-456 Histoire d'Angleterre.

RÉGINE PERNOUD
Vie et mort de Jeanne
d'Arc (*).

CORNÉLIUS RYAN
1074-75 Le jour le plus long.

O. DE WERTHEIMER
1159-60 Cléopâtre.

STEFAN ZWEIG
337-338 Marie Stuart.
386-387 Marie-Antoinette.
525-526 Fouché.

(*) : Volume double.

A PARAITRE DANS LE 1er SEMESTRE 1964

BENOIST-MÉCHIN
Mustapha Kémal.
GEORGES BLOND
Le débarquement.

SALVADOR DE MADARIAGA
Hernan Cortès.
INDRO MONTANELLI
Histoire de Rome.